YR HENDRE
LLYFRAU'R LLANNEWYDD

1982

Pan Ddaw'r Machlud

Nofel

gan

ALUN JONES

Hwyl fawr,

Alun

GWASG GOMER
1981

Argraffiad Cyntaf—Awst 1981

ISBN 085088 515 9

Argraffwyd gan J. D. Lewis a'i Feibion Cyf.
Gwasg Gomer, Llandysul

I

ALED

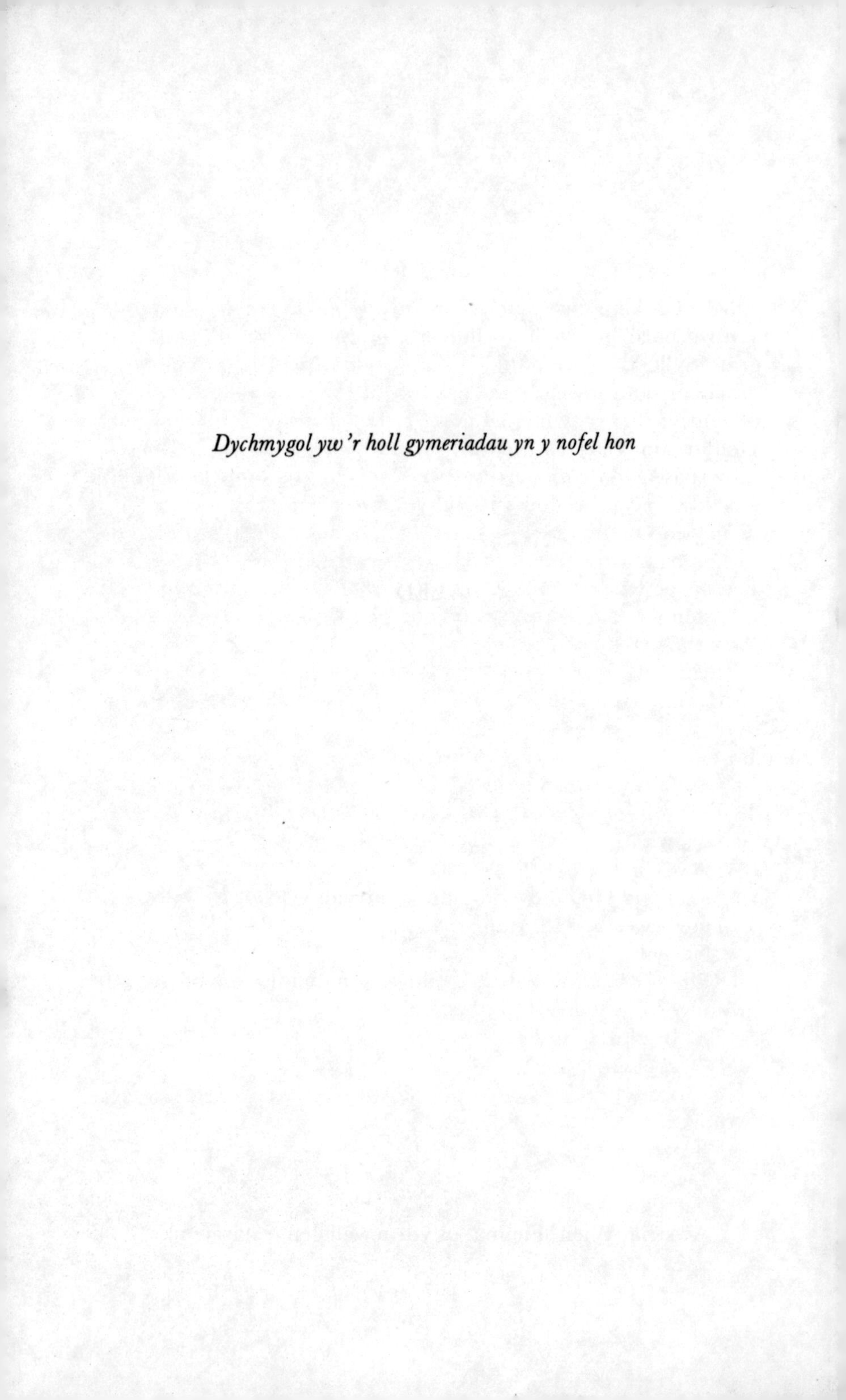

Dychmygol yw'r holl gymeriadau yn y nofel hon

1

I

Mae Carl am farw cyn bo hir, meddyliodd Heilyn, pan fydd y mwg baco 'na wedi gorffen troi ei du mewn o fel twll dan grât. Syllodd ar yr Almaenwr yn tynnu'n hir yn ei sigarét drachefn, gan lowcio'r mwg i gorddi yn ei ysgyfaint, cyn ei ollwng yn ffrwd swnllyd i'r awyr. Dyna un peth na ddeallai Heilyn am Carl: ni fedrai gysoni'r llyncu mwg parhaus, dibwrpas, gyda'r meddwl a'r weledigaeth gref a phenderfynol a oedd yn ei nodweddu a'i symbylu mor amlwg.

Yr oedd Heilyn newydd orffen ei lyfr, ac eisteddai'n flêr yn yr hen gadair freichiau, gydag un llaw yn chwarae â'i geg, a'i goesau ar led. Gwyliai Carl yn darllen y papur newydd, ei ddarllen yn ddyfal a thrwyadl o un pen i'r llall, heb fethu gair. Astudiai hyd yn oed yr hysbysebion.

"Mae'r lleill yn hir."

Marian a siaradodd, o'r ffenest. Daliodd i edrych allan yn synfyfyriol am ennyd, gan hanner gwylio gwylan fudr yn busnesa hyd y pafin yr ochr arall i'r ffordd. Yna trodd, a daeth at y soffa, ac eistedd wrth ochr Carl. Mwythodd ei bysedd ar hyd ei lin, gan edrych ar Heilyn yn eu gwylio'n ddioglyd o'r gadair freichiau.

"Wyt ti'n nerfus?"

Astudiodd Heilyn weddillion y patrwm cylchog ar y carped cyn ateb cwestiwn Marian.

"Nac ydw."

"Ella y dylat ti fod. 'Roeddwn i'n neidio rownd lle fel cwningen cyn gwneud fy job gynta."

"Pa bryd oedd hynny?"

"O, sbel yn ôl, bellach."

Yr oeddynt yn amharod i sôn am ddyddiau cynnar y Mudiad.

"Be oedd o? Banc?"

"Ia."

"Ymhle?"

"Awstria. Wien. Fienna, os ydi'n well gen ti siarad Sais."

"Faint ddwynoch chi?"

"Chwarter miliwn."

Neidiodd Heilyn yn ei gadair.

"O bunnau?"

Gwelodd y wên yn ymledu yn llygaid Marian.

"'Dydi pobl Wien ddim yn credu mewn petha felly. Chwarter miliwn schilling. Dau gant a hanner o bapurau mil. Rhyw wyth mil o bunnau yr adeg honno."

"Honno oedd dy job gynta ditha, Carl?"

Crychodd Carl ei drwyn am ennyd ar rywbeth yn ei bapur cyn ei gau a'i daflu ar lawr wrth ei draed.

"Ia."

"Honno oedd job gynta'r Mudiad?"

"Mewn ffordd."

Mewn ffordd. Yr un amharodrwydd, rhag ofn iddo ef benderfynu efallai nad oedd hanes y Mudiad mor ddisglair ag y cerid iddo ef ei gredu. Newydd-ddyfodiad i'r Mudiad ydoedd ef, wedi baglu iddo pan glywodd leisiau Cymraeg mewn caffi bychan yn neheudir Ffrainc. A gwyddai mai newydd-ddyfodiaid oedd Sean, Jim a Marc hefyd. Ond efallai nad oedd hynny'n bwysig.

Cododd o'i gadair ac aeth at y ffenest. Troesid llofftydd y tŷ yn fflat, gyda thair ystafell wely, dwy gegin, ac ymolchfa, ac yr oedd golwg y diawl ar yr holl le. Dau frawd oedd biau'r tŷ, dau hen lanc yn tynnu am y trigain oed, dau ryfedd, yn byw eu hunain yn y gwaelod, ac wedi gosod clo ar y drws pen grisiau ar ôl llusgo nialwch o ddodrefn simsan o arwerthiannau rhad i'r llofftydd, a'u galw'n fflat wedi'i ddodrefnu. Deuai hynny â llawer mwy o rent bob wythnos nag a wnâi lle gwag.

Crafodd Heilyn fwy ar sil y ffenest, a darganfu bedwaredd haen o baent, paent gwyrdd golau o dan y llwyd, glas, ac oren. Rhwbiodd y paent oddi ar ei ewinedd, ei rowlio, a'i daflu'n belen i'r gornel. Efallai y byddai rhyw lygoden yn falch ohono. Edrychodd allan. Odano, daliai'r wylan i bigo yma a thraw ar hyd y pafin, gan anwybyddu pawb a âi heibio. Yr oedd yn tynnu am hanner awr wedi pedwar, a'r prysurdeb nosol ar ddechrau. Byddai'n rhaid i'r wylan ildio'i lle'n bur fuan, pan ddeuai'r rhuthr diystyr i darfu ar reswm a gwareidd-dra. Yr oedd yn gas gan Heilyn y lle. Gyferbyn ag ef, yr oedd pentwr o fflatiau uwchben rhes o siopau di-fflach, a theulu neu gariadon neu unigolyn yn byw ym mhob un, gyda'u problemau a'u cyfrinachau eu hunain. I beth, Duw a wyddai. Byddent yn rhuthro adref er mwyn gwrando ar newyddion, yn rhuthro er mwyn bwyta bwyd ffatri, yn rhuthro er mwyn gwneud dim. Jôc esblygiadol. Ochneidiodd. Pa hanes bynnag a oedd i'r Mudiad, yr oedd ei angen yn awr, os bu angen rhywbeth erioed. Nid credo oedd hynny erbyn hyn, ond sicrwydd.

"Bwriwch ein bod yn methu dod yn ôl yma fory," meddai, toc, gan grafu rhwng y ffenest a'r wal yn ysgafn â'i fys.

Cododd Carl a Marian eu pennau.

"Dy stumog di'n dechrau troi?" gofynnodd Marian.

"Naci," chwarddodd Heilyn yn ysgafn, "meddwl oeddwn i . . . 'Rarglwydd, mi fyddai'n well i ni dorri i mewn i siop bapur bapuro nag i fanc," ychwanegodd yn sydyn wrth i'w fys lynu wrth gornel o'r papur blodau pinc-a-melyn ar y wal, a dod â llathen neu well o'r papur i ffwrdd i'w ganlyn wrth iddo dynnu ei fys yn ôl. Pwysodd y papur yn ei ôl â chledr ei law, ac ymddangosodd rhith o flodyn ar ei groen. Glanhaodd ei law yn y llenni.

"Meddwl oeddwn i," meddai eilwaith, "'tasa 'na rywbeth yn mynd o'i le bore fory, a ninnau'n methu dod yn ôl yma, ella am ddyddia, ne' wythnosa, mi fyddai'r lle 'ma'n wag, byddai? Mewn diwrnod ne' ddau, mi fyddai'r pethau gwaelod 'na'n gweld ein colli ni. A dyna hi. Mi fyddai'r glas yma fel siot, a llond y tŷ o gliwiau'n eu haros nhw."

"Pa wahaniaeth?" gofynnodd Marian yn ddidaro. "Gad iddyn nhw ddod. Nid lladron ydan ni. Dyna 'di'r holl bwynt. Mae isio iddyn nhw wybod mai ni ddaru."

"Iawn. Oreit. Ond 'dydi hynny ddim yn gyfystyr â helpu'r diawliaid i ddod o hyd i ni, nac 'di? 'Chydig o waith llnau sydd 'na ar y lle 'ma."

"Llnau?" Chwarddodd Marian yn chwerw. "Mi fedri di llnau olion bysedd a rhyw betha felly, llnau nes y byddi di'n brifo, ond 'fyddi di fymryn elwach. Os bydd isio i bobl fforensig ddweud mai o dy wallt di a gwallt neb arall y daeth y chwannen, dyna ddwedan nhw. A mi fydd yn fraint cael eu coelio nhw."

"Ond mae gan Heilyn rywbeth, hefyd," meddai Carl yn synfyfyriol. "Mwya'n y byd o help a rown ni i'r plismyn, cynta'n y byd y bydd yn rhaid i ni ei heglu hi'n ôl i'r Cyfandir. Mae hi'n ddigon poeth yno'n barod."

Chwarddodd yn swta. Yr oedd wedi mynd yn fain arno yng

ngwledydd y Cyfandir, gyda'r plismyn yn ei hela'n barhaus. Yr oedd wedi mynd nad oedd yno dwlc yn ddiogel iddo. Am ychydig ddyddiau y parhâi'r penawdau yn y papurau newydd ac ar y cyfryngau, ond yr oedd yr heddluoedd yn fwy dyfalbarhaus, ac yn fwy cyfrwys. Nid oeddynt hwy'n anghofio. Nid ychwanegai llofrudd rhydd ddim at eu statws.

"Ond 'rydw i am llnau yr un fath," meddai Heilyn, "pob dim fedra i. Pan ddaw'r lleill yn ôl, 'fydd hi ddim mor ddedwydd yma, gewch chi weld. 'Tasa Marc a Jim a finna wedi gwneud job o'r blaen, mi fyddai'n iawn. Ond 'dydan ni ddim. Mi fyddwn ni wedi dechrau mynd ar nerfa'n gilydd cyn nos, yn meddwl am fory."

Cododd Marian, gan roi gwasgiad sydyn ffyrnig i ben-glin Carl gyda'i bawd a'i dau fys canol wrth fynd oddi wrtho. Chwarddodd wrth weld yr olwg sarrug yn neidio i'w lygaid.

"Reit 'ta," meddai, "mi awn ni i llnau. Lle dechreuwn ni?"

Daeth Heilyn o'r ffenest, gan rwbio tin ei drowsus.

"Llofft bella, a gweithio'n ffordd yn ôl."

"Iawn."

Gwyliodd Carl y ddau'n mynd o'r ystafell. Yr oedd yn dda ganddo fod Marian a Heilyn yn cyd-dynnu mor dda. Yr oedd y ddau'n llawer cryfach cymeriadau na'r tri arall, yn gadarnach eu crebwyll, ac yn fwy pendant a sicr eu gweledigaeth. Nid bod ganddo le i gwyno am Sean a Marc a Jim; gwyddent hwythau mai'r Mudiad oedd eu bywyd bellach, nad oedd troi'n ôl i fod, a gwyddai yntau mai hynny a ddymunent. Nid oedd deallusrwydd yr un ohonynt ronyn yn llai na deallusrwydd Heilyn neu Marian. Pe bai fel arall, ni fyddent yn y Mudiad; nid cymdeithas rhywun-rhywun ydoedd. Eto, yr oedd Heilyn a Marian yn gryfach.

Ble'r oedd y tri arall, tybed? Eu hunig orchwyl am y prynhawn oedd gofalu bod y fen arian yn cyrraedd y banc, ac yn dadlwytho yn ôl ei harfer. Efallai eu bod wedi aros allan yn hwy rhag dod yn ôl i'r fflat yn rhy gynnar. Gan ei fod ef wedi penderfynu na châi neb fynd allan gyda'r nos y noson honno, ni welai fai arnynt yn aros allan. Yr oedd Heilyn yn iawn. Yr oedd perygl iddynt fynd ar nerfau ei gilydd wrth ddisgwyl a meddwl am drannoeth.

Jim oedd y gwannaf. Ef oedd y parotaf i ddyrnu'i ddwylo ac i weiddi, ond teimlai Carl mai gwneud hynny i guddio'i wendidau a fyddai, yn ddiarwybod iddo. Yr oedd Sean a Marc yn wahanol, a Heilyn wrth gwrs. Yr oedd gan Sean a Marc gymaint o dwrw bob tamaid â Jim, ond yr oedd naws ysgafnach i'w sŵn hwy; yr oeddynt yn gallu chwerthin am eu pennau eu hunain. Ond yr oeddynt hefyd wedi eu profi eu hunain, Sean yn enwedig. Os oedd gwannaf, meddyliodd Carl drachefn, Jim oedd hwnnw.

Ond dim ond o ychydig, fe'i cysurodd ei hun. Nid oedd ganddo ddim i boeni amdano ynghylch Jim. Am fod ei fagwraeth ef ei hun wedi bod yn debyg mewn llawer ffordd i fagwraeth Jim, teimlai Carl ei fod yn ei adnabod yn well, ac yn gallu deall rhediad ei feddwl.

Meibion i wleidyddion oeddynt ill dau, ond bod Carl wedi ei fagu yn amgylchfyd maluriedig Dortmund, ac wedi hen gynefino â gweld y balchder yn llenwi a gorlenwi llygaid ei dad fel yr ailadeiledid y ddinas ar ôl bomiau tad Jim. Cawsai Jim yntau ei fagu i eco'r rhyfel, yn y straeon di-ben-draw am orchestion ei dad a'i ffrindiau'n chwalu Jyrmans drwg oddi ar wyneb y ddaear yn union fel y difai ef forgrug yn yr ardd gefn hefo dŵr berwedig. Am ei wrhydri, cafodd tad Jim fynd yn Aelod Seneddol, ac ar ôl ugain mlynedd a phump o wleidydda a gwarchod ei fuddiannau, cawsai ei drawsblannu'n ddeheuig i Dŷ'r Arglwyddi ar ei ymddeoliad.

Yn y coleg y cawsai Jim ei dröedigaeth. Erbyn canol ei ail flwyddyn ym mhrifysgol Llundain, yr oedd yn Gomiwnydd rhonc, y blydi comiwnydd cyfoethocaf yn Lloegr, fel yr edliwid yn filain iddo gan ei gyn-ffrindiau. Ar ôl tair blynedd o chwarae gyda'r Blaid Gomiwnyddol, bu'n crwydro'n anniddig o un Mudiad y Bobl i'r llall ac yn ymdrechu'n aflwyddiannus ar yr un pryd i stwffio llythrennedd i lawr cyrngyddfau Saeson bychain du a gwyn Llundain a Manceinion.

Hynny a wyddai Carl amdano, ac yr oedd hynny'n ddigon. Un o'i bregethau mawr ef oedd nad oedd magwraeth glyd drefnus yr un ohonynt yn ffit i'w harddel. Nid Mudiad brolio achau oedd ganddo.

Clywodd sŵn y drws ffrynt yn cau, a rhoes ochenaid fechan o ryddhad. Ond ni pharhaodd hwnnw'n hir, oherwydd clywodd sŵn y drws canol i lawr y grisiau'n cau ymhen ychydig eiliadau. Un o'r landlordiaid yn dod yn ôl o'i grwydradau cyfrin, yn ôl i ffraeo gyda'i frawd neu i ffraeo gydag ef ei hun. Ni fyddai hynny'n beth newydd. Yr oedd clywed nadau'r ddau yn ffraeo dros y tŷ yn rhywbeth yr oeddynt wedi hen alaru arno. Yn achlysurol, deuai sŵn un dyn yn ffraeo, a neb yn ateb. Y troeon hynny, byddai'r gweiddi'n uwch ac yn ffyrnicach, a byddai'n para'n hwy. Y brawd hynaf fyddai hwnnw, yr un a fyddai'n dal ei law awchus am y rhent anhygoel bob nos Iau, a hwythau'n ddigon gwirion i dalu crocbris am gnegwarth iddo. Y Mudiad yn talu punnoedd ar bunnoedd i ddyn-ddim-yn-gall am loches. Ysgydwodd Carl ei ben. Ta waeth, unig bwrpas arian oedd chwarae gêm y lleill, dros dro. Yr oedd y gwareiddiad arian yn fethiant.

II

Nid oedd golwg mor gynhyrfus ar Sean ag a oedd ar y ddau arall. Eisteddai Marc ar un o'r cadeiriau wrth y bwrdd, gan anadlu'n drwm, ond yn methu'n glir â chuddio'r cynnwrf gweladwy yn ei gorff. Neidiai ei ysgwyddau bob hyn a hyn yn ddireol, a gwibiai ei lygaid i'r ffenest at Jim ac yn ôl ar y bwrdd o'i flaen yn ddi-baid. Pwysai Jim ar sil y ffenest, yn edrych allan ac yn gweld dim, ei ên yn crynu a'r poer yn llenwi ei wddf.

Ond ymddangosai Sean yn llawer tawelach. Eisteddai'n ôl yn y gadair freichiau a oedd â'i chefn at y ffenest, ei ben yn gorffwys ar glustog a fu unwaith yn felen, a'i lygaid, na ddatgelent ddim, wedi eu hoelio ar y nenfwd uwch ei ben.

Daethai Heilyn a Marian o'r llofft, a safent yn nrws y gegin yn edrych mewn braw ar y tri. Gwyddent cyn iddynt gychwyn o'r llofft fod rhywbeth o'i le, ar ôl i'r tawelwch dieithr a ddaeth ar ôl eu sŵn yn rhedeg i fyny'r grisiau eu trawo.

"Be sydd wedi digwydd?"

Camodd Marian i ganol yr ystafell. Yr oedd rhyw dinc amheus, bron yn ofnus, yn ei llais.

Rhoes Sean ochenaid hir, a chaeodd ei lygaid am ennyd. Tynnodd ei ddwylo rhwng ei bengliniau'n araf.

"Cael a chael fu hi. Cael a chael."

Trodd Marian ei phen wrth glywed sŵn Carl yn prysuro o'r ymolchfa. Ni chymerodd ef sylw o gwbl ohoni hi na Heilyn, ac ni roes ond prin edrychiad ar y tri arall. Mewn chwinciad yr oedd ar ganol yr ystafell.

"Be sydd wedi digwydd?"

"Cwrdd â hen gyfeillion."

Yr oedd llais Sean yn dawel ac yn beryglus o ddi-liw. Ni thynnodd ei lygaid oddi ar y nenfwd.

"O Iwerddon?"

Nodiodd Sean.

"Ia. Un hen gyfaill. 'Roedd o'n mynd i saethu Marc pan dynnais i y gwn oddi arno fo."

"Am be ddiawl wyt ti'n sôn?" gofynnodd Heilyn.

"Taw," meddai Carl yn sydyn, gan chwifio'i law fel pe bai am ei sgubo ymaith. "Oes 'na beryg am fory?" gofynnodd yn bryderus i Sean.

"Dim."

"Wyt ti'n siwr?"

Tynnodd Sean ei lygaid oddi ar y nenfwd, ac edrychodd ar Carl.

"Dim peryg, Carl." Daliodd i edrych i'w wyneb. "Dim o gwbl."

Daeth Carl i eistedd ar y soffa. Daliai Marian a Heilyn i sefyll yn stond.

"Reit," meddai Carl, "dwed dy stori. O'r dechra."

"Mynd am y car oeddan ni," dechreuodd Sean, yn rhy gyflym, "ar ôl bod yn gwylio'r banc. 'Roeddan ni newydd fod yn gwneud jôc o rywbeth ac 'roedd 'na hwyl iawn, a dyma ni ar ein pennau iddo fo ar gongl y stryd."

"Pwy oedd o?"

"Padraig."

Ysgydwodd Carl ei ben. Nid oedd yr enw'n golygu dim iddo.

"Padraig Mathuna. Dyn mawr, mawr. A maen nhw i gyd yn ei hanner addoli o. Ne' . . ."

"Be ddigwyddodd 'ta? Dy nabod di ddaru o?"

"Ia."

"Be wnaethoch chi?"

"Dim byd. Dal i chwerthin. A'i wylio fo fel 'tasa fo'n wiber."

"Be wnaeth o?"

"Mi aeth o i'r ciosg cynta welodd o, yr hen ffŵl mawr iddo fo. Mi aeth Jim i nôl y car, a dyma Marc a finna ar ei ôl o i'r ciosg cyn iddo fo gael cyfle i 'styried. Mi 'rhosodd Marc y tu allan i gymryd arno 'i fod o'n disgwyl 'i gyfla, a mi es inna i mewn ato fo. Wrthi'n troi'r deial oedd o. Mi aeth 'i wyneb o'n wyn braidd pan welodd o fod y gwn gen i. Mae ganddo fo graith o dan ei lygad chwith. Mi ddechreuodd honno neidio i fyny ac i lawr. Mi ofynnis inna ai gweithio efo batri oedd hi.''

''Tyrd yn dy flaen,'' meddai Carl yn ddiamynedd, ''dwed dy stori heb y cwafars. Be ddigwyddodd wedyn?''

''Mi ddaeth Jim â'r car, a dyma ni â fo i'r tir gwyllt hwnnw yr ochr yma i ffatri Dunlop, Jim yn dreifio, a finna wrth ei ochr o, a Marc a Padraig yn y cefn. Un da 'di Marc am ddal gwn. 'Roedd Padraig yn chwysu fel ogo ar hyd y ffordd. Mi ddechreuodd ddweud nad oedd wiw i ni ei ladd o, a rhyw falu awyr felly, a mi ddwedis inna i'w dawelu o y byddai pob dim yn iawn, yr awn i'n syth at y Tad Joseph bore fory i grio ar 'i sgwydda fo, ac y byddai pob dim yn oreit ar ôl i mi gyffesu, na fyddai 'na ddiawl o ddim colled ar ei ôl o prun bynnag, a'r munud y clywa hi, mi fyddai'r Fendigaid yn dawnsio o . . .''

''Sean.''

''Pan gyrhaeddon ni'r lle a chuddio'r car y tu ôl i ddrain, mi welodd o 'i bod yn prysur ddarfod amdano fo. Mae'n rhaid fod y syniad wedi dod iddo fo y munud hwnnw, 'roedd o'n syniad mor sâl ac mor effeithiol. Mi waeddodd dros y car fod 'na gar plismyn yn dod. 'Dydi hi ddim yn dymor mwyar duon, a mi wyddwn i hynny. Ond 'roedd ei waedd o mor annisgwyl ac mor argyhoeddiadol nes i'r tri ohonom ni droi i chwilio. Ond dim ond am eiliad fach. Pan drois i'n ôl, 'roedd o wedi cipio'r gwn o law Marc, ac yn mynd i'w 'nelu fo ato fo.''

Ni fedrai Marc wneud dim ond rhoi un ebychiad gridd-fannus.

''Ac mi gipist y gwn o'i law o?'' meddai Heilyn, yn dal i sefyll yn y drws, wedi ei syfrdanu gan stori Sean.

''Do.''

''Mi saethodd o fo dair gwaith cyn gwneud,'' meddai Jim yn ddistaw o'r ffenest.

''Un yn 'i fol o,'' meddai Sean yn wyllt, ''a dwy yn 'i frest o. Mi edrychodd ryw syn braidd, a dweud y peth tebyca 'rioed i 'wps', ac i ffwr â fo. Mi daflon ni ei gorff o i ganol y drain. Mi fydd 'na ddigon o fwyar . . .''

''Paid!'' meddai Jim, i'r ffenest.

Ni chymerodd Sean arno ei fod wedi ei glywed, ond fe droes ei stori.

''Ar y ffordd adra y cefais i'r syniad,'' meddai.

Cododd Carl ei ben yn syth.

"Pa syniad?"

"Mae'n bechod 'i adael o yn fan'no 'i hun bach. Ond mi gaiff fod yno tan fory, i oeri. Mi ddweda i wrth y glas bore fory."

Neidiodd Jim a Marc ar eu traed, fel un.

"Dweud wrth bwy?"

"Wyt ti o dy go', dywed?" gofynnodd Carl.

"'Wela i ddim byd yn rhyfedd yn y peth," meddai Sean gyda'r llais diniweitiaf, "gan ein bod ni'n mynd i wagio'r banc 'na fory."

"Be sydd 'nelo hynny . . ."

"Naw o'r gloch bore fory mi fyddwn ni'n cyflawni'r drosedd fwyaf difrifol sy'n bod, heblaw am saethu gwleid-yddion. Dwyn arian Ei Mawrhydi. O'n cwmpas ni mi fydd 'na gant ne' ddau o blismyn yn cicio'u sodlau hyd y lle 'ma, a'r un ohonyn nhw â dim i'w wneud ganddo fo. Mae synnwyr 'y mhen i'n dweud mai'r peth callaf i'w wneud hefo plismon segur bob amser ydi rhoi digon o waith iddo fo, rhag ofn iddo fo ddechrau magu mwsog, ne' ddechrau mynd i fusnesa ym mhetha pobl sy'n ddiarth iddo fo. Felly, ben bore fory, tua hanner awr wedi saith, mi fydda i'n ffonio dyn glas. Wyth o'r gloch, mi ddôn o hyd i Padraig. Naw o'r gloch, mi fyddan nhw i gyd yn prowla yng nghanol drain ddeng milltir i ffwrdd. Dim ond y rhai cloff fydd ar ôl."

Cododd yn sydyn. Yr oedd wedi bod yn siarad yn rhy gyflym. Aeth drwodd i'r gegin fach heb edrych ar neb. Paratôdd Marc i fynd ar ei ôl.

"Pwy oedd y Padraig 'ma, Marc?"

Trodd Marc i wynebu Carl, a phwyntiodd yn syth i'r awyr.

"Un o'r uchelfannau, Carl. Un o'r bois ar y top. 'Tasa ti'n gweld 'i wyneb o pan welodd o Sean gynta. 'Doedd 'na ddim dwywaith mai mynd i ffonio am fwy i ddod yma i'w ladd o oedd o yn y ciosg hwnnw. Mi fydd 'na ddiawl o le rŵan, gewch chi weld. 'Wêl Sean na finna mo Éire eto, fyth bythoedd."

Trodd, ac aeth drwy'r drws ar ôl Sean. Edrychodd Carl ar ei ôl, tra oedd yn ystyried, yna amneidiodd ar y lleill, a daeth Heilyn a Jim i eistedd. Plygodd Carl ei ddwylo ar ei liniau.

"Mae'n rhaid i ni feddwl."

Yn y gegin fach, safai Sean â'i bwys ar y cwpwrdd bwyd, a'i lygaid ynghau. Ef oedd yr ieuengaf yn y Mudiad, a Marc flwyddyn yn hŷn nag ef. Hwy oedd yr unig ddau yn y Mudiad oedd yn adnabod ei gilydd er yn blant.

Caeodd Marc y drws ar ei ôl. Agorodd Sean ei lygaid ac edrych arno.

"Mi fyddwn i wedi fy lladd oni bai amdanat ti, Sean,"

Yr oedd llais Marc yn floesg. Daeth at Sean, a gafael yn ei fraich.

"Chdi arbedodd fi . . ."

Yn sydyn yr oedd y ddau'n cofleidio, yn cofleidio'n angerddol. Am eiliad. Yna torrodd Sean yn rhydd ac aeth at y ffrij, a chlywodd Marc ef yn rhoi ochenaid hir. Gwelodd ef yn estyn potel lefrith, a'i dal iddo. Nid oedd yn troi ato.

"Be sy'n bod?"

Daliodd Sean yn fud, a daliodd i edrych draw. Aeth Marc ato. Gafaelodd ynddo'n gadarn, a'i droi i'w wynebu. Yr oedd llygaid Sean yn llawn dagrau.

"Fo neu fi oedd hi, Marc."

"Ia, boi."

"'Dydw i ddim yn llofrudd. Lofruddis i neb 'rioed."

"Tyrd i eistedd."

Gwthiodd Marc ef at y bwrdd, ac eisteddodd Sean ar stôl, a phwyso'i ben yn ei law.

"'Does 'na neb yn mynd i gael saethu mêt i mi. Neb."

Yr oedd y dagrau'n llifo erbyn hyn. Daeth Marc at y bwrdd, ac eistedd gyferbyn ag ef. Gwyddai nad oedd arno eisiau dim ond tawelwch ac amser i ddod ato'i hun. Fel hyn y byddai bob tro y cofiai am Thomas.

Yr oedd Sean wedi bod trwy lawer. Y peth mwyaf naturiol i'w wneud yn ddeuddeg oed yn ei gymdogaeth ef yn Nulyn oedd ymuno â'r Fyddin Rhyddid, y Fyddin Weriniaethol. Dyna a wnaeth Thomas ei frawd ac yntau, pan oedd ef yn ddeuddeng mlwydd a dau ddiwrnod oed, a Thomas flwyddyn a hanner yn hŷn. Ac wrth gwrs fe ddaeth eu cyfaill pennaf, Marc, i'w canlyn. Aeth popeth yn dda, a'r dyddiau'n braf, heb ddim yn cyfrif ond purdeb y nod, a heb na ffraeo mewnol na chatha rhwng aelodau'n tarfu ar yr uchelgais. Yr oedd y tri ohonynt yn dechrau gwneud enw iddynt eu hunain, tan ryw ddiwrnod braf o Hydref, pan oedd Thomas newydd gael ei ddeunaw oed.

Wedi dod i'r tŷ heb wneud llawer o sŵn oedd Sean, a

synnodd o glywed llais ei frawd yn y llofft. Sleifiodd i ben y grisiau, a gwrando. Yr oedd ei frawd yn siarad ag ef ei hun.

"'Dydw i ddim yn clebran. 'Does gen i ddim cysylltiad â'r plismyn. Isio rhywun i luchio'r bai arno fo maen nhw. 'Ddeudis i ddim byd wrth blismon."

Dychrynodd Sean. Yr oedd Thomas ac ef mor glòs fel na ddychmygodd y byddai'n bosibl i rywbeth annymunol darfu ar eu bywydau. Heb betruso, aeth yn syth i'r llofft at ei frawd. Ni welsai erioed y fath ofn yn ei lygaid. Gafaelodd Thomas yn dynn ynddo.

"Maen nhw'n mynd i'm lladd i, Sean."

Yr oedd Sean wedi gweiddi mewn ofn.

"Nac ydyn, Thomas, 'wnân nhw ddim meiddio. Mi fyddai'n rhaid iddyn nhw ladd Marc a minna'n gynta."

Ond Thomas oedd yn iawn. Hunllef oedd yr holl beth i Sean,—y cuddio yn y ffos yn y coed ar gyrion y ddinas tra edrychai ar ddau o'r dynion mawr yn clymu Thomas wrth goeden onnen, a chlymu mwgwd du dros ei ben. A'r diawliaid yn gadael iddo ddweud ei bader cyn darnio'i galon â'u bwled. Hunllef oedd yr heddwas yn gafael yn ei ysgwydd ac yn ei dynnu oddi wrth gorff Thomas, ac yntau wedi bod yn gafael yn dynn ynddo ar ôl ei dynnu i lawr o'r goeden a thynnu'r mwgwd, a sigo wylo uwch ei ben. Hunllef oedd wynebu ei rieni toredig, a hunllef oedd y penderfyniad disymwth wrth weld eu galar y byddai dial sydyn a thrwyadl.

Ond nid oedd trannoeth yn hunllef. Bore heulog, a'r mymryn lleiaf o farrug yn ddigon i roi min arno. Cerdded i mewn i'r ystafell heb guro. Yr oedd yn amlwg mai newydd godi oedd y tri. Dylsai'r olwg fileinig ddrwgdybus yn eu llygaid fod wedi ei ddychryn.

"Meddwl y byddech chi'n hoffi gwybod pa bryd mae'r cnebrwn."

Symudiad cyfrwys tuag at ddror yn y bwrdd. Ni fyddai amser i ddweud ei linell fawr. Saethodd fel peth gwirion. Y mawr oedd y cyntaf i ddisgyn, ond ni chafodd dienyddwyr Thomas gyfle i wneud dim cyn iddynt hwythau gael eu rhwygo.

Rhyfedd fel nad oedd pethau'n gweithio fel y dylent. Yr oedd wedi cynllunio i ddweud wrth y tri y byddai cynhebrwng Thomas tua'r un adeg â'u cynebryngau hwy, ond bu raid iddo danio cyn cael cyfle. Yr oedd wedi cynllunio i gerdded o'r ystafell ar ôl eu saethu, i lawr y grisiau, ac allan yn hamddenol drwy'r drws ffrynt. Ond yr oedd sŵn gweiddi yn y stryd ac ar y grisiau.

Neidiodd drwy ffenest y llofft i ben y sied, ac oddi ar honno i'r ardd, sgrialu drwyddi ac ar hyd llwybr cefn y stryd. Trodd gyda thalcen y tŷ olaf i'r lôn fawr. Llawer o bobl yn ei weld, ac yntau'n troi tuag atynt yn hytrach nag oddi wrthynt.

"Clywed sŵn saethu. Be oedd 'na?"

Un neu ddau edrychiad drwgdybus. Un neu ddau allan o ddau ddwsin. Yr oedd yn iawn.

"Mae 'na un ohonyn nhw'n fyw. 'Fydd o ddim yn hir, chwaith."

"Mi fyddai'n well i rywun fynd i nôl y Tad."

"Mi a' i."

"Ia, brysia."

Rhedodd nerth ei draed ar hyd y pafin.

"Hei! Ble'r wyt ti'n mynd?"

Gafaelai'r plismon yn ffyrnig ynddo.

"Mae 'na bobl wedi eu saethu i fyny'r stryd 'na."

"Oes, oes. Oes, oes. A pham wyt ti'n rhedeg i ffwrdd, ys gwn i?"

"I nôl y Tad Mulcair. Mae 'na un yn fyw ac isio'i baratoi."

Petruso.

"Mm. Oreit. I ffwrdd â thi, 'ta, reit handi. Mi ddylai pobl sydd isio offeiriad os ydyn' nhw'n cael eu saethu gario un hefo nhw."

Cyrraedd tŷ Marc â'i wynt yn ei ddwrn. Byddai Marc hefyd yn awr mewn perygl. Tad a mam Marc yn wylo ac yn rhoi hanner can punt iddynt i'w rhannu, hynny o arian a oedd ganddynt ar eu helw. Marc a Sean yn eu gwrthod, a'r lympiau'n llenwi eu gyddfau, a'u llygaid yn sgleinio. Ond yn eu pocedi y bu raid i'r arian aros.

Y peth gorau yng nghanol yr holl dristwch oedd y balchder digamsyniol yn gymysg â'r galar yn llygaid ei dad pan aeth Marc ac yntau adref i ffarwelio.

"Mi yrrwn ni bres i chi. I chi ac i dad a mam Marc. Mi awn ni i Loegr ne' i America, a mi yrrwn ni bres i chi."

Hynny oedd yr unig beth y dymunai Sean ei gofio o'r ffarwelio syfrdan hwnnw.

"Nid llofruddio oedd lladd y diawliaid, Marc. Nid llofruddio ydi cadw urddas dy deulu. Nhw ddaru'r llofruddio,

llofruddio Thomas. Gwladgarwch oedd cymhelliad Thomas bob tro. 'Dydi Iwerddon yn golygu dim iddyn nhw. Y cwbl sy'n golygu rhywbeth iddyn nhw ydi nhw'u hunain."

Yr oedd dwy botel lefrith wag ar y bwrdd rhyngddynt erbyn hyn. Trawai'r ddwy yn erbyn ei gilydd yn ysgafn wrth grynu gyda Sean. Gwahanodd Marc y poteli.

"Paid â chwerwi, Sean, paid byth â chwerwi. Mae pobl chwerw'n rhy beryglus."

Gwyddai Marc ei fod yn ailadrodd un o bregethau mynych ei dad, fel y gwyddai Sean gystal ag yntau. Deallodd Sean, ac yna'n sydyn yr oedd yn gwenu.

"'Oes 'na botel arall o lefrith?"

Cododd Marc, ac aeth at y ffrij. Estynnodd botel, a'i rhannu rhwng y ddau wydryn.

"Iechyd."

"Be fyddai gan dy dad i'w ddweud am bobl fyddai'n yfed llefrith?"

Chwarddodd Marc.

"'Wn i ddim. Pam?"

"Dim ond meddwl. Mi fetia i fod ganddo fo rywbeth."

Edrychodd Marc i mewn i'w wydryn.

"Ys gwn i be maen nhw'n ei wneud rŵan."

Cododd Sean ei lygaid oddi ar y bwrdd, ac edrych yn syth o'i flaen.

"Mae 'nhad yn yr ardd yn tynnu chwyn cynnar. Mae o'n gobeithio'n dawel bach ynddo'i hun y bydda i adra i rannu'r pryd cynta o datws hefo nhw. Yna mi gofith mai Thomas oedd y dyn am datws, a mi ollyngith ddau neu dri o ddagrau bychain crynion cynnil i'r pridd. Mi fydd yn sychu'i lygaid â chefn ei law . . . Mae Mam yn y gegin yn gwneud swper ac yn disgwyl i'r drws ffrynt agor a finna redeg i mewn. Mae hi'n gwybod na ddigwydd hynny byth, ond mae 'i ffydd hi'n gryfach na'i rheswm hi, diolch i Dduw am hynny."

Yr oedd y lleithder yn dychwelyd i lygaid Sean. Cipiodd ei wydryn oddi ar y bwrdd ac yfodd ei lefrith yn swnllyd. Daliai Marc yn fud.

"'Wn i ddim ble mae 'nhad," meddai toc, "os nad ydi o'n pwyllgora Ginis. 'Dydi o ddim ar Stesion Prestatyn, beth bynnag."

Dechreuodd Sean chwerthin eto, chwarddiad hapus ac ymollyngol. Byddai stori Stesion Prestatyn yn uchel gan dad Marc pan fyddai Marc wedi gwneud rhywbeth gwirionach na'i gilydd, ac fe'i hedliwid iddo rhwng clustochau.

"'Tawn i heb ddod i lawr yn Stesion Prestatyn 'fyddet ti ddim yma, y diawl bach stumddrwg."

Labrwr ifanc a aethai i gyffiniau Birmingham i wneud ei ffortiwn ydoedd Donald, tad Marc. Pan fyddai pwysau ar y cregyn, fe âi ar y trên i Gaergybi, a throsodd i edrych am ei fam weddw, ac i rannu'r ysbail. Ond un nos Wener, yr oedd mwy o ysbail nag arfer. Am hanner awr wedi tri yn Newmarket, yr oedd un hen geffyl wedi blino ar fod yn destun sbort, ac wedi melltennu drwy bawb ac ennill o filltiroedd, gan adael y gweddill o'r cae i'w ddilyn o hirbell fel petai cricmala arnynt. Ymhell i ffwrdd, yr oedd Donald yn ei fedd-dod wedi rhoi chweugain ar yr hen geffyl i ennill, a buan y trodd gwatwar ei gymdeithion yn rhegfeydd o eiddigedd fel y cyfrai'r clerc hanner can punt iddo. Rhedodd Donald i'w dŷ lojin i nôl y cês a'i ddillad, a'i gwneud hi am yr orsaf.

Cafodd drên rhy gynnar, a gorfu iddo aros yng Nghaer. Nid oedd yng ngorsaf ddiflas Caer ddim i'w wneud, ond yfed, ac erbyn i drên Caergybi gyrraedd yr oedd Donald yn siglo'n braf. Ac ar y trên yr oedd Mary o Athlone. Yr oedd y trên yn llawn, a gafaelai Donald mewn strap ar y nenfwd, a'i draed ymhell y tu ôl iddo. Eisteddai Mary, ond yr oedd yn siarad ag ef, yn chwerthin gydag ef. Nid oedd Mary'n mynd i Dún Laoghaire, nac wedi priodi, ond yr oedd yn mynd i lawr ym Mhrestatyn, ac nid oedd ganddi gariad yno. A phan ddaeth y trên i Brestatyn, rhaid oedd estyn cymorth i Mary ddod ohono, debyg iawn, Mary o bawb. Tra bu Donald yn dwys ddiolch iddi am ei chwmnïaeth a'i gofal ohono, fe aeth y trên a'i adael. Rhegodd Donald, a cheisiodd redeg ar ei hôl. Tosturiodd Mary drosto, wrth ei glywed yn gweddïo'n daer ar i'r Forwyn atgoffa'r gyrrwr fod angen iddo stopio yng Nghaergybi, ac aeth ag ef gyda hi. Ymhen blwyddyn a hanner ganwyd Marc.

"Pan awn ni'n ôl i Éire, ryw ddydd, mi gei ddysgu iaith well na honna," meddai Donald wrth ei fab pan oedd hwnnw'n brolio ei fod yn cael dysgu Cymraeg yn yr ysgol. A rhyw fore rhewllyd o Ragfyr, ac yntau'n un ar ddeg oed, edrychai Marc ar y balchder yn llygaid ei rieni fel y cyrhaeddent eu tŷ newydd yn Nulyn. Yr oeddynt gartref. Drannoeth, dechreuodd Marc chwarae gyda'i ffrindiau newydd, dau frawd o'r stryd nesaf. Thomas a Sean oedd eu henwau.

"'Welwn ni mo Éire eto, Sean."

Gwnâi Marc batrwm onglog gyda'i fys ar y bwrdd lle'r oedd ychgydig o lefrith wedi gollwng arno. Eisteddai Sean â'i ddwy benelin ar y bwrdd, a'i fysedd yn chwarae â'i geg. Edrychai'n syth o'i flaen.

"Go brin," ochneidiodd, "ar ôl y pnawn 'ma, go brin." Gafaelodd yn ei wydryn gwag, a'i astudio. "Er, 'fedri di ddim bod yn siwr, chwaith. Mewn amser . . ."

"Amser?"

"Wel, pwy a ŵyr? Mae Lloegr wedi cael llond ei bol. 'Does ganddi hi mo'r 'mynedd na'r 'wyllys na'r gallu i wneud dim byd pellach, heb sôn am y deallusrwydd. Ella, mewn pum mlynedd ne' ddeg, y bydd pethau'n wahanol. Maddeuwyd i chwi eich pechodau."

"Ffydd pwy sy'n gryfach na'i reswm o rŵan?"

"Mae o ynom ni fel teulu."

Agorodd y drws, a daeth Marian i mewn. Edrychodd ar y ddau am ennyd cyn cau'r drws ar ei hôl. Daeth atynt, a rhoi ei llaw yn ysgafn ar ysgwydd Sean. Gafaelodd Sean yn ei llaw, a phwyso'i foch arni.

"Ella, 'tasa magwraeth y pedwar ohono' ni sydd drwodd yn y gegin 'na wedi bod mor ddi-foeth â d'un di, y byddem ninna'n barotach i'w harddel hi ac i feddwl amdani bob munud," meddai Marian yn dawel.

"Sut gwyddost ti am be'r oeddan ni'n sôn?" gofynnodd Sean.

"Mae o'n rhy blaen ar eich wyneba chi, yn enwedig ar yr olion dagrau 'na sy'n gwneud dy wyneb di fel dargludydd angau."

Gwasgodd Sean ei llaw.

"'Rwyt ti'n graff fel hen dylluan. Athrawes flin ddylet ti fod. 'Oes arnat ti ddim ofn i dy gariad ddod i mewn a dy ddal di hefo dy law i lawr crysa pobl ddiarth?"

"Mae Carl a minna'n dechrau mynd yn rhy hen i lyfu rhyw fân eiddigeddau. Prun bynnag, mae o'n gwybod 'mod i'n ddiogel hefo chi'ch dau."

"Ella dy fod yn iawn," meddai Marc, "'tasa ti'n ein gweld ni'n cofleidio gynna."

Chwarddodd Marian.

"Mae isio i chi ddod trwodd. 'Doedd 'na ddim byd ar y newyddion gynna."

"Am be? Am Padraig?"

"Ia."

"'Ddylai 'na rywbeth fod?"

"Mi droeson y newyddion lleol, rhag ofn fod rhywun wedi clywed y gwn."

"Clywed y gwn?" Chwarddai Sean. "Pa wahaniaeth a wnâi hynny? Mi fyddai'n rhaid iddyn nhw faglu ar draws ei gorff o cyn y bydden nhw'n cynhyrfu dim. Cofia mai pobl wareiddiedig ydyn nhw. Yr unig adeg i ddychryn a ffieiddio ydi pan fydd dyn newyddion teledu'n dweud wrthyn nhw am wneud . . ."

"Ia, pwt." Gwasgodd Marian ei drwyn. "Dwed di wrthyn nhw. Hen bobl ddrwg."

Ysgyrnygodd Sean, a chwarddodd.

"Mae'n ddrwg gen i. Pregeth wrth berson. Offeren wrth John Paul."

Trodd Marian at y drws.

"O un sy'n poeni cymaint am yr adwaith grefyddol i dy weithredoedd di, mi fydda i'n synnu atat ti weithia'n difrïo'r union grefydd honno," meddai.

"Nid ei difrïo hi ydw i," atebodd Sean, "ei nabod hi'n dda ydw i. Be wyt ti'n feddwl sy'n 'y nghadw i'n un darn yn y lle 'ma? 'Wn i ddim be ddywed y Tad Joseph fory chwaith. 'Dydi o ddim yn or-hoff o bobl sy'n mynd dros ben llestri."

Rhuthrodd Marian yn ôl ato, a gafaelodd yn dynn yn ei fraich.

"Sean, 'fydd y Tad Joseph ddim yn cael gwybod. Yn un peth, 'fydd gen ti ddim amser i fynd ato fo. Yn ail, mae—y 'does—y . . ."

"Be?"

"Gorau po leiaf fydd yn cael gwybod am dy gampau di heddiw."

"Mae'r Tad Joseph yn wahanol."

"Sean, nid tyndra sydd 'na rhwng llywodraeth Y Fawrhydi a llywodraeth Iwerddon. Rhyfel. Y maeth o ryfel lle mae'r lle pwysica'n mynd i ysbïwyr, o bob math, pa enw bynnag a roi di arnyn nhw."

Edrychai Sean yn gecrwth arni.

"Wyt ti'n teimlo'n iawn? Y Tad Joseph?"

''Mewn rhyfel 'does gen ti ddim ffrindia.''

Cododd Sean ati, a gafaelodd ynddi am ei chanol.

''Marian fach, 'tasa dy gapeli Cymraeg di wedi dysgu i ti swyddogaeth gweinidog, 'tasa gen ti fymryn o syniad am berthynas yn yr Eglwys . . . paid byth â galw'r Tad Joseph yn sbei. Mi darn ladda fo di hefo potel Ginis.''

''Ond prun bynnag, 'chei di ddim amser i fynd i ddweud dy gŵyn wrtho fo fory.''

Aeth y tri drwodd i'r gegin at y lleill. Rhoes Carl edrychiad byr ar y ddau wrth iddynt eistedd wrth y ffenest. Eisteddodd Marian ar y soffa wrth ochr Carl.

''Dyna ni, 'ta,'' meddai Carl, '''rydan ni wedi bod yn pwyllgora, ac ar ôl cysidro, 'rydan ni am wneud fel y daru i ti awgrymu, Sean.''

''Ffonio dyn glas?''

''Ia. Ond nid chdi fydd yn gwneud.''

''O?''

Gwenodd Carl.

''Mae 'na beryg i ti ymgolli yn dy ddawn oraclaidd, ac mae 'na gyfle i'w rhoi nhw ar drywydd arall, i'w gyrru nhw ar gyfeiliorn llwyr.''

''Be felly?'' gofynnodd Marc.

''Dyfeisio Mudiad newydd. Mudiad aristocrataidd Seisnig gwrth-Wyddelig. Mae Jim am ffonio swyddfa'r Echo hanner awr wedi saith bore fory. Erbyn chwarter i wyth mi fydd gan y plismyn a'r llywodraeth gur pen newydd sbon. Hefo be saethist ti'r Padraig 'ma, Sean?''

''Y? O, ym, bwa saeth a blaen rybyr arno fo. Maen nhw i'w cael am ddeg ceiniog a dau lebal inglands glori yn Smith . . .''

''Sean.''

''Gwn Padraig. 'Roeddwn i wedi'i ddwyn o oddi arno fo yn y ciosg, rhag ofn iddo fo gael syniadau. Un da am syniadau fuo fo 'rioed.''

''Ble mae'r gwn rŵan?''

''Mi rhois i o ym mhoced ei gôt o ar ôl tynnu olion bysedd oddi arno fo. Mi arbedith iddyn nhw chwilio. 'Fydda i ddim yn hoffi gwneud gwaith chwilio i neb. Mi rois i y gwn hefo'i waled o. Waled frown-gola blastig. Un ddigon rhad. 'Roedd 'na ddau gant a hanner o bunnau y tu mewn iddi hi. 'Dydyn nhw ddim yno rŵan. 'Roeddwn i'n meddwl 'u rhoi nhw i'r Tad Joseph ar gyfer trip Gogledd Cymru, ond ella y byddai'n well eu gyrru nhw adra. Mae'n amser i'r hen bobl gael rhywbeth bellach, 'dw i'n siwr.''

Byddai Carl yn dymuno dweud wrtho am anghofio am ei gartref, am anghofio am Iwerddon. Nid oedd teimladau felly, ar hyn o bryd, yn gydnaws â swyddogaeth y Mudiad. Yr oedd perygl iddynt anghofio bod eu hymroddiad i'r Mudiad yn llwyr. Ond gwyddai wedyn nad rhai i anghofio'u gwreiddiau oedd Sean a Marc, ac o ystyried, nid oedd yn rhaid iddynt hwy gywilyddio oherwydd eu magwraethau, magwraethau syml, diragrith. Na, meddyliodd wedyn, nid oedd Marc na Sean ymhell o'u lle.

Daeth o'i fyfyrdodau.

''Reit,'' meddai, ''mi awn ni dros y trefniadau un waith, ac mi awn i glwydo.''

III

Eisteddai'r chwech yn ddistaw yn y gegin, a'u sylw ar y gweiddi aflafar a godai'n hyrddiadau o'r stafelloedd islaw. Edrychai Marian o un i'r llall, dan ymdrechu ei gorau i guddio'i gwên. Er eu bod wedi hen ddygymod â'u landlord-iaid a'u twrw, eto yr oedd rhyw newydd-deb ym mhob ffrae.

''Mae hi'n o stormus heno. Gwynt gorllewin.''

Heilyn a dorrodd ar y distawrwydd.

''Maen nhw'n mynd â phobl i ffwrdd am lai rheswm,'' meddai Jim yn guchiog.

''Nhw sydd wiriona,'' meddai Carl. ''Dim ond gollwng stêm mae'r hen foi, siwr. Ei ffordd o'i hun o ymlacio. Peth hollol anhepgorol os ydi o am gadw'i synhwyrau wrth ei gilydd. Y rhai sy'n cloi eu teimladau y tu mewn iddyn nhw'u hunain sy'n ei chael hi waethaf, bob gafael.''

'''Fyddai hi ddim yn well i ni ddechrau côr?'' gofynnodd Sean ymhen ychydig.

Chwarddodd Marian.

''Mae hi'n iawn arnat ti,'' meddai, '''rwyt ti'n ddigon ifanc, ac mae gen ti dy Dad Joseph i ddal dy helbulon di. Rhywbeth na fedr hwnnw mo'i gynnal, mi elli ei ollwng o drwy dy ddagrau. 'Does gen ti ddim syniad mor braf ydi hi arnat ti.''

''Nac oes, nain.''

Cododd Sean, a chwiliodd yn ei boced.

"Be wyt ti 'i isio?" gofynnodd Marc.

"Pres llefrith," atebodd Sean, "'rydw i am fynd ato fo i weld a werthith o beint o lefrith i mi am sbort."

Gwrandawsant ar ei sŵn yn mynd i lawr y grisiau. Daliai'r gweiddi yr un mor ffyrnig, ond cyn hir, peidiodd yn sydyn, a chlywsant leisiau'n ymgomio. Yna daeth llais clir Sean yn chwerthin ac yn diolch, a chlywsant sŵn drws yn cau. Ymhen munud, yr oedd y gweiddi wedi ailddechrau.

Daeth Sean yn ôl dan chwerthin yn braf. Yr oedd cylch gwyn o amgylch ei geg, a daliai botel lefrith hanner llawn yn ei law.

"'Chynhyrfodd o ddim," meddai. "Pan es i i'r gegin, fanno'r oedd o'n sefyll ar ganol y llawr. Y mat oedd odani hi. 'Roedd o'n ei gosod hi yn y modd mwya uffernol i hwnnw am rywbeth, ac yn poeri fel hospyip. Pan welodd o fi, 'wnaeth o ddim ond gwenu a gofyn sut oeddwn i. Mi fyddech yn meddwl y byddai ganddo fo rywfaint o gywilydd, ond 'doedd ganddo fo ddim. 'Tawn i'n cael cop yn tynnu'r lle i lawr hefo fi fy hun, mi fyddwn i'n mynd i guddio y tu ôl i'r cyrtan. Prun bynnag, mi ddaru ddwy geiniog o elw ar botel lefrith, a 'roedd o i'w weld yn reit falch. Munud y caeis i'r drws arno fo, 'roedd o'n dechra arni wedyn yn syth bin. Mae isio i chi gofio 'i bod hi'n ddiwrnod talu rhent fory. Os na fydd heno'n gyfleus."

"Mi gaiff o rent," meddai Carl. "Sean, faint o lefrith wyt ti wedi'i yfed heno?"

"Hon ydi'r drydedd botel," atebodd Sean yn ddidaro, "neu'r bedwaredd. Nid fi yfodd o i gyd chwaith. Mi rannis i hefo Marc."

"Mi rannist yr un crud â Marc," meddai Heilyn.

"Naddo. Braidd yn anghyfleus. Wrth ei bod hi'n nosi yr un adeg ym Mhrestatyn ag yn Nulyn, mi fydden ni wedi gorfod cysgu sifftia."

"'Tasa pob Gwyddel yr un fath â chdi," meddai Carl, "'fyddai gan dy wlad ddim cynnyrch llaeth i'w allforio o gwbl. Mae'n dda i'r Dail mai yma'r wyt ti. 'Tasa ti adra, mi fyddet yn rhwystr i ffyniant economi Éire. Defnyddio gormod o ddefnyddiau crai y wlad."

"Pych! Mae llaeth Erin yn dewach llaeth na'r sothach yma."

"Siwr iawn debyg."

"Na, wir, mae o," meddai Sean. "Mae ffarmwrs Lloegr yn rhy hunanol i allu magu gwartheg godro'n iawn."

Gwenodd Jim, a chwarddodd dros y lle yr un munud, y tro cyntaf iddo wenu na chwerthin er y prynhawn.

"Am syniad anfarwol o gall."

"Mae o'n wir i ti, Jim. Maen nhw'n rhoi eu lles eu hunain o flaen lles yr hen fuwch. Da i ddim."

"Dinas 'ta tyddyn ydi Dulyn?"

"'Roedd taid yn ffarmwr."

"Oedd, mŵn."

Hanner gwrando ar y sgwrs a wnâi Heilyn. Gwibiai ei feddwl yn ôl at ryw atgof annymunol a ddaeth iddo fel chwa rhy gynnes pan soniodd Jim am fynd â phobl i ffwrdd ychydig ynghynt. Pan ddeuai'r atgofion am ei blentyndod a'i rieni iddo o dro i dro, yr atgofion chwerwaf a fyddai gliriaf bob gafael. Teimlai fod rhywbeth yn afiach yn hynny. Atgofion melys a gâi flaenoriaeth bob tro, meddai pawb arall, ond yr oedd ei brofiadau ef ymhell o ategu hynny. Yr oedd yn siwr braidd mai'r drwg oedd bod ei rieni'n rhy hen, yn rhy ddi-ddeall o hen, neu'n rhy flin o sych-dduwiol.

Nos Fawrth ydoedd, hen noson ddi-ddim o niwlog, ac arholiadau'r haf yn bygythian yn beryglus yn y pellter. Yr oedd un o'r plwyfolion, ffermwr o ben draw'r pentref, ac un a oedd yn ffyddlon i wasanaethau'r Eglwys, wedi dod i ymweld â'i dad, ac i gael sgwrs gyfrinachol ag ef. Aethai'r ddau i'r stydi, ac aethai yntau ar flaenau'i draed at y drws, a sodro'i glust eiddgar ar y panel. Yr oedd yn ddwy ar bymtheg oed, ac yn dechrau cael blas ar rebela.

Iselder oedd ar y ffermwr, y felan yn dechrau mynd yn drech nag ef. Twt twt, meddai ei dad, rhywbeth bach dros dro. O, na, yr oedd arno ers talwm. Beth am y doctor? Yr oedd wedi bod at hwnnw, ac wedi cael tabledi. Rheini'n dda i ddim. Yr oedd arno eisiau mynd i ffwrdd, ond gwrthodai ei deulu wneud dim â hynny. Clywodd Heilyn ei dad yn rhoi dos o adnodau i'r ffermwr, ac yn dweud wrtho mai ei olwg ar fywyd oedd wedi mynd ohoni. Clywodd ei dad yn rhoi rhestr o benodau o'r Beibl i'r dyn, iddo'u darllen, rhestr hirfaith. A rhoes ei dad lyfr iddo.

"Darllenwch hwnna, gyfaill. Myfyriwch ar ei gynnwys o. Mi welwch y byd yn ymagor o'ch blaen o'r newydd, a byddwch chithau'n rhyfeddu, yn union fel petaech chi'n cael llygaid newydd sbon. Mi fydd eich problemau personol chi eich hun yn disgyn yn ôl i'w priod le. Darllenwch, a myfyriwch. Mi fyddwch yn berson newydd."

Aeth y ffermwr adref, a'i war yn grwm a'i lyfr yn ei boced. Bore trannoeth, aethant ag ef i Fangor i edrych faint o wenwyn a lyncodd i'w ladd ei hun.

Brafado mawr. Cyhoeddi'n groyw wrth gael ei ginio.

"'Dydi'ch blydi crefydd chi'n dda i ddim. Crefydd difa ffarmwrs sy' gynnoch chi."

Dim ond er mwyn achosi poen, i ddial am rywbeth na wyddai beth ydoedd. Erbyn hyn, ni wyddai Heilyn a oedd ei rieni'n fyw ai peidio. Yr oedd bron i saith mlynedd er iddo'u gweld. Ac oherwydd y methiant trychinebus hwnnw yr oedd yn y Mudiad heddiw. Edrychodd ar Carl a Marian yn eistedd ochr yn ochr ar y soffa, a'r ddealltwriaeth rhyngddynt i'w gweld yn eu rhaffu wrth ei gilydd. Yr oedd yna berthynas yn y fan honno. Efallai fod eu tadau wedi bod yn rhyfela. Efallai fod bwled un wedi methu'r llall o hanner modfedd. Ond efallai mai heddychwr oedd tad Marian. Ni wyddai Heilyn. Y cwbl a wyddai amdano oedd mai un o Sir Fôn ydoedd.

"Be ddigwyddodd i'r llnau?" gofynnodd Carl yn sydyn.

Cododd Jim ei ben.

"Llnau? Pa llnau?"

"'Roedd Heilyn a Marian am glirio'r lle 'ma'n iawn rhag ofn i rywbeth fynd o'i le fory. Cudd fy meiau rhag y gleision."

"Be? Wel am obaith mul . . ."

"'Rydan ni'n gwybod hynny," meddai Heilyn, "nid dyna 'di'r peth."

Cododd Jim, ac aeth at y ffenest. Yr oedd yn dawel y tu allan, a darllenodd yn y golau melyn yr hysbysfwrdd yr ochr arall i'r stryd yn dweud wrtho pam y dylai luchio Brut ar ei gorff er mwyn bod yn ddyn, ac fel y câi ferch noethlymun a gwên blastig arni'n barod os prynai Honda.

"Mi fydda i'n meddwl weithia eich bod chi'n mynd mor rhyfedd â'r blydi byd 'ma."

IV

Yr oedd y mymryn lleiaf o gynnwrf ym mron Marian. Fel hyn y byddai bob tro, cyn gwneud joban. Erbyn bore fory byddai'r cynnwrf yn gryfach, yn gyffro, ac fe barhâi nes y byddai popeth drosodd, a'r weithred yn llwyddiannus. A'r teimlad gorau fyddai'r tensiwn yn gadael ei chorff fel afon wrth iddynt ddathlu'r llwyddiant. Edrychodd yn syth i fyny ar y craciau ar y nenfwd a oleuid yn wantan drwy'r llenni caeëdig gan lampau'r stryd. Efallai, ryw ddydd, na fyddai llwyddiant, y byddai pethau'n mynd o chwith ar eu canol.

Bron iawn na wnâi un set o graciau fap o Ynys Môn. Torri o gwmpas Biwmares—ac ni fyddai yna fawr o golled o hynny—a'i sodro fo yn ei ôl uwchben Amlwch . . . Na, nid peth i'w ragdybio oedd methiant; nid oedd neb elwach wrth feddwl ymlaen llaw am beth felly, neu ni fyddai neb yn dechrau gweithredu o gwbl. Trodd ei phen i edrych ar y llenni. Rhyfedd fel yr oedd ambell bâr o lenni mor ddifywyd a digymeriad,—henaint mae'n siwr. Efallai y byddai felly ei hun ryw ddiwrnod. Daeth ton sydyn o gryndod drosti wrth iddi feddwl amdani'i hun yn llipa fel hen glwt, a'i meddwl yr un mor annefnyddiol. Gwrandawodd ar Carl yn cysgu'n hyderus wrth ei hochr. Yr oedd arni flys ei ddeffro.

Ar ei gwyliau yn Awstria yr oedd hi, yn ymgolli ym mywyd cerddorol y brifddinas. Yr oedd wedi bod yno am chwech wythnos, ac nid oedd sôn am fynd adref. Nid oedd ar feddwl mynd adref gan fod ei rhieni ar ganol ffrae derfynol arall. Rhyngddynt hwy a'u pethau. Nid adwaenai Marian neb a gyd-dynnai mor affwysol o groes â'i rhieni. Yr oedd gan ei mam gymaint o ddiddordeb yn ei thad ag a oedd gan gath mewn llyg marw. Ar ei mam yr oedd y rhan fwyaf o'r bai. Petai wahaniaeth.

Yr oedd Wien yn braf. Pan nad oedd yn y Musikverein yn gwrando ar gyngherddau'r Philharmoniker, neu ambell dro'n cael mynd i wrando arnynt yn ymarfer, a phan nad oedd unrhyw beth ar ei chyfer yn y Staatsoper chwaith, byddai'n crwydro'r ddinas wrth ei phwysau, gan dreulio oriau mewn ambell gaffi'n gwylio pobl yn mynd heibio, ac yn ceisio dychmygu ble a sut yr oeddynt yn byw, ac a oedd eu rhieni'n ffraeo ai peidio, neu tybed a gafodd tad y gyrrwr tacsi a âi heibio'n fynych a swnllyd ei ladd yn y rhyfel. Yr oedd y chwilfrydedd yn ddiderfyn.

Yna, rywfodd, un prynhawn oerllyd, a'r dafnau glaw'n dawnsio'n brysur yn y stryd oddi allan, a'i sylw wedi ei hoelio ar deiars y ceir yn lluchio'r dŵr yn ddiamynedd o'r ffordd, gan adael i'w hôl ddiflannu yr un mor sydyn â'u sŵn, yr oedd ei lygaid arni. Nid oedd hyd yn oed wedi ei weld yn cyrraedd. Ac yn y llygaid yr oedd holl synnwyr y byd. Yna, yr oedd ar yr un bwrdd â hi, ac yn siarad Saesneg cywir. Atebodd hithau mewn Almaeneg blerach. Nid aeth yn ôl i Fôn. Ymhen chwe mis, siaradai Carl Gymraeg gloyw gyda chymysgedd difyr o acenion Llangefni a Dortmund.

"Mae'r Mudiad yn mynd rhagddo."

Geiriau Carl, a'r sôn cyntaf eu bod yn Fudiad. Yr oedd y peth yn anochel wrth gwrs, wedi blwyddyn a hanner o gyd-fyw a chyd swcro a chyd ffieiddio. Yn y dechrau, byw ar arian ei dad oedd Carl, arian llwgr llyfu tinau Americanwyr a Saeson. Daeth hynny i bigo mwy a mwy arnynt fel y cryfhâi'r weledigaeth a'r alwad, ac yn y diwedd penderfynodd Carl roi terfyn ar y rhagrith.

Y ddau'n cerdded yn hamddenol i fanc ar gyrion Wien. Un yn saethu clorian a'r llall yn saethu cloc. Petaent wedi arfer mwy, byddent wedi cael llawer mwy na chwarter miliwn schilling. Ond o leiaf yr oeddynt wedi dechrau; yr oedd Cymdeithas wedi ffieiddio o'u plegid.

Yn Zurich y llefarodd Carl ei eiriau cyntaf am y Mudiad. Erbyn hyn, yr oeddynt yn destun siarad yn yr Almaen ac yn Awstria, gyda'u mynych ysbeiliadau beiddgar ar fanciau. Âi'r condemniadau yn y papurau'n fwy lliwgar gyda phob trawiad, a'r heddluoedd odani'n ddidrugaredd am eu methiant dybryd. Ond yn Zurich daeth tro ar fyd. Yr oedd rheolwr y banc yn ŵr amlwg, a'i gysylltiadau gwleidyddol a gweinyddol yn llond ei wedd. Un o bileri gwareiddiad, meddai Carl wrtho cyn taflu'r bom ar ei lin. Ddwy eiliad yn ddiweddarach yr oedd Carl a Marian yn derfysgwyr. Yr oedd y Mudiad yn mynd rhagddo.

Ar y nenfwd, cerddai pry yn dalog ar hyd Ynys Môn. Gwyliodd Marian ef yn mynd heibio i'r Fali, a gobeithiodd ei fod wedi sathru rhyw ddwsin neu ddau o awyrennau wrth wneud hynny. Yna arhosodd y pry yn ymyl Llangefni. Efallai mai ei rhieni oedd yn cael eu sathru ganddo'n awr, os oedd y diawliaid gwirion yn dal i fyw hefo'i gilydd. Os oeddent yn fyw o gwbl. Blinodd y pry ar Langefni ac ar yr ynys, a hedfanodd i'r llenni. Amheuai Marian a oeddynt yn ddigon cryf i'w ddal.

Trodd ar ei hochr er mwyn anwybyddu'r pry. Yr oedd y cynnwrf yn dal yn ei mynwes. Bore fory ddaw.

V

Gorweddai Jim yn hollol lonydd ar ei ochr yn y gwely. Yr oedd ei drwyn yn y pared. Wrth wrando'n astud, clywai anadl gyson Heilyn o'r gwely arall. Yr oedd Heilyn yn cysgu. Yr oedd yn braf arno. Efallai y byddai yntau'n gallu cysgu hefyd petai heb weld dyn yn cael ei saethu'n farw lathen oddi wrtho, petai heb weld dyn yn peidio â bod yn union o'i flaen, o fewn hyd braich iddo, ac yntau'n syllu'n gecrwth ar y bywyd yn diflannu o'r llygaid. Yr oedd wedi meddwl erioed y byddai marwolaeth yn fwy o achlysur, y deuai rhyw lun ar ymwybyddiaeth o gyfriniaeth y terfynoldeb iddo wrth fod yn dyst i rywun yn marw. Ond ni theimlodd ddim. Dim. Nid oedd fymryn o wahaniaeth rhwng dyn yn marw a phry yn cael ei falu o dan bapur newydd. Heblaw am yr ofn a deimlodd ef.

Nid oedd Sean yn gwneud synnwyr. Bedair awr ar ôl lladd, ar ôl llofruddio dyn, yr oedd yn chwerthin am ben landlord hanner call ac yn bargeinio ag ef am botel lefrith. Y datgysylltiad eithaf. Fel milwr yn mynd am beint ar ôl lladd gelyn. Ond nid un felly oedd Sean; yr oedd Sean yn greadur teimladwy. Soniasai Marian rywbeth am Sean yn disbyddu'i boendod drwy ei ddagrau, ond ni wyddai Jim beth a olygai. Ni ddeallai ef Sean.

Trodd ar ei gefn yn ddistaw, rhag deffro Heilyn. Gwyddai na allai gysgu. Gwyddai hefyd pam. Yr oedd wedi ceisio peidio â meddwl am hynny, ond sylweddolai mor wirion a dwl oedd peth felly. Yr oedd ceisio'n ymwybodol beidio â meddwl am rywbeth fel ceisio peidio ag anadlu. Gwyddai Jim beth oedd yn ei boeni. Nid oedd arno eisiau bod yn aelod o'r Mudiad. Gwnaethai gamgymeriad, ac ni wyddai sut i ddod ohono. Yr oedd ochrau ei dwll yn rhy lithrig.

Chwysai, dim ond wrth gydnabod y peth. Efallai nad oedd hynny mor annisgwyl. Mae'n debyg mai chwysu a wnâi pawb pan ddeuai'r awr i orfod cydnabod mai babi clwt ydoedd. Babi clwt ofn gwneud dim ond siarad a gweiddi a'i ddangos ei hun. Babi clwt ofn gweithredu.

Trodd yn ôl ar ei ochr. Na, nid hynny. Nid babi clwt. Nid oedd bywyd mor syml â hynny. Peth camarweiniol oedd gosod labeli. Nid oedd babi clwt yn gallu ystyried pethau. Ni fedrai babi clwt bwyso a mesur.

Trodd yn ôl ar ei gefn. Dim ond ceisio'i berswadio ei hun.

Babi clwt. Troi'n gachgi pan welodd hogyn ddeuddeng mlynedd yn iau nag ef yn saethu dyn heb betruso, ac ef a'i welwch-chi-fi cyfoglyd yn gwneud llond ei drowsus. Hawdd siarad chwyldro. Blydi comiwnydd cyfoethocaf yn Lloegr. Yn awr gallai ddeall ystyr y geiriau, ei ddeall nes ei fod yn brifo. Rhoddai unrhyw beth heblaw ei fywyd am gael bod ymhell i ffwrdd pan dorrai'r wawr.

Yr oedd pethau eraill hefyd. Yr oedd yn teimlo weithiau nad oedd yn ffitio. Yr oedd pawb yn hollol gyfeillgar a phopeth felly. Nid hynny. Ond teimlai weithiau ryw arwahanrwydd. Yr oedd Sean a Marc yn Wyddelod, yn gyfeillion mynwesol, yn parablu'n fyrlymus yn eu Gwyddeleg heb falio dim am neb na'u deallai. Marian a Heilyn yn Gymry. Carl yn deall ac yn siarad Cymraeg. Marc yn dechrau ailgofio'i Gymraeg. Marian yn siarad Almaeneg rhugl.

Un dyn bach ar ôl. Saesneg a Lladin. Lladin Lefel A. Saesneg lefel y blydi comiwnydd cyfoethocaf yn Lloegr. Dyn dŵad.

Yr oedd yn gas ganddo nosau. Pethau i gysgu ynddynt oeddynt, pethau i gysgu drwyddynt. Trodd yn ôl ar ei ochr. Yr oedd Heilyn yn cysgu. Yr oedd yn braf arno. Yr oedd mor braf arno.

2

I

Am rai eiliadau ar ôl iddo agor ei lygaid bu Heilyn yn ceisio canfod beth a'i deffrôdd. Yr oedd yn hollol dawel, oddigerth murmur anesboniadwy dinas ynghwsg, ac nid oedd ond chwarter i chwech. Dilynodd hynt bys eiliadau ei oriawr am ychydig, tra oedd yn ystyried, ac yna trodd ei lygaid i archwilio'r nenfwd uwch ei ben. Rhaid mai rhyw linyn breuddwyd a dorrodd yn rhy sydyn.

Gwrandawodd ar Jim yn cysgu. Cododd ar ei ddwy benelin i edrych ar y Sais mewn trwmgwsg, a'i wyneb yn y pared. Disgynnodd yn ôl ar ei hyd ar y gwely, a chaeodd ei lygaid am ennyd. Yna, heliodd y dillad gwely oddi wrtho, a chodi, gan dynnu ei law ar hyd ei dalcen. Cerddodd at y ffenest, gan gadw'i draed ar y mat racs i osgoi oerni'r orcloth. Rhoes ei ben rhwng y llenni. Dim. Dim haul. Dim glaw. Dim gwynt. Dim niwl. Dim. Dau aderyn to'n pigo yn y llwch ar ochr y ffordd. Neidiodd un yn ddiffwdan i ben y pafin i weld a oedd yno borfa frasach, ond ymhen dim yr oedd yn ei ôl yn ymyl ei bartner, ac yn pigo fel pe bai'r byd ar ben. Chwalodd Heilyn ei wallt cyn troi o'r ffenest. Ac yna cofiodd am Sean.

Ni wyddai'n iawn pam, ond yr oedd yn dda gan ei enaid nad oedd wedi bod hefo'r lleill y prynhawn cynt pan aethant â'r dyn dieithr hwnnw i'w saethu. Ben bore fel hyn yr oedd yr holl beth yn afreal; yr oedd yn rhy gynnar i bethau go iawn bywyd afael. Yr unig beth a wnâi synnwyr yr adeg hon o'r bore oedd bod ar lwybr gardd yng nghefn gwlad, neu mewn cwch yn pysgota yn nhawelwch bae. Efallai mai'r pethau hynny oedd pethau go iawn bywyd. Efallai mai pethau gwneud oedd popeth arall, pethau dibwys chwyddedig. Yr oedd yr un fath bob bore. Byddai ei feddwl yn mynd fel beic.

Aeth o'r llofft, ac i'r ymolchfa. Nid oedd sôn fod neb arall am ddeffro. Glanhaodd ei ddannedd tra bu'n disgwyl i'r dŵr o'r tap arall gynhesu, a rhoes ei sylw ar y cyffro a ddechreuai ddyrnu'n braf yn ei fynwes. Poerodd y sebon dannedd o'i geg a chymerodd gegiad o ddŵr a'i gorddi'n iawn cyn poeri hwnnw hefyd. Ymhen teirawr byddai yn ei chanol hi, yn gweithredu o'r diwedd. Ei ran fach ef ei hun yn ysgwyd y seiliau, yn nryllio'r delweddau. Yr oedd Sean wedi gwneud hynny eisoes.

Rhythodd arno'i hun drwy'r sebon. Ar ôl ei rwbio neithiwr, adlewyrchai'r drych yn ffyrnig o glir. Yr oedd rhyw rinwedd mewn haenen o fudreddi dinas. Yr oedd holl synnwyr ei ben yn dweud wrtho nad llofrudd mo Sean. Ni fedrai unrhyw lofrudd ddirnad yr afiaith a fyrlymai drwy Sean, hyd yn oed pan oedd yn drist. Beth bynnag a wnaeth â'r Padraig hwnnw, nid llofruddio ydoedd. Yr oedd Sean wedi difa dyn am mai hynny oedd pen draw gwleidyddiaeth, am fod un wlad yn methu â thynnu'i bys o frwes gwlad arall. Am fod y bys wedi madru. Yr oedd popeth mor glir ben bore.

Clywodd sŵn o lofft Carl. Gwyddai mai Marian a oedd yn codi. Felly y byddai bob dydd. Fe ddeuai Marian i'r ymolchfa a phwnio pawb arall o'r ffordd. Unrhyw un na symudai fe gâi ddŵr oer yn drochion drosto.

"Hei."

"Sgwaria."

Symudodd Heilyn fymryn.

"'Roedd Jim wedi dychryn neithiwr."

Yr oedd yn amlwg ar ei llais fod Marian wedi bod yn pendroni am y peth. Am ryw reswm, yr oedd Heilyn yn falch fod ei meddwl hithau'n taranu mynd ben bore hefyd.

"'Roedd pawb wedi dychryn."

Dechreuodd Marian lanhau ei dannedd yn ffyrnig.

"'Roedd Jim yn wahanol," ebychodd drwy gegiad o frws, "mi wyddwn i arno fo."

"Mi fydd Jim yn iawn."

"Bydd. Bydd, debyg. Gobeithio."

"Chdi sy'n rhy dreiddgar."

"Athrawes flin ddylwn i fod."

"Mi wnaet un iawn."

"Sean ddywedodd hynny neithiwr. Mi fydd Jim yn iawn."

Dechreuodd Heilyn deimlo'n annifyr. Nid oedd mymryn o argyhoeddiad yn llais Marian. Dim ond dwyawr i fynd. Yn sicr, nid yr adeg i ddarganfod man gwan. Daeth golwg boenus i'w lygaid.

"Wyt ti 'rioed yn meddwl . . ."

"Anghofia fo. Mi fydd Jim yn iawn."

Rhoes Marian ei holl sylw ar ymolchi. Gorffennodd Heilyn sychu dan ei geseiliau, er eu bod yn sych grimp ers meitin, a lluchiodd y lliain o'r neilltu. Methodd ag ymatal rhag rhoi slaes i Marian ar ei thin wrth fynd heibio iddi am y drws.

"Cachwr."

Caeodd Heilyn y drws ar ei ôl fel y disgynnai cawod o ddŵr sebon arno. Chwarddodd yn ddistaw wrth fynd i'w lofft i wisgo amdano, a chlywodd stwyrian yn dod o lofft Marc a Sean. Daliai Jim i gysgu. Mewn awr a hanner byddai'n rhaid iddo ffonio. Mi fydd Jim yn iawn.

II

Yr oedd Jim yn iawn. Pwysai Heilyn ei ben ar ffenest y ciosg, a gwên fawr o edmygedd yn ymledu dros ei wyneb wrth wrando ar berfformiad campus y Sais. Dychmygai weld is-olygydd cysglyd yn cael ei ddeffro'n ysgytiol yn swyddfa'r papur newydd wrth glywed Jim yn arthio'n ddiamynedd arno, gan ddefnyddio'r un llais trahaus i ddisgrifio saethu Gwyddel a fuasai'n elyniaethus i weddillion yr Ymerodraeth ag a fyddai wedi ei ddefnyddio yn anterth dyddiau'r Ymerodraeth honno i orchymyn gwas diog i dorri gwellt. Ac i wneud yn siwr y byddai digon o waith i ddigon o blismyn, ychwanegodd fod haldiad o ffrwydron wedi eu claddu nid nepell o'r lle y taflwyd y corff iddo. Chwarddai Heilyn yn ddistaw braf. Yr oedd golwg llawer hapusach ar wyneb Jim nag a oedd y diwrnod cynt.

Gweithiodd y tric i'r dim. Bum munud ar hugain i wyth rhoes Jim y ffôn i lawr gyda chlec fwriadol. Bum munud wedi wyth yr oedd y seirennau'n sgrechian.

Yr oedd Sean wrth ei fodd. Pefriai ei lygaid wrth weld car plismyn ar ôl car plismyn yn sgrialu'n fyddarol drwy'r traffig.

"I ffwr â chi! Cerwch â'ch gw'lâu hefo chi, y diawliaid."

Gadawodd Heilyn i'r twrw ostegu ychydig cyn ateb.

"Duw a ŵyr be wnân nhw pan fydd y byd ar ben go iawn."

Arhosodd â'i law ar bolyn parcio i wylio'i gyfle i groesi'r ffordd. Daeth yn amser iddynt ddechrau ar eu gwaith, ac yr oedd yn ysu am yr her. Ddeng munud ynghynt, a phob un ohonynt â'i wallt gosod yn dalcus ar ei ben, yr oedd y chwech wedi ymwahanu yn sŵn geiriau olaf Carl.

"Cofiwch, dim ceir rhy grand, na rhai newydd sbon. A pheidiwch bendith i chi â chymryd Volvo dyn y banc ei hun. Os gwnewch chi gamgymeriad, mi ellwch fod yn siwr mai un hollol dwp fydd o. Cofiwch nad ydi'r plismyn i gyd am fynd i hel cyrff, a gofala beidio ag aros yn rhy agos i ddrws y banc, Marc."

"Wyt ti wedi bachu car o'r blaen, Sean?"

"Do, do."

"A'r dreifar ynddo fo?"

Rhoes Sean chwarddiad bychan.

"Naddo. Dim a'r dreifar ynddo fo ar y pryd. Mi fydd hyn yn fwy o hwyl. Mi gawn ni rywun i siarad hefo fo. Mi fydd yn gwmpeini ar y ffordd i'r garej."

"Ella y byddai'n well i ni gau'n cegau yn ei ŵydd o."

"Ella. Ond mi fyddai'n weddus diolch iddo fo."

Cerddai'r ddau yn gyflym yn awr ar hyd un o'r priffyrdd i ganol y ddinas. Yr oeddynt wedi penderfynu mai'r lle gorau i herwgipio car oedd ar un o'r heolydd bychain a ddeuai i'r brifford.

"Yli'r bobl 'ma." Poerai Sean i'r gwter. "Yli call."

"Mi gân nhw ruthro ryw ddiwrnod."

Yr oedd Sean ar ddechrau dweud rhywbeth pan ddaeth lori anferth o'r tu ôl iddynt, a gollwng llwythi o fwg dudew i'w ffroenau wrth fynd heibio. Pesychodd Sean nes ei fod yn plygu.

"Be ddiawl oedd honna?"

"Lori ocsigen."

"Ia, ia."

"Ar gyfer setlo pethau fel 'na y mae'r Mudiad yn bod."

"Mae'r Mudiad yn iawn, Heilyn."

"Siwr iawn ei fod o. Siwr Dduw ei fod o. Be 'di hyn ond dynoliaeth wedi drysu?"

Arhosodd Sean i roi sylw i gi budr a ddaeth i synhwyro'i draed.

"'Waeth i ti heb, Mot. Mi ges i fath neithiwr. Mi rown i fwytha i ti 'blaw bod hen olwg leuog arnat ti. Rhed adra at dy fistar os oes gen ti un, a dwed wrtho fo fod y Mudiad yn iawn."

Arhosodd y ci'n eiddgar am fwy o sylw, ond ail a gafodd. Gwyliodd y ddau'n mynd oddi wrtho am ychydig cyn troi i snwffian am bolyn.

"Reit, Sean, mae'n well i ni drio cael bachiad rŵan. Mi wnaiff fa'ma'r tro. Mae'n well i'r goleuadau eu stopio nhw na ni."

"Yli be sy'n dŵad."

Gwnaeth Heilyn lygaid bychain ar y BMW yn dynesu'n araf.

"Pam lai? Ia, hwn wnaiff. Aros di yn fa'ma . . . damia, mae 'na gar yn dod ar ei ôl o. Y car diwetha yn y ciw pia hi. 'Fydd 'na neb i fusnesa wedyn."

"Faint o frys sydd 'na?"

Edrychodd Heilyn yn frysiog ar ei oriawr.

"Mae gynnon ni gwta bum munud. Dim brys mawr. Digon o amser i beidio â gwneud llanast."

Bu'r ddau'n sefyllian ar y palmant am funud neu ddau yn aros eu cyfle. Siaradai Sean fel melin gan roi ei farn ar swyddi a chartrefi a bywydau tybiedig pawb a âi heibio. Troes y golau i oren. Llwyddodd tri char i stwffio drwodd, a throes y golau i goch. Arhosodd pedwar car, ac yna gwelodd Heilyn y pumed yn dynesu.

"Sean."

"Barod, Heilyn, boi. Barod."

Yr oedd llais tawel ffyddiog Sean yn tawelu rhywfaint ar y clecian a oedd bron yn banig ym mynwes Heilyn. A'r munud hwnnw diolchodd o waelod ei galon mai Sean hyderus a'i barabl diddiwedd oedd ei gydymaith. Nid oedd arno'r mymryn lleiaf o gywilydd cydnabod wrtho'i hun mai Sean oedd yn ei gynnal y munud hwnnw. Pe bai ar ei ben ei hun, byddai ei blwc yn mynd, yn toddi. A phe bai Jim gydag ef . . . ond prun bynnag, yn sydyn nid oedd fawr o wahaniaeth y naill ffordd na'r llall. Yr oedd Sean wedi cyrraedd drws y car o'i flaen.

Yr oedd yn ddyn tua thrigain oed, a'i wallt bron yn wyn mor daclus â'i siwt. Yr oedd y bodlonrwydd a darddai o'i lygaid yn gwneud iddo ymddangos yn ffroenuchel rywfodd, a chan ei fod yn edrych yn syth o'i flaen ac yn hanner gwrando ar y radio o'r drysau o boptu iddo, cafodd Sean rwydd hynt i agor y drws, a datgloi'r drws cefn cyn stwffio'i wn i'w ochr. Neidiodd y dyn gan y sydynrwydd, ond yr oedd llais bygythiol Sean yn arthio yn ei glust.

"Dos, dos, dos! Am yr ochr arall 'na! Dos yn dy flaen, reit handi. Dos!"

Rhoes Sean hyrddiad i'r dyn yn ei ysgwydd, a gwthio'r gwn i'w ochr yn egr.

"Dreifia di, Heilyn!"

Mewn chwinciad yr oedd Sean wedi neidio i gefn y car, ac wedi plannu'r gwn rhwng y ddwy sedd. Gafaelodd yng ngwar y dyn, a'i lusgo'n ffyrnig i'r sedd arall. Rhuthrodd Heilyn i sedd y gyrrwr a gwthiodd goesau'r dyn o'r ffordd. Yna yr oedd wedi cael y sedd i gyd iddo'i hun, a chaeodd y drws yn glep ar ei ôl. Gafaelodd yn dynn yn y llyw i geisio atal ei gryndod. O'i flaen yr oedd gyrrwr car coch yn edrych yn ei ddrych. Yr oedd Heilyn yn siwr ei fod yn edrych yn ddrwgdybus. Gwyddai ei fod am droi ei ben. Ac yna ymddangosodd golau oren o dan y golau coch. Rhyfeddodd Heilyn fod y ffordd yn glir iddo gychwyn. Yr oedd ei ochenaid o ryddhad yn glir a chlywadwy uwch sŵn y radio. Cychwynnodd y car a diffoddodd y radio. Gwyddai mai'r tawelwch a ddaeth i ganlyn diflaniad sŵn y radio oedd y tawelwch mwyaf croesawus a brofodd erioed.

Daeth llais Sean.

"Gwn ydi hwn, syr. Wrth gwrs, mi fedrwch 'i thrio hi i weld a ydi o'n gweithio. Can croeso i chi drio."

Yn lle'r annirnad yn llygaid y dyn, daeth ofn. Yna ffrwydrodd.

"Be—be—be . . ."

"Cau dy geg."

"Be . . ."

"Cau dy geg!"

"Ylwch . . ."

"Cau hi!"

Yr oedd y symudiad cynnil i'r gwn yn fwy effeithiol na geiriau Sean. Aeth y dyn yn fud. Dechreuodd ei ên grynu.

"Wrth gwrs, mi wyddoch chi be fydd yn digwydd os gwnewch chi drio tynnu sylw atoch eich hun. Mae golwg rhy ddeallus arnoch chi i hynny, rhy ddeallus o'r hanner."

Caeodd y dyn ei geg yn dynn, dynn, a dechreuodd ei lygaid wibio'n ddireol.

"Ymlaciwch, syr. Car neis, Heilyn."

Chwarddodd Heilyn yn sydyn. Siwr iawn mai Sean oedd yn iawn, siarad oedd orau. Dyna oedd y corff ei angen.

"Neis iawn."

"Yli'r seddi 'ma."

"Moethusrwydd."

"Statws."

"Statws. Debyg iawn."

"Yli'r pren 'ma. Collen Ffrengig."

Chwarddodd Heilyn drachefn. Nid oedd hafal i antur pan oedd llwyddiant ar y gorwel.

"Siwr iawn."

Un o gas bethau'r dyn oedd y ffilmiau diflas hynny o'r Amerig, lle byddai un neu ddau o bobl ifanc seicopathig yn dal rhywun yn erbyn ei ewyllys, gan chwerthin un munud a sgrechian y munud nesaf. Ni ddychmygodd erioed y byddai'n cyfarfod â rhai. Nid oedd y rhain wedi sgrechian eto, ond yr oedd hynny'n siwr o ddod, yn siwr o ddod.

"Pren neis, Heilyn."

"Prydferth, Sean."

Dychrynodd y dyn. Yr oedd y ddau'n galw'i gilydd wrth eu henwau. Nid oedd ond un eglurhad i hynny. Dim ond un. Neu . . . daeth mymryn o obaith i'w lygaid—neu yr oeddynt yn defnyddio enwau gwneud. Ond ni pharodd y gobaith hwnnw'n hir. Yr oeddynt yn rhy naturiol. Nid oedd ond un eglurhad. Yr oedd y peth yn rhy arswydus i feddwl amdano.

"Wel yli'r bag 'ma, 'ta."

"Brenin y bratiau!"

"Yli'r lledr 'ma, ddyn bach!"

"Dyna i ti fuwch."

Dechreuai Heilyn deimlo nad oedd y Mudiad wedi gweithredu hanner digon.

"Nid lledr smalio ydi hwn, Heilyn."

"Dim peryg."

"O, na, Heilyn. 'Does 'na ddim lle i ddim byd ffug yn y car hwn. Mae'r lledr yma, sylwer, yn blastig go iawn."

"Go iawn? Haleliwia!"

"Plastig go iawn, Heilyn."

"Wel, wel."

"Penllanw gwareiddiad."

"Pinacl Datblygiad."

Adwaenai'r dyn sbeit os adwaenai rywbeth. Dechreuodd fynd yn goch ei wyneb drachefn. Yr oedd yn amlwg yn tynhau. Ymhen dim yr oedd y gwn yn ei bwnio eto.

"Oes 'na ormod o starts yn eich trons chi, syr?"

"Ble—ble ydach chi'n mynd â fi?"

"Gawn ni weld. Dibynnu, on'd ydi?"

"Di—dibynnu ar be?"

"Y dreifar, ella?"

Ysgyrnygodd y dyn.

"Ylwch! Stopiwch y car 'ma! Y munud yma! 'Does gennych chi ddim hawl . . ."

"Heilyn, mae o'n iawn."

"Y?"

"'Ddaru ni ddim gofyn iddo fo. Mi anghofion ni ofyn iddo fo am ganiatâd i ddod i'w gar o. Drwy amryfusedd, nid oes hawl gennym i dresmasu yn y cerbyd hwn. Damia. Ac yntau'n foto mor neis."

Gwyddel oedd hwn. Gwyddel oedd yn y cefn efo'r gwn, nid oedd amheuaeth am hynny. Ni wyddai'r dyn beth oedd y gyrrwr; nid oedd hwnnw wedi siarad digon eto. Ni swniai hwnnw fel Gwyddel, ac nid oedd yn Sais. Sgotyn, efallai. Yr oedd yn bwysig iddo gael gwybod cymaint ag a fedrai, er mwyn helpu'r heddlu, os nad . . . O Dduw mawr.

"Ella y cawn ni faddeuant, Sean, os cynigiwn ni dalu iddo fo am logi'r chwimgludydd."

Cymro oedd o. Cymro. Gwyddel a Chymro. Dechreuai'r dyn swcro'r casineb a gorddai'n wyllt y tu mewn iddo. Dylid gyrru'r diawliaid yn ôl i'w gwledydd eu hunain, bob un ohonynt, heb lol. I feddwl ei fod ef ac eraill wedi ymladd dros ei wlad er mwyn i'r rhain . . .

"Gwyliwch rhag ofn i'ch ewinedd chi fynd yn syth drwy gledrau'ch dwylo chi. Be 'di'ch gwaith chi, syr?"

"Chchwyrffff."

"Job handi iawn." Ni fedrai gwên Sean fod yn lletach. "Talu'n dda, 'dw i'n siwr."

"Os ydych chi'n meddwl bod gen i eich ofn chi, y giwed . . ."

"O, fy Mendigaid! Dyn dewr. Heilyn bach, y fraint!"

"Braint, Sean. Braint a hanner."

"Mae'n siwr fod car y wraig ychydig yn llai na hwn?"

"Stopiwch y car 'ma! Y munud yma!"

"Hen hogyn bach styfnig ydi o. Yr un fath erioed."

"Marian."

Safai Marian ar y pafin ym mhen draw'r stryd fechan. Arafodd Heilyn y car gan agor y ffenest wrth ei ochr yr un pryd. Nodiodd Marian unwaith. Trodd Heilyn y car heibio iddi ac ar hyd trac bychan llychlyd o gerrig a lludw. Ar ôl un tro arall sgwâr i'r chwith darfyddai'r trac o flaen naw garej fechan a fu, yn ôl eu golwg, yn stablau rywdro. Yr oedd drws un garej yn hanner agored, ac Audi mawr sgleinus wedi ei barcio o'i flaen. Arhosodd Heilyn o flaen yr Audi, a diffoddodd y peiriant. Aeth allan o'r car yn gyflym, a gwelodd Carl yn dod i ddrws y garej. Edrychodd Carl ar y car ac ar y dyn.

''Da iawn chi. Popeth yn iawn?''

''Fel deial.''

''Digon o betrol?''

''Llond tanc.''

Agorodd Carl y drws wrth ochr y dyn.

''Allan.''

Edrychodd y dyn yn fileinig arno.

''A beth os gwrth . . .''

Gafaelodd Carl yn ei ysgwyddau â'i ddwy law, a'i blycian o'r car. Symudodd wysg ei gefn tua'r garej, gan dynnu'r dyn dychrynedig ar ei ôl. Yn nrws y garej, trodd, a hyrddiodd y dyn o'i flaen i mewn iddi. Baglodd y dyn, a llyfodd y llawr. Trawodd ei ben yn galed ar y concrid. Arhosodd yn ei unfan yn llawn arswyd. Llanwai ei lygaid â dagrau, ac yr oedd arno ormod o ofn i fod â chywilydd. Yr oeddynt am ei ladd. Yr oedd ei einioes i ddod i ben yn yr annhegwch llwyraf ar lawr concrid drewllyd slymiau dinas. Y sarhad pennaf.

''Ar dy draed. Reit handi. Tyrd!''

Arhosodd y dyn ar lawr. Yr oedd arno ofn symud gewyn.

''Tyrd yn dy flaen, 'wnei di?''

Llais Sais. Llais cydwladwr diwylliedig. Be aflwydd . . .

Gafaelodd Jim ynddo, a daeth Carl i'w helpu. Codwyd ef i'w liniau, a'r munud nesaf yr oeddynt yn stwffio rhywbeth i'w geg.

Yr oedd Jim yn glymwr penigamp. Mewn chwinciad yr oedd y dyn wedi ei glymu fel na allai symud, ac yn gorwedd yn ei gwman ar y llawr. Yna gwelodd y dyn arall.

Dyn bach moel ydoedd. Ar ei gorun yr oedd sgriffiad bychan newydd fod yn gwaedu, a daliai ychydig o waed i ddripian o'i drwyn. Yr oedd hwnnw hefyd wedi ei glymu, a griddfanai'n gyson ddistaw drwy'r rhwymyn ar draws ei geg.

Ond drwy'r cwbl yr oedd llygedyn o obaith; yr oedd mymryn bach o olau draw ymhell. Os oeddynt yn cael eu clymu mor drwyadl, yna yr oedd rhywfaint o obaith nad oeddynt am gael eu saethu. Gobaith oedd gobaith. Ac yna'n sydyn yr oedd yn dywyll. Clywodd y drws yn cael ei gloi'n swnllyd, a gwyddai fod y lleisiau i gyd oddi allan. Yr oeddynt yn mynd a'u gadael. Dechreuodd grynu'n ddi reol.

Y tu allan, yr oedd astudio mawr ar y ceir.

"'Gawsoch chi drafferth?" gofynnodd Heilyn i Jim.

"Trafferth?"

"Y gwaed . . ."

"O." Ysgydwodd Jim ei ben. "Naddo."

"Jim a'i syniadau," meddai Carl. "Y dyn yn gweiddi nerth esgyrn ei ben arno fo, iddo fo stopio'i gar o, a dyma Jim yn gwneud hynny. Neidio ar y brec. Mi drawodd y dyn bach ei ben. Mi fu'n ddigon tawel wedyn."

Busnesai Sean o amgylch yr Audi.

"Hoffi dy gar di, Jim."

"Sut mae'r Daimler yn plesio?"

"Mi wnaiff y tro. Mi fydd gen i flys ei newid o weithia am foto beic a dwy chwadan."

"O'r gora." Daeth Carl at y ceir. "Mae'n well i ni ei chychwyn hi."

Yr oedd yn dda ganddo fod Jim yn gallu cellwair am y ceir. Ar ôl gweld ei ymateb i saethu'r dyn y prynhawn cynt, yr oedd ef a Marian wedi poeni a phendroni llawer yn ei gylch, a buont mewn cyfyng-gyngor o'i herwydd am awr neu well cyn mynd i gysgu. Ond yr oedd yn amlwg fod Jim yn iawn.

"'Welis i mo beic Marian," meddai Heilyn yn sydyn.

"Mi gafodd hi un o rywle, beth bynnag," meddai Carl. "'Roedd o'n pwyso ar y wal y tu ôl iddi pan oeddan ni'n pasio. Beic dynes hen drefn. Un glas."

"Reit 'ta, i ffwrdd â ni."

Gwnaethai Marc ei waith hefyd. Pan gyrhaeddodd y ddau gar y banc, yr oedd tri chôn gwahardd parcio wedi eu gosod yn daclus ar y ffordd o'u blaenau. Neidiodd Sean o'r Daimler, a chasglodd y conau. Agorodd gist y car a'u cuddio ynddi, ac estynnodd y pedwar bag mawr a gawsant o'r garej. Caeodd y gist, a rhoes edrychiad byr o'i amgylch. Ni chymerai neb sylw ohono. Ychydig lathenni y tu ôl iddo yr oedd beic dynes hen ffasiwn glas wedi ei osod yn daclus ar ymyl y pafin.

Daeth Carl o'r car arall ac ato. Gafaelodd mewn dau o'r bagiau a cherddodd y ddau'n gyflym at ddrws y banc. Gwyliai Jim a Heilyn hwynt o'r ceir. Ganddynt hwy ill dau oedd y gwaith anoddaf, meddyliodd Sean, sef aros i wneud dim y tu ôl i lywiau ceir. Yr oedd gwneud rhywbeth yn well o'r hanner.

Edrychodd Carl o'i gwmpas cyn curo dau guriad pendant ar ddrws y banc, a thri churiad cyflym yn syth wedyn. Agorodd y drws yn syth, a llithrodd y ddau i mewn. Caeodd Marian y drws ar eu holau, a'i gloi.

"Iawn?"

"Fel mêl."

Safai Marc ar ganol y llawr gyferbyn â'r drws, a gwn yn ei law. O'i flaen, gorweddai deg ar hugain o bobl ar eu boliau ar y llawr, a'u dwylo ar eu cefnau, a'u hwynebau ar y carped. Ni symudent ewyn. Ar gadair o dan un o'r ffenestri eisteddai dyn tal tua hanner cant oed, a'i wyneb yn welw, a'i ddwylo ar ei ben. Neidiai ei ben-glin dde yn ei drowsus bob hyn a hyn, a phob tro y digwyddai hynny, byddai Marc yn troi'r gwn tuag ato, ac yn edrych yn syth i'w lygaid, ac âi'r dyn yn welwach.

"Hwn ydi'r rheolwr?"

"Ia."

Nodiodd Carl ato.

"Bore da," gwenodd yn serchog, "mae'n dda gen i'ch cyfarfod chi."

"Mae o'n swil ben bore," meddai Marc, "mae o'n methu â dod o hyd i'w dafod cyn paned ddeg."

Edrychai'r dyn i lawr.

"'Ddaethoch chi i mewn yn iawn?" gofynnodd Sean.

"Heb lol," atebodd Marc, "hawdd fel baw. Y pwnc trafod oedd bod y dyn goriadau'n hwyr o ddau funud. 'Rydw i'n siwr ei fod o'n difaru na fyddai o ddwy flynedd. 'Roedd gwn Marian dan gesail ceidwad y drws cyn iddo fo droi. Mi fydd yn rhaid iddyn nhw baratoi adroddiad ar fesurau diogelwch agor drysau banciau. Sefydlu comisiwn. 'Wnaiff hwn fawr o gadeirydd chwaith, yn ôl y siap sydd arno fo."

Aeth Carl at y rheolwr.

"Reit, Jimbo. Estyn dy oriadau. Gwna di lol . . ."

Rhoes glusten fechan iddo gyda baril ei wn. Cododd y rheolwr ar ei union.

"Hogyn da."

"Ufudd-dod yn beth rhinweddol iawn," ategodd Sean yn ei ymyl, "'rydw i'n dweud erioed."

Daeth sŵn cloch sydyn. Neidiodd y rheolwr. Dechreuodd rhai o'r lleill stwyrian.

"Llonyddwch!" arthiodd Marc arnynt.

Gafaelodd Carl yng nghrys a thei'r rheolwr, a'i dynnu ato'n ffyrnig.

"Be oedd honna?"

Yr oedd y dyn yn cael hanner ei dagu.

"Cl—cloch drws."

"Pwy sydd 'na?"

"Y—y—y . . ."

"Ateb!"

"Mae'r draeniau'n dechra cau, Carl," meddai Sean.

Llaciodd Carl ei afael, a daeth gwawr o ryddhad i wyneb y dyn. Caeodd ei lygaid am ennyd fer.

"Yr is-reolwr," meddai mewn llais hanner poer hanner gwynt. "'Roedd—'roedd o'n dweud y byddai o ychydig yn hwyr heddiw, 'roedd—'roedd o . . ."

"Sut beth ydi o?"

"S—sut?"

Ysgydwodd Carl ef eto.

"Disgrifia fo. 'Rwyt ti'n ddiddeall ar y diawl y bore 'ma."

"Un golau. Gwallt golau. Sbectol arian. Gwallt . . . Dyn gweddol fyr. Het frown, mae—mae'n siwr. Gwallt . . ."

"Be weli di, Marian?" gwaeddodd Sean i'r drws.

Yr oedd Marian â'i llygaid yn dynn yn y gwydr bach yn y drws. Symudodd yn ôl, a throi.

"Trwyn fflat. Sbectol arian. 'Does 'na fawr ohono fo. Het feddal, frown."

"Mi wnaiff hwnnw'r tro. 'Oes 'na bobl hyd y pafin?"

Rhoes Marian ei llygaid yn ôl yn y drws. Daeth Sean ati.

"Mae'n anodd dweud. Mae o ar y ffordd."

"Mae'n well i ni beidio â mentro. Dos o olwg y drws, Marc. Reit, Marian, agor o."

Llechodd Sean y tu ôl i'r drws, a symudodd Marc ymlaen. Datglodd Marian y drws, a'i dynnu'n agored heb ei dangos ei hun heibio iddo. Wrth ddod dros y trothwy, yr oedd golwg ddigon blin yn y llygaid y tu ôl i'r sbectol arian wrth weld nad oedd pwy bynnag a agorai'r drws am wneud yn siwr o'i bethau cyn ei agor led y pen. Gofynnai hyn am gerydd. Yna gwelodd droed. Yr oedd rhywun yn gorwedd ar lawr y banc. Arhosodd yn ei unfan, ac yn lle plygu'n ôl, plygodd ymlaen. Yr eiliad nesaf yr oedd ar ei hyd ar lawr y banc a Sean ar wastad ei gefn odano.

Caeodd Marian y drws yn glep, a'i gloi. Rhuthrodd i roi cymorth i Sean. Daeth sŵn crensian uchel wrth i'r sbectol arian droi'n siwrwd o dan ei thraed. Rhuthrodd am goesau'r dyn. Yr oedd Sean hanner ffordd i fyny'n barod, ac yn ailosod ei wallt ffug yn frysiog.

"Ar dy fol. Tyrd! Gwnâ siap arni! Ar dy fol!" Rhoes Sean ei ben-glin ar gefn y dyn, a thynnodd ei freichiau i fyny'n egr. "Dwylo y tu ôl. Dyna fo. Aros fel'na. Gamp i ti symud."

Neidiodd Sean yn ôl ar ei draed, ac edrychodd ar Marian. Yr oedd yn chwythu braidd a'i wyneb yn goch. Gwenodd yn sydyn arni. Yr oedd anturiaeth fach annisgwyl fel hon yn plesio i'r dim. Croesodd at Carl, a gwelodd y gobaith yn darfod o lygaid y rheolwr.

"O'r gorau," meddai Carl, "ydi'r teulu bach yn gyflawn rŵan?"

Nodiodd y rheolwr yn ddychrynedig.

"Da iawn. Rŵan 'ta, mi awn ni i edrych be sydd gen ti yn dy gwt. Ariangarwch ydi'r drwg, bob amser. Mi ddylet ti wybod hynny'n well na neb."

Rhoes bwniad iddo. Am funud, yr oedd y dyn fel pe bai am wrthod symud. Cododd ei drem, a gwelodd fflach fileinig yn llygaid Carl. Trodd yn ddistaw, a cherddodd o flaen y gwn tua'r drws yn y pen draw. Y tu ôl iddo, ym mhen arall y banc, gorweddai dyn ar ei hyd ar lawr, gan gynllunio ar gyfer ei awr fawr. Yr oedd arno eisiau rhwbio'i lygaid, ond ni feiddiai. Nid oedd lawer o wahaniaeth am hynny, fodd bynnag. Yr oedd yn gynlluniwr cyflym.

Oddi allan, yn y Daimler, ceisiai Heilyn aros yn amyneddgar, ond yr oedd yn anodd ddybryd arno. Yr oedd wedi bod yn argyfwng unwaith yn barod, pan aeth y dyn hwnnw at y drws a phwyso ar y botwm cloch gwyn ar y cilbost. Yr oedd Carl wedi eu siarsio i beidio â dangos diddordeb o gwbl yn y lle tra byddent yn aros, ond pan oedd yn cynllunio mewn cadair freichiau y dywedasai Carl hynny. Ni fedrai Heilyn dynnu ei lygaid oddi ar y drws a'r dyn. Yr oedd y drws yn hir yn agor, a'r dyn yn dechrau aflonyddu, a Heilyn yn chwysu. Wedyn yr oedd popeth yn iawn unwaith yn rhagor. Yr oedd un neu ddau wedi troi'n ôl i edrych pan glywsant glep ar y drws, ond ymlaen yr aethant i anghofio.

Yr oedd yr aros fel oes. Yr oedd bysedd distaw cloc y Daimler yn tynnu am ugain munud wedi naw. Pum munud arall, a byddai'r cwsmeriaid cyntaf yn dod at y drws. Erbyn hynny byddai ef a'i lwyth yng nghanol y traffig. Gobeithio.

Gwyddai Heilyn fod Jim, yn y car o'i flaen, yn damio'r hir-ymaros hefyd. Yr oedd Jim wedi sythu fel procer pan aeth y dyn at ddrws y banc, a daliai i eistedd felly. Ac ni fedrai Heilyn gadw'r amheuon o'i feddwl; dyrnai llais diargyhoeddiad Marian yn ei ben. Mi fydd Jim yn iawn. Eto, yr oedd gan Jim lond gwlad o hyder pan oedd yn ffonio swyddfa'r papur newydd ychydig yng nghynt. Ond erbyn hyn, rywfodd, nid oedd hynny i'w weld yn berthnasol. Mi fydd Jim yn iawn. Ni fydd Jim yn iawn. Mi fydd Jim . . . ni fydd . . .

Yr oedd yn edrych yn gecrwth i'r drych ar y drws wrth ei ochr. Yng nghanol y bobl brysur ar y pafin yr ochr arall i'r ffordd, yr oedd helmet ddigamsyniol yn dynesu. Rhegodd Heilyn dros y car, a'i lais yn llawn panig. Cofiodd eiriau Sean. Dim ond y rhai cloff fydd ar ôl. Yr oedd Sean yn anghywir. Yr oedd Sean wedi methu. Yr oedd yr helmet yn croesi'r ffordd ugain llath y tu ôl iddo.

Yr oedd yn dod fel hen fuwch feichiog. Arhosodd ennyd i bori wrth y beic glas, a phenderfynodd fusnesa yn nhrwyddedau ceir, i gael rhywbeth i'w wneud. Rhoes Heilyn weddi fer, fer. Sylwodd fod Jim wedi gweld yr helmet hefyd. Mi fydd Jim yn iawn. Dduw mawr.

Yr oedd trwydded y Daimler yn plesio. Gwna hi am y ffatri Dunlop 'na, y bustach. Dangosai fwy o ddiddordeb yn yr Audi. Efallai ei fod ar feddwl prynu un. Plygodd fymryn i edrych ar Jim. Paid â gwingo, y diawl gwirion. Yr oedd Jim yn mynd i ddifetha popeth, wrth wingo fel petai'n lleua. Ond nid dyna pam y crychai'r helmet ei dalcen. Nid dyna pam y dangosai benbleth.

Aeth o flaen y car i edrych ar ei rif unwaith eto. Yna edrych-odd yn hir ac yn gas ar Jim. Crynai gên Heilyn. Duw a wyddai sut oedd Jim. Yna, yr oedd yr heddwas yn sefyll wrth ddrws Jim ac yn curo'n siarp ar y ffenest. A gwyddai Heilyn pam. Yr oedd y llymbar busneslyd wedi adnabod y car; gwyddai ar ei wep o. Mi fydd Jim . . .

Yr oedd Jim yn taeru. Gallai Heilyn glywed ei lais yn aneglur. Yr oedd yn ffraeo. Y peth gwirionaf i'w wneud hefo plismon bob amser, yn enwedig hefo un styfnig. Ond yna dig-wyddodd rhywbeth a barodd i'r heddwas golli diddordeb yn yr

Audi. Yr oedd y glec bwled a'r sgrechiadau o'r banc yn ddigon eglur.

Dim ond y rhai cloff fydd ar ôl. Byddai'n well petai fel arall, os un fel hwn oedd un cloff . . . Cyn i Heilyn lawn ddirnad, yr oedd yr heddwas yn siarad, yn gweiddi i'w radio, ac wedi symud i groesi o flaen yr Audi, heb wybod ei fod wedi llwyddo i ddarnio nerfau Jim.

Marian oedd yn iawn. Yr oedd Jim wedi tanio'r car, a llamodd hwnnw ymlaen fel y bu i'w beiriant ddechrau troi. Edrychodd Heilyn yn frawychus ar yr Audi'n trawo'r heddwas ac yn sgubo'n herciog drosto cyn sgrialu oddi yno. Yr oedd Jim wedi torri.

Yr oedd fel hunllef. Fel pe na bai unrhyw beth anarferol wedi digwydd, fel ar ôl bagliad flêr, yr oedd yr heddwas yn codi ar ei draed. Yr oedd hyd yn oed yn edrych a oedd ei radio'n iawn. Safai yn ei unfan. Yna gwelodd Heilyn ryw olwg syn, ddieithr, yn dod i'w lygaid. Dechreuodd symud tua'r pafin, gyda cherddediad rhy fwriadol. Camodd ar y pafin, a dechreuodd fwytho'i fol. Trodd i edrych ar Heilyn, ac yr oedd rhyw hanner gwên yn dod i'w wyneb wrth i'w lygaid droi i fyny i'w ben, ac iddo yntau ddisgyn ar ei hyd ar y pafin, ac aros yno'n llonydd. Yna'n ebrwydd yr oedd y pafin yn llawn o'r Mudiad.

Sgrech gan Sean.

"Y blydi Jim 'na!"

Sgrech gan Carl.

"Agor y bŵt!"

Cist y Daimler yn agor a Sean yn lluchio bag iddi. Carl yn taflu bag i Sean ac yn neidio i sedd ôl y Daimler gan regi. Marian yn taflu bag hanner agored i Sean, ac yn neidio i'r car at Carl. Ei dillad a'i gwallt yn flêr. Ei llais yn galed fel pelen ithfaen.

"Y basdad Jim 'na."

Marc yn neidio dros yr heddwas, gwn yn un llaw a bag yn y llall. Marc yn taflu'r bag i Sean. Heilyn yn tanio'r car. Peiriannol fel ffatri sgriws. Marc yn neidio at Marian ac yn sathru ei throed. Marian yn tynnu ei throed ymaith. Sean yn cau'r gist nes bod y car yn ysgwyd, ac yn neidio i'r sedd wrth ochr Heilyn.

"Blydi Jim."

Y car yn symud, a'r byd go iawn yn dychwelyd.

Dyrnodd Sean sedd y car wrth glywed clychau'r banc yn dechrau canu'n aflafar. O rywle yn y pellter y tu ôl iddynt deuai sŵn seiren. Yna yr oedd y pafin yn llawn o bobl yn gweiddi ac yn rhythu. Teimlodd Heilyn bwniad yn ei ysgwydd.

"Camera!"

Chwiliodd Heilyn yn wyllt. Ar y pafin ar draws y stryd gwelodd ddyn yn cyrcydu, a chamera yn dynn yn ei wyneb. Trodd Heilyn y car yn ffyrnig a'i anelu'n syth at y dyn. Disgynnodd y camera o'r wyneb a chiliodd y dyn yn wyllt, a baglodd ar ei hyd ar y pafin â'i draed yn yr awyr, a'r camera fel babi yn ei gôl. Daeth y Daimler i lawr oddi ar y pafin ac aros yn stond. Yr oedd Heilyn allan fel fflach ac yn darnio'r camera o dan ei draed. Uwchben sŵn y gloch o'r banc deuai sŵn seiren car yn beryglus o agos. Ciciodd Heilyn weddillion y camera i wyneb y dyn, a'r eiliad nesaf yr oedd yn gyrru'r Daimler i ffwrdd, a hwnnw'n troi ei din ddwywaith wrth i Heilyn ei unioni ar hyd y stryd. Ymhen ychydig eiliadau nid oedd hanes ohono.

III

Cyrhaeddodd y ddwy ambiwlans swnllyd yr ysbyty gyda'i gilydd. Ni ddarfu'r twrw o'r seirennau nes bod y ddwy wedi bagio i ddrws agored llawn meddygon. Mewn hanner munud yr oedd y meddygon a'r nyrsus yn gwibio o amgylch dau wely yn yr ystafell dderbyn. Ar ôl pum munud o brysurdeb, aeth rhai o'r bobl oddi wrth un gwely, gan symud at y gwely arall neu o'r ystafell. Ymhen pum munud arall, cariwyd dyn a thoreth o beipiau o'i amgylch a bwled yn ei fol ar droli, ac aethpwyd ag ef at lifft ym mhen draw'r ystafell, gyda dau ddyn yn ei wthio, a meddyg a dwy nyrs o boptu iddo. Aethant i gyd i mewn i'r lifft ac o'r golwg. Ymhen ychydig daeth dau ddyn mewn cotiau llwyd â throli a chaead arni at y gwely arall. Agorodd un y caead, a thynnodd y llall y cwrlid gwyn oddi ar y gwely. Rhoesant y dyn noeth yn y troli a chau arno, a'i wthio o'r ystafell drwy ddrws arall heb yngan gair o'u pennau.

IV

Yr oedd y banc a'r stryd o dan reolaeth ers meitin. Ni fu'r heddlu'n hir cyn gwagio a chau'r stryd, gan osod rheiliau ar draws pob pen iddi, rheiliau yn tynnu cynulleidfaoedd fel y tynnai aredig wylanod. Yr oedd pawb ond y rhai a welodd rywbeth o bwys wedi cael eu hel o'r stryd, a safai'r gweddill yn un rhes ar y pafin am y ffordd â'r banc, yn cael eu holi un ac un gan blismyn. Cawsai'r pafin a hanner y ffordd o flaen drws y banc ei ymylu â ruban oren llachar, ac nid oedd neb yn y sgwâr hwnnw ond dau blismon ar eu cwrcwd yn astudio'n ddyfal.

Yr oedd yn anghynnes o ddistaw yn y banc. Yr oedd yr is-reolwr wedi'i saethu, ac wedi cael ei gludo i ysbyty ar frys gwyllt, ac aethpwyd â'r rheolwr a dwsin o'i staff dychrynedig i'r ysbyty ar ei ôl i ddod dros eu sioc. Safai gweddill y staff yn gylchoedd bychain diymadferth, yn ateb cwestiynau'r heddlu, ac yn ceisio rhyw ffordd o gysuro'i gilydd. Ar gornel o'r cownter yr oedd staciau blêr o arian papur. Yn ystafell y rheolwr yr oedd plismyn yn brysur yn cymharu tystiolaethau ac yn hel ffeithiau.

Safai'r heddwas wrth y cownter, yn gwarchod y staciau o arian a godasid oddi ar y llawr. Edrychai'n syth o'i flaen ar y drws ym mhen arall y banc, ac yn ei edrychiad yr oedd rhyw syfrdandod a gadwai ei lygaid yn hollol llonydd yn ei ben. Mitch oedd ei gymydog, Mitch oedd ei gynghorwr. Yr oedd profiad deng mlynedd ar hugain Mitch yn ei roi ef ar ben y ffordd yn aml. Ymhen pum wythnos byddai Mitch yn ymddeol. Buasai'r ddau'n cellwair am y peth y noson cynt wrth gael peint a gêm ddartiau. Nid oedd hafal i gymydog a chynghorwr a oedd hefyd yn gyfaill. Gwta chwarter awr ynghynt yr oeddent wedi mynd â Mitch i ffwrdd mewn ambiwlans.

Daeth lwmp i'w wddf wrth i'w drem ddod oddi ar y drws ac at yr arian a warchodai. Yr oeddynt yn arian surion, bob papur ohonynt. Ciwed. Mynd â'u hen gar felltith dros gorff ei gyfaill pennaf er mwyn tameidiau o bapur. Papurau punt yn cael blaenoriaeth ar fywyd. Mitch yn gorwedd mewn ysbyty . . . efallai ei fod wedi . . . Yr oedd mwy o arian wrth ei ochr nag a welodd erioed, mwy o arian nag a gâi o flynyddoedd o blismona, mwy o arian nag a gâi Mitch . . . Efallai y byddai yntau mewn ysbyty cyn nos, wedi bod yn ddigon o ffŵl i beryglu ei fywyd er mwyn cael cyflog plismon. Faint o bapurau oedd yn y pecynnau, tybed? Yr oeddynt wedi'u gwasgu'n dynn, gyda phapurau neu gydau polythin yn eu dal gyda'i gilydd. Papurau gwyrddion, gleision, cochion . . . Mitch yn gorwedd ar y pafin, yn ddychrynllyd o lonydd . . . papurau piws.

Safai'r Arolygydd yn nrws y banc yn edrych arno. Edrychodd yr heddwas yn sydyn arno, dan gochi. Methai â deall yr olwg yn llygaid yr Arolygydd. Yna yr oedd yr Arolygydd yn cerdded tuag ato.

"Rhywbeth o'r ysbyty, Syr?" gofynnodd yn betrus, "rhyw . . . Mitch?"

Arhosodd yr Arolygydd yn ei unfan am ychydig. Yna ysgydwodd ei ben.

"'Roedd o wedi marw cyn iddyn nhw 'i roi o yn yr ambiwlans. 'Doedd ganddyn nhw ddim gobaith o wneud dim iddo fo. Mae'r llall yn fyw . . . ryw fath."

Trodd yr Arolygydd, a syllodd yr heddwas arno'n ei adael ac yn mynd at ddrws swyddfa'r rheolwr. Arhosodd ar ganol y llawr i siarad â rhingyll, ac yna aeth yn syth i'r swyddfa heb guro ar y drws.

Ymladdai'r heddwas i gadw'i ddagrau. Y moch. Yr oedd Mitch wedi'i ladd gan wehilion dieithr, wedi cael ei sgubo'n amherthnasol o'r ffordd, er mwyn . . . ni fyddai neb yn tynnu arian o staciau i'w rhoi'n bensiwn i Mitch. Am ei fod yn blismon. Yr oedd pawb yn y banc yn trafod newyddion diweddaraf yr Arolygydd, ac ni chymerai neb sylw ohono ef. Nid oedd fymryn o wahaniaeth am ei deimladau ef.

Nid oedd neb wedi cyfri'r arian. Gwyddai hynny. Pan ddaeth ef i mewn i'r banc, yr oedd yr arian hyd y llawr, a dyn yn gorwedd yng nghanol y bwndeli â'i fol yn waed i gyd. Yr oedd y dyn wedi rhuthro geneth a gariai fag yn llawn o bapurau, ac yn yr ysgarmes yr oedd y bag wedi agor, a llawer o'r papurau wedi disgyn ohono i bobman. Yr oedd yr eneth wedi saethu'r dyn, ac wedi ei heglu hi allan heb hel yr arian a gollwyd. Hwnnw oedd yr arian a oedd yn staciau wrth ei ochr yn awr, heb ei gyfrif. Nid oedd neb wedi cyfri'r arian. Nid oedd Mitch am gael gêm ddartiau byth mwy.

Gafaelodd yn llechwraidd mewn sypyn o bapurau. Papurau decpunt newydd sbon danlli mewn polythin. Rhoes y bwndel yn ei ôl ar unwaith. Efallai fod ganddynt gofnod o'u rhifau. Agorodd un botwm ar ei gôt, a gafaelodd mewn sypyn arall. Papurau piws, heb fod yn newydd. Mewn chwinciad yr oeddynt yn swatio o dan ei gesail, y tu mewn i'w gôt. Edrychodd o'i amgylch gan roi cip sydyn ar ei gorff yr un pryd. Braidd yn anghysurus, ond ni fedrai neb ddweud.

Yr oedd y dagrau'n mynnu dod drwodd. Ceisiodd roi ei feddwl ar rywbeth arall, a gafaelodd mewn sypyn arall o bapurau piws. Aeth y rheini'n daclus o dan ei gesail arall, a chaeodd fotwm ei gôt yn ôl. Iawndal am golli cyfaill. Mil neu ddwy o bunnau,—ni fyddai neb fawr callach. Efallai y byddai ef ei hun yn gorff cyn y câi gyfle i'w gwario. Peth felly oedd bod yn blismon. Hynny brofodd Mitch.

V

Yr oedd Marc yn ddistaw yn ei gornel, yn byseddu'r gwallt gosod ar ei lin, ac yn cadw'i feddyliau iddo'i hun. Yr oedd Carl yr un mor ddistaw, a'i ddwylo'n wastad, lonydd ar ei liniau, a'i ddannedd yn dynn yn ei gilydd. Rhythai'n filain o'i flaen. Yr oedd Marian yn flin, ac yn siarad yn edliwgar bytiog, yn batrwm o athrawes flin Sean. Lluchiai gwestiwn pigog arall cyn i neb gael cyfle i ateb yr un blaenorol, heb falio, mwy na neb arall, am na châi atebion. Yn y tu blaen, yr oedd Sean yn fwy digyffro, a rhyw olwg fwy ffyddiog yn ei lygaid, a'i lais pan siaradai yn wrthgyferbyniad amlwg a bendithiol i arthio cuchiog Marian. Yr oedd Heilyn yn rhy brysur yn gyrru i fawr o ddim arall. Gwrandawai ar Sean, a'i ateb bob tro. Gwrandawai hefyd, drwy orfodaeth, ar Marian, a dweud 'cau dy geg, y gingroen,' drosodd a throsodd yn ei feddwl tan y byddai honno wedi distewi. Nid oedd holl gecru'r byd yn mynd i newid dim ar eu picil. Aethai'r cwbl o chwith. A'r unig beth a wnaent wrth oryrru i geisio cael gwared â'r plismyn a'u dilynai oedd tynnu mwy o sylw atynt eu hunain.

Nid oedd neb yn eu dilyn yn awr, am a welai Heilyn yn nrych y Daimler, ond daliai i yrru. I ble, ni wyddai, heblaw i rywle'n ddigon pell i ffwrdd, os oedd y fath le. Yr oedd pawb yn methu weithiau, yr oedd pawb i fod i fethu weithiau.

"Ble'r ydan ni?"

Yr oedd llais Carl yn hollol ddi-liw. Rhoes Heilyn gip yn y drych cyn ei ateb.

"'Rydan ni yng Nghymru ers meitin. Mi weli di gôr meibion yn canu croeso inni ar ganol y lôn toc."

Wrth geisio ymlacio am ei bod yn glir o'r tu ôl iddo, dechreuai Heilyn deimlo effeithiau'r straen. Yr oedd yn union fel pe bai wedi bod heb gwsg am oriau. Yr oedd Sean wedi ei longyfarch ers meitin am iddo gael gwared â'r plismyn, a gwyddai Heilyn fod llongyfarchion y Gwyddel yn deillio o brofiad,—gwyddai Sean beth oedd gorfod sgrialu drwy strydoedd mewn car dieithr.

Plismon ar gefn ei foto-beic a ddechreuodd yr helfa. Pan oedd Heilyn yn troi o stryd y banc i stryd arall, a dwy o olwynion y car bron â chodi i'r awyr, yr oedd y plismon yn dod tuag atynt. Ni chymerodd ddim amser i droi a rhuthro ar eu holau, gyda'i seiren bitw'n gwichian.

Yr oedd ganddo ddigon o fenter. Fel y gwnâi Heilyn bob math o gampau drwy'r traffig, yr oedd y moto-beic yr un mor ddeheuig yn glynu wrth ei gwt. Wrth edrych yn ôl, gwelent geg y plismon yn mynd fel melin fel y gwaeddai i'r meicroffon ynghlwm wrth ei helmet. Yr oeddynt wedi mynd am gryn hanner milltir cyn i Marc gael y syniad.

"Paid â mynd yn rhy agos i'r ochr, Heilyn."

Yna yr oedd Marc hanner allan drwy ffenest y drws cefn, yn dal ei afael yn y car â'i law chwith, ac yn anelu ei wn at y plismon. Ni fedrai Heilyn lai nag edmygu'r plismon. Cyn pen dim yr oedd yn ddigon pell oddi wrthynt, ond yn dal i'w dilyn gan wau ei ffordd ar hyd y lôn. Ymhen eiliadau yr oedd ganddo gwmni cryfach a mwy sgrechlyd. Yna dechreuodd y ras go iawn.

Lwc mul oedd y cwbl i Heilyn. Dyrnai'r gwirionedd yn ei ben drwy'r adeg,—ef na fu erioed mewn car o'r math nac mewn rali na dim yn ceisio ennill ras â dyn a oedd wedi ei gyflyru i gyflawni pob math ar driciau gyda char yr oedd wedi hen arfer iddo.

"'Does gen i ddim gobaith, dim . . ."

"Cau dy geg, a dal i fynd."

Llais Sean.

"Paid â gyrru gormod. Cadw'r car dan reolaeth. Mi ddaw 'na gyfle yn y munud. Paid â dychryn. Y munud y gwêl y glas nad wyt ti ddim mewn panig, mi ddechreuith betruso, a 'fydd o ddim mor siwr ohono'i hun. Yr adeg honno fydd dy gyfle di. Felly y gwelis i nhw bob tro.''

Er i Heilyn amau'r athroniaeth fach rhy syml honno, cydiodd ynddi'n dynn. O leiaf yr oedd Sean yn deall.

''Yli'r lôn 'na. Paid â brecio. Tro iddi.''

''Be 'tasa 'na rywbeth yn dŵad?''

''Mi fydd 'na uffar o glec. Tro!''

Synnai Heilyn iddo droi'n daclusach nag a wnaeth y car y tu ôl iddo. Trodd Sean ei ben, a chrychodd ei drwyn yn gynnil.

''Ia. Mi gwnest ti o rŵan. 'Synnwn i ddim i ni ennill modfedd a hanner reit dda. Gweddïa nad oes gan yr hen sdincyn lawer o betrol.''

Diolch i Dduw fod Sean yn siarad. Yr oedd y tri a eisteddai yn y tu ôl yn llwyd, ac yn ddistaw, ddistaw. Yr oedd Carl, yr arweinydd mawr, yn ddistaw, yn dweud dim, yn hesb o arweiniad. Rhoes Heilyn y syniad gwallgo hwnnw o'i feddwl. Nid dyna'r amser.

Trodd yn sydyn eto. Gwelwodd Sean.

''O, Mair.''

''Be oedd?''

''Annisgwyl.''

''Felly y dylai hi fod. Dyna ddwedist ti. Y ffordd yma y mae'r gorllewin.''

''Be oedd am hwnnw?''

''Dim byd, am wn i. Ond mi gadwn ni iddo fo. O leiaf 'fyddwn ni ddim yn mynd mewn cylchoedd. Mi awn i rywle.''

''Cofia stopio yng Nghaergybi. Yntê, Marc?''

''Ia.''

Gwan iawn.

''Be oedd am Gaergybi?''

''Jôc fach rhwng Marc a finna. Tad Marc . . . Mae'r glas yn ennill arnat ti.''

Daeth sgrechfeydd brecian a chyrn wrth i Heilyn blannu drwy oleuadau coch. Methodd fen a ddeuai o gyffordd â'i osgoi, a bu bron iddo â cholli rheolaeth ar y car wrth i'r fen ei drawo yn ei ochr y tu ôl i ddrws Marc. Ffrwydrodd y tri yn y sedd ôl yn syth.

''Yr Arglwydd mawr!''

Bodlonodd Marian ar sgrech. Yr oedd llygaid Sean yn pefrio.

''Anfarwol.''

Daeth clec arall wrth i'r car plismyn ddod trwodd, clec fwy. Yna yr oedd yn draed moch ar y sgwâr. Gorfu i'r car plismyn fynd i'r pafin ac i'r clawdd.

"Reit dda, Heilyn. Dal i fynd. Mae 'na fwy ohonyn nhw'n dod. Anghofia am dy orllewin. Gwna hi am y strydoedd bach."

Yn sydyn yr oeddynt ym mhob man, llond pob man o geir plismyn.

"Be wna i rŵan? Yli . . ."

Yr oedd car plismyn ar draws y ffordd o'u blaenau. Gwelodd Heilyn y gyrrwr yn dod ohono, a'i gwneud hi'n frysiog am ddiogelwch y pafin.

"Be ddiawl wnei di rŵan?"

Llais Marc. Yn banig drwyddo.

Cleciodd Heilyn ei ddannedd wrth fesur. Yna rhoes ei droed i lawr. Llamodd y Daimler ar y pafin. Sgrechiodd Marian. Gwaeddodd Marc. Llyncodd Carl ei boer a'i anadl ar un llwnc uchel. Agorodd llygaid Sean, ac aeth ei fraich i fyny i'w wyneb yn beiriannol. Yr oedd gan Heilyn dair modfedd go lew i'w sbario ar ei ochr chwith, a dim digon o ryw chwe modfedd ar ei ochr ef. Chwalodd y Daimler drwodd gan adael gwydrau ei lampau ar ôl, a mynd â bympar ôl y car arall i'w ganlyn. Yr oedd sŵn crafu ar hyd y car. Neidiodd y drych y tu allan i ddrws Heilyn i rywle â chlec uchel. Sgrechiodd Marian drachefn. Daeth braich Sean i lawr.

"Wel myn uffar i. Mi gwnest hi."

Yr oedd Heilyn yn ôl ar y ffordd. Ymhen pum munud, yr oedd yn y wlad, yn gwibio o sŵn seirennau i geisio dianc na wyddai i ble mewn car a waeddai welwch-chi-fi ar bawb. Am gall. Ac i goroni'r cwbl, dechreuodd Marian siarad. Holi, cega, ffraeo, edliw. A neb yn ei hateb. A Sean yn torri ar ei thraws heb gymeryd sylw ohoni i holi Heilyn am yr helynt y tu allan i'r banc pan oeddynt hwy i mewn ynddo. A Charl a Marc yn ddistaw, ddistaw. A'r car yn rhuthro'n nes bob eiliad at y methiant. 'Roedd yn rhaid i bawb fethu rywdro. Trueni fod raid i rai fethu y tro cyntaf.

"Mi ddylen ni fod wedi rhagweld peth fel hyn."

Marian eto, yn fwy blin am nad oedd yn cael sylw.

Trodd Sean i bwyso'i gefn ar y drws. Edrychodd arni.

"Mi wnaethom. Dyna pam ein bod ni mewn Daimler. O ran cario arian, fel cario, mi fyddai berfa wedi gwneud y tro . . ."

"Paid â bod mor glyfar . . ."

"Marian, os oes 'na las ar dy ôl di, 'does gen ti ddim ffau. Ac os wyt ti'n cael dy ddal ar ganol y gwaith, 'does gen ti ddim amser. Y cwbl fedri di ei wneud ydi 'i heglu hi. 'Tasa ti wedi trefnu i gael cuddfan ym mhob tre yn y wlad 'ma, fyddai'r un ohonyn nhw'n dda i ddim."

"Mae Sean yn iawn," meddai Carl, yn annisgwyl.

Cododd Heilyn ei lygaid i'r drych i edrych ar Carl. Sylwodd fod yr olwg guchiog yn diflannu o'i wyneb. Yr oedd yn falch. Yr oedd Carl yn barod i arwain unwaith eto.

"Mi fedrir troi pob profiad yn fuddiol," meddai Carl yn araf, "'wnaiff hyn ddim drwg i ni. Mae'r Mudiad wedi cael gormod o'i ffordd ei hun, o bosib, bob tro yr ydan ni wedi gweithredu. Mae pob job wedi bod yn rhy hawdd, a ninnau wedi mynd yn bennau bach, ella, ac yn meddwl bod gwallt gosod yn ddigon o fasg, heb sôn am weiddi enwau'n gilydd yng nghlyw pawb. Mi allwn ddysgu mwy oddi wrth hon na'r lleill hefo'i gilydd. Y rhain sy'n profi rhywun."

"Am amser i gael pregeth!" hisiodd Marian.

"'Wnaiff un ddim drwg i ti, mae'n amlwg," atebodd Carl, a gwnaeth ei eiriau i Heilyn sylweddoli y munud hwnnw gymaint gwell nag ef yr oedd Carl yn adnabod Marian. Pe bai ef wedi gorfod ateb tymer Marian, byddai wedi ei damio i'r cymylau. Dyna pam mai Carl oedd yr arweinydd, dyna pam yr oedd yn amhosibl meddwl am y Mudiad heb feddwl am Carl. Rhoes gip ar Marian yn y drych. Yr oedd golwg y fall arni. Yr oedd yn fwy dieithr iddo y munud hwnnw nag yr oedd y munud y gwelodd hi gyntaf erioed. Ond yr oedd Carl yn ei hadnabod.

"Mi ddechreuwn ni feddwl am yr awr nesaf yn lle damio am yr awr ddiwethaf," meddai Carl. "Dewis y lôn yma wnest ti, Heilyn?"

"Hi'n dewisodd ni."

"Be' ydi'r posibiliadau? Sean?"

Daliodd Sean ei law chwith o'i flaen, a'i fysedd ar led. Cyfrodd ei fysedd wrth gyfri'r posibiliadau.

"Un. Aros, cuddio'r car a'n cuddio'n hunain—ym mhle, Duw a ŵyr—neu gerdded,—gwaeth fyth. Dau. Ceisio newid car. Hwnnw'n syniad gwell, ond mi aiff ag amser, a 'dydi cyflwr y car yma ddim yn mynd i roi llawer o heddwch i ni i chwilio am gar yn ei le o. Mi fyddai dau gar yn well byth.

Ymrannu. Tri. Herwgipio plismon os daw un ar ein gwartha ni. Y syniad gorau os wyt ti isio mynd i'r fynwent yn lle i garchar. Pedwar. Dal ymlaen yn y wlad. Gwan, braidd. Pump. Dal ymlaen, a mynd i ryw dre. Gwannach. Yr olwg ar y car 'ma ydi'r drwg. Mae 'mysedd i wedi darfod.''

''Anfarwol,'' meddai Marian, ''mi fyddan ni'n siwr o fod yn iawn rŵan.''

Ond cafodd Sean gyfle i'w hanwybyddu. Rhuthrodd i fraich Heilyn.

''Yli be sydd yn fan'cw.''

''Ymhle?''

''I fyny'r allt acw. Audi coch.''

''Jim!'' gwaeddodd Marc a Marian.

Aeth troed Heilyn yn is ar y sbardun, a llamodd y Daimler ymlaen. Rhyw chwarter milltir o'u blaenau, gwelent yr Audi'n dringo'r ffordd dros fryncyn bychan, ac yna yr oedd wedi mynd dros y brig, ac o'u golwg.

''Aros di, 'ngwas i.''

Erbyn i'r Daimler gyrraedd pen y bryncyn, yr oedd yn llawer nes at yr Audi. Er mai un dyn oedd yn hwnnw, sylweddolasant ar unwaith nad Jim ydoedd. Rhanasant yr un siom heb i neb orfod dweud fawr ddim. Ac yna, agorodd Heilyn ei lygaid led y pen.

''Siwr iawn!''

Edrychodd yn y drych, ac yna'n ôl ar yr Audi ac ar y ffordd heibio iddo. Gwelai lori'n dod yn y pellter tuag atynt. Pa wahaniaeth, meddyliodd, 'fydd dim yn rhyfedd mewn dau gar wedi aros ar ochr y ffordd. Nesaodd at yr Audi, a'i oddiweddyd yn ddiffwdan. Ni fedrai atal y wên fechan a ddôi i'w wyneb.

''Be ddwedist ti oedd y dewis gorau, Sean?''

Trodd Sean ei ben.

''Y?''

''Y dewis gorau oedd gennym ni?''

Ysgydwodd Sean ei ben.

''Newid car, am wn . . . Wel, wel.''

''Wel, wel. Pam lai?''

''Reit 'ta. Gêm?'' gofynnodd i'r tri yn y cefn. '''Waeth i chi heb â meddwl, 'does 'na ddim amser.''

Yr oedd Carl wedi penderfynu cyn i Sean orffen siarad.

"Ia. Mi aiff Marian a minna allan. 'Rhoswch chi yn hwn."

Dewisodd Heilyn ei le, ac arafodd. Arhosodd o flaen llidiart cae, ac aeth Carl a Marian ohono.

"Agor y bŵt."

Agorodd Marian y gist, a throdd i weld Carl yn ysgwyd ei law ar yr Audi a ddynesai. Gwelodd yr Audi'n arafu, a meddyliodd nad oedd am aros. Gwelai'r gyrrwr, dyn canol oed, yn edrych mewn penbleth arnynt. Ymunodd hithau yn yr ystumiau, a daeth yr Audi'n nes, gan arafu mwy, ac aros ryw deirllath i ffwrdd. Gwelsant y gyrrwr yn agor ei ffenest. Cerddodd Carl ato.

Yr oedd y cyfan yn hyfryd o syml. Daeth y dyn o'r Audi yn ddiniwed, a chosodd gwn Carl ei gesail. Gwthiwyd ef i sedd ôl ei gar, ac eisteddodd Marian wrth ei ochr, a'i gwn yn isel ar ei chlun. Yr oedd y dyn yn dechrau wylo, a dechreuai Marian grechwenu. Ar ôl gair sydyn â Heilyn, yr oedd Carl y tu ôl i lyw yr Audi, ac yn ei danio. Yna yr oedd yn dilyn y Daimler. Mor syml. Yr oedd fen lefrith wedi dod i'w cyfarfod, a char wedi dod o'r tu ôl iddynt, a phawb wedi mynd i'w ffordd ei hun, heb amau dim. Bum munud yn ddiweddarach, llechai'r Daimler y tu ôl i lwyni drain ddecllath o'r ffordd. Ar y sedd ôl, gorweddai gyrrwr yr Audi, wedi ei glymu'n dynn gyda beltiau diogelwch y car. Yr oedd y drysau wedi eu cloi, a'r allweddi wedi eu taflu ymaith.

Yr oedd hyd yn oed Marian wedi stopio'i chwyno a'i chega. Yr oedd Heilyn wedi dweud wrtho'i hun mai hynny oedd eu llwyddiant pennaf hyd yn hyn, cael honno i gau ei cheg. Ef oedd yr olaf i adael y Daimler, a phan ddringodd at yr Audi yn y ffordd, gwelodd fod y lleill wedi penderfynu cadw i'r un drefn, a'i fod ef i yrru eto.

"Arwydd o'n ffydd a'n diolchgarwch, frawd," meddai Sean wrth fusnesa o'i gwmpas. Am fod hynny wedi'i blesio, teimlai Heilyn yn ffŵl, braidd.

"'Wyt ti'n dal i fynd tua'r gorllewin, Heilyn?" gofynnodd Marc yn sydyn.

"Croeso'n ôl i dy dafod di," meddai Heilyn. "Ydw."

"I ble?" gofynnodd Carl.

"'Ddigon pell o'r Daimler 'na i ddechrau. Mae 'na obaith rŵan."

"Be sy'n ein nadu ni i fynd yn ôl i'r fflat?" gofynnodd Marc.

Trodd Sean ei ben yn sydyn.

''Hei. Dyna'r peth diwetha oedd ar 'y meddwl i.''

Ond yr oedd Carl yn ysgwyd ei ben.

'''Welwn ni mo'r fflat eto.''

''Pam?'' gofynnodd Marc.

''Mi fyddan nhw'n dal Jim, a mi fydd fel oen bach hefo nhw. Mi ddywed bob dim a fedr o. Ac am na ŵyr o hanes y Mudiad, mi fyddan nhw'n meddwl mai styfnig fydd o. Ta-ta, Jim. Ta-ta, fflat.''

''Eitha gwaith â'r diawl.''

Yr oedd llais Marian yn oer, oer.

''Dyna pam nad oes trwytho yn y Mudiad,'' meddai Carl, ''dyna pam nad oes gwersi hanes a dyrnu credoau. 'Chân nhw ddim mwy am y Mudiad o Jim nag y maen nhw'n ei wybod eisoes, er y bydd ei geg o'n fwy nag y bu hi 'rioed.''

''Ella na ddalian nhw mo Jim,'' meddai Heilyn.

''Yr unig ffordd i Jim eu hosgoi nhw ydi iddo fo'i ladd ei hun,'' meddai Carl yn dawel, ''ac mae Jim yn ormod o fabi i wneud hynny. Mae o'n ormod o fabi i feddwl am hynny.''

''Nid babi ydi dyn sydd isio byw,'' meddai Sean, yr un mor dawel, ''mi wyddost hynny. Be 'di holl bwrpas y Mudiad os nad . . .''

''Am Jim yr oeddwn i'n sôn,'' torrodd Carl ar ei draws. '''Doedd Jim ddim yn perthyn i'r Mudiad. 'Fuo fo 'rioed, go iawn. Dim ond cymryd arno. Mae ar ei feddwl bychan o ofn diffodd.''

''Fe ddewisaist dy amser yn dda i benderfynu hyn,'' meddai Marc heb droi ato. ''Mae'n ddrwg gen i 'mod i'n chwerw,'' ychwanegodd yn syml, ''ond 'rydw i'n cofio Miss Hughes yn yr ysgol fach yn rhoi clustan i mi nes 'mod i'n glasu am i mi ddweud mor hawdd oedd iddi hi godi'i phais ar ôl iddi fod yn piso, yn lle dweud 'gorau dysg, profiad,' neu rywbeth i'r un perwyl. Bum munud ynghynt 'roedd yr hen grybiban wedi 'mrolio i am fod y dysgwr Cymraeg gorau a welodd hi 'rioed. Ac os wyt ti mor siwr o dy hun am Jim, beth amdanom ninnau? Ydan ni i fyny â'r gofynion?''

''Mi fu Marian a minna'n hir yn cysgu neithiwr,'' meddai Carl. ''Amheuon oedd yn ein cadw ni'n effro, amheuon am Jim. Neb arall. Wrth ddwyn y car hefo fo gynna 'roeddwn yn fy ngweld fy hun yn wirion yn ei amau o. 'Roedd o wrth ei fodd. Gweithio oedd pethau yr adeg honno, a phob dim o'i blaid o. Wedyn y daeth hi'n bwyso arno fo. 'Rydych chi'ch dau wedi hen ddal pwysau; mae Heilyn newydd wneud hynny. 'Tawn i'n ansicr ohonoch chi, 'fyddwn i ddim yn sôn am Jim rŵan.''

Nid oedd Heilyn ond yn ei led-glywed. Yr oedd yn edrych i'r drych.

''Yr hen deulu. Peidiwch â throi i edrych.''

O'u hôl yr oedd car gwyn yn dynesu'n gyflym. Pan oedd bron â'u cyrraedd, arafodd a'u dilyn. Gwelai Heilyn y ddau ynddo'n rhythu ar yr Audi. Gwyddai eu bod yn cyfri pennau.

''Mi fyddai'n well i ni ddangos nad oes gynnon ni ddiddordeb ynddyn nhw.''

Trodd Sean yn ei sedd, gan ddechrau siarad a throi ei ben at Heilyn a Marian bob yn ail. Yna dechreuodd chwerthin.

''Chwarddwch.''

'''Weithith o?'' gofynnodd Heilyn gan gymryd arno chwerthin wrth droi ei ben at Sean am ennyd.

''Maen nhw'n hawdd eu twyllo weithiau.''

Arafodd Heilyn y mymryn lleiaf ar y car. Yr oedd y ffordd o'i flaen yn syth, a gwag. Ymhen ychydig eiliadau gwelodd fod y car gwyn am fynd heibio iddynt. Bron nad oedd yn sicr y byddai'n rhoi arwydd arnynt i aros. Ond mynd a wnaeth.

''Mi gwelwn ni o eto yn y munud.''

Nid oedd neb am ddadlau â'r pendantrwydd yn llais Sean. Ac yr oedd yn iawn. Ymhen pum milltir daethant at groesffordd. Yr oedd y car gwyn yno, wedi ei barcio'n daclus oddi ar y ffordd. I Heilyn, yr oedd fel drysau uffern. Gorfodid ef er ei waethaf i edrych arno wrth fynd heibio iddo. Am ryw reswm, yr oedd hwn yn waeth na'r rhai fu'n gwibio ar eu holau drwy strydoedd y ddinas. Yr oedd bygythiad llonydd yn waeth.

''Damia nhw.''

Aeth yn ei flaen dros y groesffordd, ac ar hyd y briffordd. Daliai i edrych yn y drych ar y car gwyn yn mynd yn llai ac yn llai, a phan oedd ar fynd yn rhy fach i ganolbwyntio arno, gwelodd ef yn dechrau symud, yn dechrau symud ar eu holau.

''Mae o'n dŵad.''

''Gad iddo fo,'' meddai Carl yn syth, ''rho gyfle iddo fo ddangos ei fwriad.''

Gwnaeth y car gwyn hynny bron ar unwaith. Pan ddaeth

yn ddigon agos at yr Audi, rhoes ei olau glas i droi, ac ni fu chwinciad yn goddiweddyd yr Audi, a rhoi ei olau coch i fflachio'i arwydd arnynt i aros.

"Be 'di'r gêm?" gofynnodd Sean mewn penbleth.

"Be wna i?" gofynnodd Heilyn ar ei draws.

"Dos heibio iddo fo," gwaeddodd Carl.

Trodd Heilyn lyw yr Audi'n ffyrnig a neidiodd y car heibio i gar y ddau heddwas fel yr oedd hwnnw'n aros. Bron nad oedd gyrrwr y car yn disgwyl i'r Audi wneud hynny, oherwydd cychwynnodd ar eu holau'n syth gan roi ei seiren i glochdar yr un pryd.

"Dos fel y diawl," meddai Sean gan droi at Carl. "Be oedd eu gêm nhw, meddat ti? Os ydyn nhw'n gwybod pwy ydan ni, 'fydden nhw byth yn ein stopio ni a nhwtha'n gwybod bod gynnon ni ynnau. Damia unwaith, car patrôl ydi o yn y diwedd. Sbeuna oedden nhw, nid chwilio."

"Maen nhw'n siwr o fod yn gwybod amdanon ni bellach," atebodd Carl, "paid â gofyn i mi be ydi'u hen gêm nhw. Ydi o'n gyflymach car na hwn?"

"Siwr o fod."

"Mae hi'n disgyn arnat ti eto felly, Heilyn. Rhaid i ti wneud gwyrth fach arall."

Crynai Heilyn wrth feddwl am y peth.

VI

Cau arnynt yr oedd hi, o bob cyfeiriad, ac yr oedd Heilyn yn siomedig, mor siomedig fel ei fod yn brifo. Llwyddasai'n rhyfeddol i osgoi'r heddlu a'u ceir a'u trapiau, ac yr oedd wedi croesi gwlad heb sylwi ar nemor ddim heblaw goleuadau gleision a sŵn seirennau. Weithiau, cawsai'r blaen ar ei ymlidwyr, a deuai rhywbeth tebyg i hoe am ychydig filltiroedd. Ond gwyddai fod heddlu cyfan yn barod i ddod i'r ymgiprys, ac ni pharhâi unrhyw hoe yn hir nad oeddynt wrth ei gynffon wedyn fel creaduriaid y fall. Ond erbyn hyn, yr oedd bron ar ben. Ar ben popeth arall, yr oedd tanc petrol yr Audi bron yn wag. Ac o'i flaen, lai na dwy filltir i ffwrdd, yr oedd y môr.

Fel y deuent i bentref dechreuodd y ddau nodyn diflas cyfarwydd o'u hôl unwaith eto. Yr oedd Heilyn wedi blino, wedi cael llond ei fol. Yr oedd pawb arall yr un fath, hyd yn oed Sean. Cyfarthent bopeth yr oedd arnynt eisiau ei ddweud wrth ei gilydd, ond eto ni ffraeënt. Ac wrth ddod i ganol y pentref, gwelodd Heilyn fen heddlu'n dod i'w gyfeiriad. Arhosodd y fen yn gam ar draws y ffordd wrth ochr car wedi'i barcio, a neidiodd heddwas ohoni. Nid oedd lle i feic fynd drwodd. Ac yr oedd car ar ei warthaf, yn oleuadau i gyd. Yr oedd ganddo ddewis mynd ymlaen ar ei ben i'r fen, neu aros.

Neu droi i'r dde. Ar y funud olaf, gwelodd y ffordd fechan yn disgyn i'r dde iddo. Heb betruso, trodd i lawr iddi nes bod teiars yr Audi'n sgrechian eu protestiadau.

"A dyma ni. 'Dawn ni ddim pellach."

Nid oedd angen ategu Sean. Yr oedd y car plismyn a welid yn dod tuag atynt ar ben bryncyn bychan dri chan llath i ffwrdd yn datgan eu ffawd mor groyw â dim. Ac yna'n sydyn yr oedd Heilyn yn rhyfeddu am nad oedd mewn panig; yr oedd ei feddwl yn dawel a chlir. Am ennyd, nid oedd angen i Carl arwain y Mudiad, yr oedd Heilyn yn arwain drosto, yn chwilio drosto, yn chwilio am y terfyn gardd mwyaf bregus. Ac ar dro bychan yng ngwaelod yr allt, fe'i gwelodd.

Dau dŷ oeddent, ar y dde iddo. Yr oedd dwy glwyd fechan yn arwain i ddau lwybr, a ffens bren rhwng y gerddi a'r ffordd. Dewisodd Heilyn y tŷ pellaf oddi wrtho.

"'Rydw i'n mynd trwodd," gwaeddodd. "Byddwch yn barod i fynd i'r tŷ."

Pwysodd ar sbardun yr Audi i'r gwaelod, a chyflymodd y car i lawr yr allt. Gadawodd Heilyn hi i'r pen cyn ei droi mor sgwâr ag y medrai drwy'r ffens. Rhoes y ffens un glec uchel sydyn wrth i garfan gyfan ohoni godi'n glir o'r pridd a'i thorri ei hun oddi wrth y gweddill. Anelodd Heilyn y car at wely blodau yng nghanol yr ardd, a oedd wedi'i godi rhyw ddwy droedfedd uwch lefel yr ardd ei hun. Plannodd y car i'r gwely blodau cyn aros yn ei ganol.

"Allan! Heilyn, dos di i'r tŷ. Sean, dos hefo fo. Un i'r cefn. Marian, ar eu hola' nhw. Marc, estyn yr arian."

Yr oedd Carl wedi agor cist yr Audi cyn gorffen gweiddi, ac yn dechrau lluchio'r bagiau arian at ddrws y tŷ. Yna gwelodd y car a oedd ar ben y bryncyn yn dynesu. Tynnodd ei wn o'i boced, ei anelu, a saethu bwled yn syth drwy ffenest flaen y car. Arhosodd y car yn ebrwydd. Gyrrodd Carl fwled arall ar ôl yr un cyntaf. Dechreuodd y car gilio'n wyllt. Daeth clec bwled arall wrth i Sean saethu'r clo ar ddrws y tŷ, cyn iddo ef a Heilyn eu hyrddio'u hunain yn erbyn y drws. Agorodd hwnnw'n sydyn nes bod y ddau'n pystylad drwyddo. O ystafell yn y cefn clywsant lais merch yn gweiddi. Yna neidiodd Marian yn glir drostynt, a rhuthro i'r cefn. Trodd y waedd yn sgrech frawychus wrth iddi anelu'i gwn i'r ystafell. O'r llofft daeth sŵn baban yn wylo.

Neidiodd Heilyn ar ei draed a rhuthrodd i'r cefn. Edrychodd am ennyd i'r ystafell lle'r oedd gwn Marian wedi'i anelu, a chafodd gip ar ddynes, a geneth tua'r un oed â Marian, yn tynnu'r lle i lawr. Gafaelai'r ddynes mewn geneth fach tua thair oed. Aeth Heilyn heibio i Marian, ac agorodd ddrws. O'i flaen yr oedd cyntedd bychan, a drws cefn y tŷ i'r dde iddo. Yr oedd allwedd ynghrog ar fachyn yn ymyl y drws. Cipiodd yr allwedd, a chloi'r drws. Croesodd at ffenest fechan gyferbyn â'r drws, a chau'r llenni. Clywai fwy o sŵn gweiddi yn y tŷ, ac aeth yn ôl. Rhuthrodd Sean ar ei ben iddo.

"Oes 'na gwt allan?"

Edrychodd Heilyn yn wyllt.

"Y?"

Nid arhosodd Sean. Aeth at y drws cefn, a'i ddatgloi. Trodd at Heilyn.

"Tyrd."

Aeth Heilyn ar ei ôl at y drws. Gwelai Sean yn agor drws sied fechan, ryw deirllath o'r tŷ. Yna yr oedd Sean yn lluchio pethau allan o'r sied.

"Dos â nhw i'r tŷ."

Ufuddhaodd Heilyn, yn syfrdan. Gafaelodd mewn cribin, fforch, a rhaw, a'u lluchio i'r tŷ. Taflodd Sean fwrdd bychan o'r sied, a lli a morthwyl ar ei ôl. Yna rhedodd allan, a blwch yn ei law. Daeth i'r tŷ, a chlodd y drws. Daliai Heilyn i ryfeddu.

"Tro'r bwrdd 'ma."

Daeth mwy o sgrechiadau o'r gegin wrth i'r merched glywed sŵn y lli.

"Mi wnaiff coesau'r bwrdd 'ma am rŵan. Tyrd â'r bocs a'r morthwyl."

Rhedodd Sean at y drws ffrynt, a choesau'r bwrdd yn ei ddwylo. Yr oedd Carl yn sefyll wrth y drws, ac yn pwyso arno, ac yr oedd Marc wedi mynd i barlwr bychan i sbecian rhwng y llenni.

"Dal hwn ar y drws. Fel hyn."

Chwiliodd Sean yn y blwch, a thynnodd ychydig o hoelion ohono.

"Naci."

Taflodd yr hoelion yn eu holau, ac estynnodd sgriwiau tair modfedd o'r blwch. Morthwyliodd hwy'n ffyrnig drwy goesau'r bwrdd ac i bostiau'r drws.

"Un arall ar y gwaelod."

"Heilyn, gwylia'r cefn," meddai Carl ar ôl i Sean orffen. "Marc, aros yn y parlwr 'na. Sean, dos i'r llofft. Rho daw ar y blydi babi 'na."

Daeth sgrech arall o'r cefn wrth i eiriau Carl gyrraedd y gegin. Gwaeddodd Marian ar y merched i fod ddistaw, a chododd ei gwn yn fygythiol. Rhedodd Sean i fyny'r grisiau. Deuai sŵn o lofft gefn ar y dde iddo. Aeth i mewn iddi. Safai bachgen bychan tua blwydd oed mewn crud, yn gafael yn y ffyn i'w ddal ei hun, ac yn gweiddi dros y lle. Aeth Sean ato, a'i godi. Aeth ag ef i lawr y grisiau. Teimlai law fechan yn gafael yn dynn yn ei war. Daliai'r baban i wylo. Aeth Sean ag ef heibio i Marian ac i'r gegin. Tybiai iddo weld fflach ddirmygus yn llygaid Marian wrth iddi edrych arno'n cysuro'r baban. Trosglwyddodd y baban i'w fam heb ddweud dim, ond edrych yn syth i'w llygaid ofnus. Trodd, ac aeth at Heilyn. Rhoes ceg Marian dro mileinig wrth i'r baban ei gladdu ei hun ym mynwes ei fam.

Edrychai Heilyn drwy ffenest y cefn.

"Dyma i ti ddiawl o lanast."

Yr oedd ei lais yn rhyfeddol o dawel. Bodlonodd Sean ar nodio'i ben fel ategiad. Daeth at Heilyn, a sefyll yn ei ymyl i wylio'r ardd. Rhoes Heilyn ochenaid ddistaw.

"Mi gawn weld faint o arweinydd ydi Carl rŵan."

3

I

Erbyn meddwl, yr oedd y llawr yn oer. Deuai gwynt main o rywle hefyd. Aeth yn fwy i'w gilydd i geisio'i osgoi. Ceisiodd wthio'r cadach ymhellach o'i gorn gwddf i flaen ei geg. Teimlai weithiau fod hwnnw'n mynd i'w fygu. Dylai fod rhywun wedi dod bellach.

Gorau oll fod sŵ̂n y seirennau wedi hen ddarfod. Nid oeddynt ond yn ei dwyllo, gyda phob un yn pellhau yn lle dynesu, ar ôl codi ei obeithion yn gyntaf. Yr oedd griddfan ei gydymaith clymedig wedi peidio hefyd. Hen riddfan isel, undonog, a oedd yn gwmni i ddechrau, ond a aeth yn felltith yn fuan. Yr oedd arno eisiau gweiddi ar y dyn i fod yn ddistaw, ond yr oedd y cadach ar y ffordd, a'r cwbl a ddeuai allan oedd griddfan ganddo yntau. Yr oedd arno eisiau codi at y dyn a'i gicio yn ei wyneb, ond yna sylweddolodd mewn dychryn na ddylai feddwl felly. Dechreuodd ofni ei fod yn dechrau rhoi dan y straen. Ond fe ddarfu'r griddfan. Diolch am hynny, diolch i'r drefn am hynny. Efallai ei fod wedi mynd i gysgu. Efallai ei fod wedi llewygu gan ofn, neu oerfel. Na, nid oedd mor oer â hynny. Efallai ei fod wedi marw. Daeth ofn newydd arno. Ni ddylai feddwl pethau felly chwaith.

Yr oedd ei freichiau'n brifo, ond ni fedrai eu symud. Efallai fod y rhaffau'n amharu ar rediad ei waed. Fe ddywedai hynny ar ei galon. Byddai honno'n aros a byddai popeth drosodd. O Dduw mawr. Yr oedd y syniad hwnnw'n ei gynhyrfu drwyddo ac yn gwneud pethau'n waeth. Yr oedd angen pwyll.

Yr oedd mor dywyll, mor uffernol o dywyll. Os oedd gwynt yn dyfod, fe ddylai ddod â golau gydag ef. Ni chofiai dywyllwch fel hwn er yr erchylltra yn Ffrainc ac yn yr Almaen. Ond o leiaf yr oedd ganddo gyfeillion gydag ef yno, er bod rhai ohonynt yn disgyn wrth ei ochr. Petai yno ryw rigol o olau'n dod o rywle, efallai y byddai arno lai o ofn. Ac ofn oedd y gair. Yr oedd byd o wahaniaeth rhwng rhyfel a therfysgaeth, rhwng milwyr y gelyn a'r gwallgofion hyn. Y tywyllwch oedd yn codi'r ofn. Yr oedd mor drwyadl dywyll. Ers blynyddoedd, buasai ei dywyllwch ef yn oren.

Byddai'r giwed yn malu ei gar. Am beth gwirion, meddwl am ei gar, ac yntau efallai'n mynd i farw o newyn. Na, nid oedd mor wirion. Yr oedd meddwl am ei bethau, yr oedd parchu ei eiddo ei hun yn rhan annatod o warineb, yn rhan o'r diffiniad o wareiddiad. Nid oedd disgwyl i wehilion ddeall peth felly, heb sôn am ei werthfawrogi. Yr oedd eu gwatwareg yn y car wedi profi hynny, wedi profi mwy na hynny. Yr oedd dim ond meddwl amdanynt yn ei gynddeiriogi. Teimlai chwys dicter yn ei boethi. Nid oedd hynny o les i'w galon chwaith.

Petai'n gallu symud . . . ust . . . yr oedd yna ryw sŵn. Efallai fod . . . lori neu . . . yr oedd yn cilio, yn mynd i ffwrdd. Nid oedd ots gan neb amdano.

Pam ef? Beth a wnaeth ef? Pam na ddeuai rhywun? Yr oedd popeth mor annheg, mor afresymol. Pam na wnaent rywbeth? Yr oedd yna ddigon o bobl dda-i-ddim o gwmpas, pam na fyddent wedi dewis un o'r rheini? Ni fyddai hynny'n iawn, ond o leiaf byddai mwy o reswm yn hynny, mwy o synnwyr. Ni fyddai'r drychineb gynddrwg.

Pam na ddeuent? Pam nad oedd neb yn chwilio? Ai i hyn y bu ef o blaid rhoi mwy o gyflog i'r heddlu, er mwyn iddynt ei adael i farw yn eu difaterwch? Yr oedd y rhaff yn brifo; yr oedd y cadach felltith yna'n ei dagu, yn codi cyfog arno. Yr oedd y lle mor oer. Nid oedd modd osgoi'r drafft melltigedig yna. Nid oedd ymwared o'r tywyllwch melltigedig yna.

II

Bu ond y dim iddo roi'r arian yn ôl, ddwywaith. Byddai wedi gwneud yr ail dro hefyd oni bai i'r Prif Arolygydd benderfynu'n sydyn y gallai gweithwyr y banc gyfrif a chadw'r arian yn y staciau yr oedd ef yn eu gwarchod. Yr oedd yn rhy hwyr wedyn. Yr oedd wedi peryglu ei yrfa, a phensiwn ar ei diwedd, dim ond er mwyn rhyw fil neu ddwy o bunnau, heb sôn am ei roi ei hun yn agored i flynyddoedd o garchar. Ond byddai popeth yn iawn, ond iddo fod yn ofalus.

O'r diwedd, cafodd ddod o'r banc. Trawodd haul cynnes

ef yn syth wrth iddo ddod drwy'r drws. Yr oedd hynny'n greulon, yn arwydd nad oedd natur, mwy na neb arall, yn malio dim am Mitch. Yr oeddynt i gyd yn malio digon am eu banc a'u harian. Edrychodd yn hurt ar y pafin gwlyb. Yr oeddynt wedi ei olchi, ei olchi er mwyn cael gwared â gwaed Mitch, rhag i hynny droi stumogau pobl, rhag ofn iddynt orfod cofio bod Mitch wedi ei lofruddio yno, tra oedd yn gwarchod eu buddiannau hwy eu hunain. Damia nhw, fe wnaeth yn iawn i ddwyn yr arian, fe wnaeth yn iawn.

Ac o'r diwedd, cafodd ddod adref. Bu'n ddigon call i fod yng nghwmni cymaint o'i gydweithwyr ag oedd bosibl drwy'r adeg, a'r arian o hyd dan ei geseiliau. Yr oedd hynny'n bwysig, fel y byddai ei symudiadau ef yn ystod y dydd yn ddigon agored pe codai amheuaeth ynghylch rhywbeth yn y dyfodol.

Yr oedd ei wraig gartref.

"Oeddet ti yno?"

"'Roeddwn i'n cyrraedd pan oedd yr ambiwlans yn mynd â Mitch i ffwrdd. Pwy ddywedodd wrthat ti?"

"Y Sister. 'Roedd hi wedi . . ."

Daeth ei wraig ato, a disgyn arno, a beichio wylo. Nyrs oedd hi, yn brysur yn ward y plant pan ddaethant â'r bobl o'r banc i mewn. Yr oedd y dydd i gyd wedi bod yn straen. Yr oedd arno eisiau ei gwasgu ato'n dynn, ei gwasgu ato i'w chysuro, ond yr oedd y blydi pres ar y ffordd. Mwythodd ei phen, a'i chusanu ar ei thalcen.

"Aros i mi dynnu'r hen gôt 'ma."

Sychodd ei dagrau â chefn ei law, a gwenodd hithau arno. Nid oedd angen dweud mwy.

"Mae golwg wedi blino arnat ti. Mae'r bwyd bron yn barod."

Daeth ei dagrau yn eu holau wrth iddi wasgu ei law yn sydyn, a throi i fynd i'r gegin gefn. Ochneidiodd yntau. Yr oedd wedi bod yn ffŵl. Nid yn unig yn rhoi ei yrfa mewn perygl, ond hefyd ei briodas, ei holl fywyd. Pan gyll y call. Aeth i fyny'r grisiau ac i'r llofft. Tynnodd y wadiau o'i geseiliau cyn tynnu ei gôt a'i lluchio ar y gwely. Dechreuodd ei galon guro'n gyflym wrth iddo sylweddoli bod mwy o arian wrth ochr ei gôt nag a ddychmygodd. Eisteddodd ar y gwely. Dechreuodd gyfrif. Wrth i'r panig afael ynddo dechreuodd ei fysedd neidio ar draws ei gilydd. Nid oedd pwt o gyfathrach rhwng ei ddwylo a'i ymennydd. Ni allai gyfri yn ei fyw. Rhoes yr arian yn ôl ar y gwely. Gwasgodd ei ben yn dynn yn ei ddwylo. Y diawl gwirion. Yr oedd wedi ei gwneud hi, go iawn. Cododd ei ben. Cododd yr arian. Cyfrodd. Dychrynodd. Yr oedd wedi bod yn rhoi lloches i bum cant o bapurau ugain punt o dan bob cesail drwy'r dydd.

Cyflog clir pedair neu bum mlynedd. Cododd yn sydyn. Gafaelodd yn yr arian a'u cuddio yn y wardrob. Nid oedd neb am gael gwybod, byth. Dim hyd yn oed ei wraig. Yr oedd ar drothwy gwers aruthrol ar sut i fod yn hirben. Aeth i lawr y grisiau, a thrwodd yn syth i'r ymolchfa yn y cefn. Edrychodd arno'i hun yn y drych. Yr oedd ei wyneb yn annaturiol o welw. Byddai'n rhaid i hynny altro cyn yr âi i nôl bwyd; yr oedd ei wraig mor graff. Efallai y gwnâi dŵr a sebon y tric.

III

Pentref bychan ydoedd, ar lan afon a glan môr, yn ddau glwstwr o dai un bob ochr i'r afon, a llinyn toredig o dai yn eu cysylltu. Swatiai un clwstwr yng nghysgod eglwys dŵr-pigfain a mynwent o'i hamgylch, a thraeth odani. Gyferbyn â phorth yr eglwys yr oedd peli llachar a bwcedi plastig yn hongian o ddrws siop fechan i groesawu haul Mai a Saeson cynnar. Ymestynnai'r clwstwr arall o boptu'r briffordd, gyda chapel bob pen iddo, a thafarndy hyll o binc yn gweiddi ylwch-chi-fi yn glap yn ei ganol. Gyferbyn â'r dafarn, ger neuadd y pentref, yr oedd stad o ddau ddwsin o dai cyngor o ddechrau'r pumdegau, a'u cyrn yn orlwythog o erialau simsan a ofalai na fyddai'r hiraeth ar ôl yr ymwelwyr ddiwedd haf yn rhy drwm. Ar yr un codiad tir â'r eglwys, ond tua chwarter milltir oddi wrthi, safai fferm a golwg lewyrchus arni. O'r fferm gellid gweld holl hanner milltir y ffordd fechan droellog a gysylltai ddwy ran y pentref, gan groesi'r afon dros bont fwa hynafol.

Ni welid y bont o'r tŷ. Yr oedd poncan ar y ffordd, fel bod y tŷ mewn rhyw fath o bant bychan, yn union fel pe bai'r afon, ryw dro, wedi llifo y ffordd honno, ac yn ddiweddarach wedi gwneud gwely newydd iddi'i hun, am fod tyrchu'r ffordd honno'n ormod o drafferth ganddi. Yr hyn a welid o'r tŷ oedd caeau a chefnau'r tai cyngor, y neuadd ac un pen i'r pentref, a'r fferm. O'r cefn, gwelid caeau, a'r môr. Cawsai Heilyn gip arno cyn cau'r llenni yn y llofft gefn. Yn hollol annisgwyl, daethai'r cip hwnnw ag atgofion sydyn, herciog, iddo. Fe'u rhoes o'i feddwl.

Buasent yma ddwyawr. Oddi allan, yr oedd prysurdeb gweladwy a chlywadwy, ond a oedd yn afreal rywfodd; bron na fyddai'n amherthnasol. Yr oedd y cwbl yn ymwneud â'r tŷ, ond yr oedd pawb a phopeth yn cadw ymhell i ffwrdd, fel petaent yn anwybyddu'r tŷ yn llwyr, fel petaent yn canolbwyntio ar rywle arall. Yr oedd y lle wedi'i amgylchynu ers meitin; gwelsai Heilyn blismyn â gynnau ganddynt, ambell bistol a llawer reiffl, ac ambell erfyn na wyddai Heilyn beth ydoedd. Ni fedrai fagu diddordeb i wybod, chwaith. Nid tatws sioe oedd arfau i fod. O lech i lwyn yr âi'r plismyn, gan ruthro o'r naill ddiogelfan i'r llall, rhag ofn i fwledi Carl ddechrau symud unwaith yn rhagor. Peth rhyfedd na fyddai yna rywun wedi ceisio cysylltu â hwy bellach, yn lle chwarae potsiars hanner canllath i ffwrdd. Yr oedd y merched i lawr y grisiau'n dal i strancio, a Marian yn dal i sefyll wrth ddrws y gegin fach, yn eu llygadu fel pe baent wenwyn.

Ond yr oedd y diffyg cyfathrach rhwng y tŷ a'r byd i newid. Yr oedd Carl wedi dod o rywle, a'i lygaid yn llawn penderfyniad.

"'Rydw i am siarad hefo nhw."

"Sut?"

"Drwy ffenest y llofft. Mi guddia i y tu ôl i'r hogan 'na. Tyrd hefo fi."

Dilynodd Heilyn ef i lawr y grisiau. Rhedai Carl i lawr, a'r carped grisiau glas di-smotyn yn dylu sŵn ei draed. Carped cuddio pren, yn hytrach na charped dangos moethusrwydd, meddai Heilyn wrtho'i hun. Byddai'n well ganddo petai fel arall; byddai cartref cyfoeth yn haws ei drin. Yr oedd yn haws casáu pobl gyfoethog.

Yr oedd Carl yn y cefn. Amneidiodd ar y ferch.

"Hefo fi."

Ciliodd y ferch yn frawychus, gan afael yn dynnach yn y plant. Rhegodd Carl. Aeth ati. Tynnodd y plant oddi arni a'u gwthio'n ddiseremoni i'r ddynes. Gafaelodd ym mraich y ferch, a rhoes hergwd iddi drwy'r drws. Yr oedd llygaid Marian yn melltennu wrth i'r ferch faglu heibio iddi. Yr oedd

Heilyn yn dechrau anesmwytho. Dechreuodd y plant wylo, ac wrth eu clywed methodd y ferch hithau â dal.

"Dos â hi wir Dduw," hisiodd Marian.

Gafaelodd Carl yn y ferch.

"Gwna fel yr ydw i'n dweud wrthat ti, a mi fyddi'n iawn. Unrhyw lol, a mi saetha i di," meddai'n ddidaro.

Amneidiodd i fyny'r grisiau. Arhosodd y ferch yn stond.

"Tyrd yn dy flaen. I'r ffenest yr ydan ni'n mynd, nid i'r gwely."

Gwthiodd hi i fyny'r grisiau, yr holl ffordd i un o'r llofftydd ffrynt. Agorodd y llenni. Agorai'r ffenest at allan. Agorodd hi led y pen. Tynnodd ei wn, a'i ddal wrth ben y ferch. Cafodd gip ar symudiadau cyflym ym mhobman o'i flaen, yna yr oedd llonyddwch.

"Oreit, y babis. Peidiwch â bod ofn," gwaeddodd. "Cofiwch mai pobl ddewr ydach chi." Arhosodd rhag ofn y byddai'r ysgyrnygu'n glywadwy. Tynnodd bapur o'i boced. "Mae 'na ffôn yn y tŷ 'ma." Darllenodd rifau'n uchel a gofalus, ddwywaith. "Ffoniwch." Estynnodd ei law heibio i'r ferch, a chaeodd y ffenest a'r llenni. "Dos yn d'ôl at dy fabis."

Ond trodd y ferch ato, a dechreuodd ei ddyrnu.

"Cerwch o'ma! Gadwch i mi!"

"Duw Duw."

Gafaelodd Carl ynddi a'i lluchio ar y gwely.

"Tyrd ti â hi i lawr, Heilyn, at y lleill. Mi gawn ni benderfynu be i'w wneud â nhw yn y munud."

Nid oedd Carl ond wedi mynd drwy'r drws nad oedd y ferch ar ei thraed ac yn rhuthro at Heilyn ac yn ei ddyrnu a'i gicio â'i holl nerth. Yr oedd yn ddall yn ei dagrau. Gafaelodd Heilyn ynddi'n gadarn, a'i hysgwyd. Gwingai hi gan ddal i geisio'i gicio. Daliodd ef i'w hysgwyd. Yn sydyn, aeth y ferch yn ddiymadferth, a beichiodd wylo. Disgynnodd yn ôl ar y gwely. Arhosodd Heilyn yno, yn edrych arni, heb wybod beth i'w wneud. Yn raddol, arafodd yr wylo. Daeth Sean i mewn, ac edrychodd arni'n ddistaw. Aeth at y llenni a sbecian rhyngddynt.

"Mae'n dal yn dawel."

"Ble mae Carl?"

"I lawr. Mae o'n sgwennu, yn paratoi ei bregeth. Be ydi enwau'r plant?"

Distawodd yr ochneidio o'r gwely ar unwaith, ond ni ddaeth ateb.

"Peidiwch â bod ofn," meddai Heilyn, "'Ddigwyddith 'na ddim i chi na'r plant. Na'r ddynes. Eich mam ydi hi?"

Cododd y ferch yn araf ar ei heistedd. Daliai ei dagrau i ffrydio. Edrychodd ar Heilyn. Edrychodd Heilyn yn syth yn ôl i'w llygaid. Yr oedd yr ymbil ynddynt bron â'i drechu.

"Ylwch, peidiwch â gwenud dim byd gwirion. Mi fyddwch yn iawn. 'Fyddai 'na'r un ohonom ni yma 'blaw bod raid i ni. Wedi methu'n tric ydan ni. 'Dydan ni ddim yn beryg, ond i chi beidio â throi tu min. Dowch i lawr, cyn i Carl wylltio eto."

"'Does arna i ddim o'ch ofn chi."

"Da iawn chi. 'Does dim raid i chi."

"Mae arna i ofn yr hogan 'na."

Sobrodd Heilyn. Ceisiodd swnio'n ddidaro.

"'Wnaiff Marian ddim byd."

"Mae arni hi isio gwneud. Mae arna i ei hofn hi."

"Dowch i lawr, 'ta."

Cododd yr eneth oddi ar y gwely, ac aeth heibio iddynt a thrwy'r drws heb edrych arnynt. Ymddangosai'n dawelach, ac ychydig yn fwy hunan-feddiannol. Melltithiai Heilyn wrtho'i hun. Nid i hyn y daethai'n aelod o'r Mudiad. Nid i hyn yr oedd wedi gweithredu. Er ei fod mor ddirmygus â neb arall yn y Mudiad o bobl fel y rhain a swcrai eu difaterwch oeraidd yng nghlydwch digysur eu tai undonog llawn carpedi a dyfeisiadau a dodrefn gweigion, eto yr oedd dod i ganol teulu go iawn i'w dychryn a'u harswydo'n anathema iddo. Nid bai'r ferch oedd ei bod yn derbyn y gwagedd a orfodid arni gan y rhai a edliwiai ei rhyddid iddi. Ni ddylid gwneud enghraifft o un teulu. Yr oedd y dyn hwnnw yn y Daimler ben bore'n wahanol. Yr oedd holl osgo hunanfodlon hwnnw'n gwneud iddo ofyn amdani. Yr oedd hwnnw'n credu'n angerddol yn y drefn. Ond yr oedd yn rhy hwyr i feddwl am bethau felly erbyn hyn, a gwyddai na fyddai'n rhannu ei deimladau gyda'r lleill, rhag ofn i Marian ei ddirmygu yng ngŵydd pawb, rhag ofn i Carl ei ddirmygu yn ei galon. Wrth fynd i lawr y grisiau ar ôl Sean a'r ferch, rhyfeddai mai hynny a'i poenai, ac nid cael ei ddal gan yr heddlu y tu allan. Nid oedd hynny'n werth y drafferth o feddwl amdano; creu diflastod oedd meddwl am hynny, ac nid creu ofn. Efallai mai rhywbeth i ddod oedd ofn cael ei ddal.

Aeth y ferch i'r cefn at y plant, gan geisio anwybyddu Marian wrth fynd heibio iddi. Trodd Heilyn i'r parlwr ar y dde iddo. Ystafell fechan ydoedd, a dwy gadair freichiau o boptu tân trydan a ffrâm goed o'i amgylch. Yr oedd cwpwrdd-dal-popeth newydd ar y mur gyferbyn â'r ffenest, a thaclau o bres a thegan yma a thraw arno, yn amlwg yn anrhegion priodas. Gyferbyn â'r tân, y tu ôl i'r drws, yr oedd bwrdd bychan a ffôn arno, a chadair dila wrtho. Eisteddai Carl ar y gadair, yn canolbwyntio'i holl sylw ar bapur sgrifennu ar y bwrdd o'i flaen. Adnabu Heilyn ei lawysgrif bwrpasol flêr, ond ni chymerodd sylw o'i gynnwys gan fod Carl wedi sgrifennu yn ei famiaith. Yr oedd Marc wrth y ffenest, yn torri tyllau bychain crynion yn y llenni ar lefel ei lygaid. Yn y gornel yn ei ymyl yr oedd bagiau arian ar bennau'i gilydd. Syllodd Heilyn arnynt.

"Aur Periw."

Trodd Marc.

"Y?"

"I'w gymharu â gras. Mi fedret ei gymharu o â rhyddid. Hidia befo. Mae'r ffôn 'na'n hir yn canu, Carl. Mae 'na brysurdeb yn rhywle." Aeth i fusnesa i'r cwpwrdd. "Ys gwn i lle mae Jim."

"'Dydi Jim ddim yn bod."

Ni chododd Carl ei ben o'r papur. Gafaelodd Heilyn mewn ci tegan bychan. Yr oedd Carl wedi diffodd Jim o'i fywyd. Syml iawn.

Canodd y ffôn. Rhoes Carl un gip frysiog ar ei bapur cyn ei godi. Aeth Heilyn ato i wrando.

"Pwy sydd 'na?"

"Yr Heddlu." Llais di-lol, llawn awdurdod. "Cyn i chi ddweud dim, ga' i eich sicrhau chi nad oes 'na ddim bargeinio i fod, dim o gwbl. Yr unig ffordd y dowch chi o'r tŷ 'na fydd drwy'r drws ffrynt, a'ch dwylo i fyny. Mi wyddoch nad oes gynnoch chi ddim gobaith o . . ."

"Be ydach chi? Warden traffig?" Yr oedd cyfarthiad Carl yn sarrug. Tawodd y llais. Gwyddai Heilyn ei fod yn petruso. Llwyddiant i Carl, meddyliodd. Yr oedd min ei lais a'i acen yn gweddu i'w gilydd i'r dim.

"Pwy ydach chi?" arthiodd Carl eilwaith.

"Y Dirprwy Brif Gwnstabl. Fi sydd . . ."

"O'r gorau. Gwrandwch, yn astud." Dechreuodd Carl gyfieithu'n rhugl o'r papur o'i flaen. "Os ydach chi'n meddwl mai rhyw giang fach sydd wedi cael ail ac yn gwneud llond ein trowsusau mewn trap ydan ni, mi gewch ailfeddwl yn syth. 'Rydan ni wedi bod mewn gwaeth twll na hwn, droeon. Mae gynnon ni wystlon, yn ferched ac yn blant, ac mae gynnon ni ynnau. Rŵan 'ta, gwrandwch yn ofalus. Os ydach chi'n poeni am y bobl sydd hefo ni yn y tŷ 'ma, mi wnewch fel hyn. Barod?"

"Ia?"

"Yn gyntaf, 'rydach chi i ofalu na fydd 'na neb yn gallu defnyddio'r ffôn 'ma ond chi a ni. 'Does arnom ni ddim isio ffonio neb arall, a mi arbedith hynny i chi dapio'r ffôn 'ma, a mi fydd eich cydwybod chi gymaint â hynny'n dawelach."

Mae hwn yn medru hel sbeit yr un fath ag yr mae pawb arall yn hel poer, meddai Heilyn wrtho'i hun.

"'Rydach chi i roi rhif i ni fel y medrwn ni gysylltu'n syth â chi. 'Dydach chi ddim i ymyrryd â'r cyflenwad trydan na'r cyflenwad dŵr i'r tŷ 'ma. Os byddwn ni isio rhywbeth i'w fwyta, mi fyddwch yn ei gyflenwi'n syth, ar y ddealltwriaeth mai'r plant fydd yn bwyta'n gyntaf. Mi gawn drafod sut i'w drosglwyddo fo eto. Mi gewch ddweud wrth swyddogion Swyddfa Gartref eich llywodraeth fod croeso iddyn nhw ddod â'u teganau bach yma."

Hoffai Heilyn yr 'eich'.

"Mi fydd can croeso iddyn nhw ollwng eu meicroffonau i lawr y corn simdde, a'u plastro yn erbyn y ffenestri. Can croeso i chi hefyd dyllu'n ddistaw bach drwy'r waliau a gosod camerâu pen pin yn lefel â'r papur wal. Os hoffwch chi, mi gewch roi camera drwy'r twll llythyrau a mi rown ni berfformiad i chi bob hanner awr. Mi allaf fi eich sicrhau chi na chewch chi wybod dim o bwys. Ac os byddwch chi'n meddwl am nwyon nerf, ystyriwch hyn. Efallai fod y nwy yn addas i ysgyfaint plant bach blwydd oed. Efallai nad ydi o ddim. Efallai fod eich gwyddonwyr hollalluog dwl chi wedi profi nad oes dim difrod parhaol yn cael ei wneud. Gofynnwch iddyn nhw a gewch chi weld y nwyon yn cael eu profi ar eu plant nhw'u hunain yn gyntaf, a gofynnwch iddyn nhw wedyn pa sicrwydd sydd ganddyn nhw na fydd ysgyfaint eu plant nhw fymryn gwaeth ymhen deng mlynedd. Reit.

Dyna ddigon am y tŷ. Dyma'n gofynion. Dwy filiwn o bunnau. Awyren newydd yn llawn o betrol, a pheilot i fynd hefo hi, peilot a fedr ddangos parch at ei groen ei hun. Bws neu fws-mini i ddal dwsin o bobl. A gollwng dau garcharor yn rhydd o garcharau yn yr Almaen. Gerhart Ochman a Werner Mayer. Carcharorion gwleidyddol. Mae 'na un peth arall am y tŷ. Os gwelwn ni gamerâu teledu neu ddynion papurau newydd o gwmpas, fe fyddwn yn eu saethu. Ydi hynna i gyd yn glir?''

''Ylwch, 'does gynnoch chi ddim gobaith . . .''

''Ylwch!'' gwaeddodd Carl ar ei draws, '''does gynnoch chi ddim awdurdod i ddweud dim, y naill ffordd na'r llall. Ydach chi'n meddwl mai dwl ydan ni?''

Bu distawrwydd am ychydig.

''O'r gorau,'' meddai'r llais yn wyliadwrus, ''faint o wystlon sydd gynnoch chi?''

''Meindiwch eich busnes.''

''Ylwch,'' chwyrnodd y llais, ''sut fath o ddeialog ydi hyn? Chi'n dweud y cwbl, a minnau'n cael dweud dim? Monolog ydi peth fel hyn, 'wnaiff hyn mo'r tro . . .''

'''Does gen i ddim diddordeb yn eich termau gramadeg chi,'' atebodd Carl yr un mor chwyrn, ''cadwch nhw i chi'ch hun. Ydi dwy awr yn ddigon gynnoch chi?''

Ni chafodd ateb.

''Os medrwch chi ateb, a rhoi sicrwydd i ni o fewn dwy awr y bydd ein gofynion yn dderbyniol, mi fedrwn ninnau ddangos ewyllys da o'n hochr ni, a'i ddangos o mewn ffordd ymarferol iawn,'' ychwanegodd Carl.

''O?'' Yr oedd y llais yn llawn diddordeb.

''Os medrwch chi ateb yn gadarnhaol o fewn dwy awr, mi fyddwn yn barod i ryddhau'r gwystlon.''

''Y?''

Yr oedd y llais yn syn, ond nid wedi ei synnu'n fwy nag a oedd Heilyn a Marc, wrth iddynt glywed geiriau Carl. Aeth Heilyn i afael ym mraich Carl, ond ailddechreuodd yr Almaenwr siarad.

''Mi fyddwn yn barod i ryddhau'r gwystlon sydd gynnon ni ers y bore, yn ymyl y banc. Un gyrrwr Audi ac un gyrrwr Daimler.'' Yr oedd Carl wrth ei fodd, ac yn ymdrechu i guddio'r wên fuddugoliaethus o'i lais. '''Does dim angen i mi ddweud mwy, siawns? Gyda llaw, pan ddowch chi yma, dangoswch eich hunan i mi gael gweld sut un yr ydw i'n siarad hefo fo."

"Hm. Ella y gwnewch chitha yr un fath. 'Rydach chi'n dallt, wrth gwrs, fod cyhuddiadau difrifol iawn yn eich erbyn chi? O leiaf un cyhuddiad o lofruddio . . ."

"Debyg iawn. Os ydach chi'n meddwl fod gwerth mewn dwyn cyhuddiadau yn erbyn pobl heb eu harestio nhw . . . Dwy awr."

Rhoes Carl y ffôn i lawr.

"Mi anghofis gael ei rif o."

"Be sy'n mynd i ddigwydd rŵan?" gofynnodd Marc.

Crafodd Carl ei ên. Yr oedd golwg ddigon cuchiog arno.

"Cyn nos mi fydd y lle 'ma'n llawn o filwyr, yn dangos eu nerth, yn dangos bod ganddyn nhw ddannedd. Os oes 'na ysgol neu neuadd yn y lle 'ma, mi fyddan nhw'n defnyddio fan'no fel pencadlys . . ."

"Mi fyddan nhw'n cael cynllun o'r tŷ 'ma," torrodd Heilyn ar ei draws. "Os oes 'na dŷ yr un fath ag o, mi wagian hwnnw i'r comandos gael ymarfer. Os nad oes 'na, mi godan un yr un fath ag o. Pan fyddan nhw'n barod, mi fyddan yma fel gwylanod, a mi ddôn nhw i mewn rhwng dau a phump o'r gloch y bore, a'n lladd ni i gyd, y pump ohonon ni. Mi fu 'na adeg y bydden nhw wedi rhoi bwled ym mol Marian yn hytrach nag yn ei phen hi, i'w chadw hi'n fyw am mai hogan ydi hi. Ond mae'r oes fach ddiniwed honno drosodd. 'Roeddwn i'n hoff o dy bwynt di ynglŷn â'r nwy, Carl, ond 'weithith o ddim. Nwy fydd hi. Mae eu ffydd nhw yn eu galluoedd a'u dyfeisiadau eu hunain yn rhy gry iddyn nhw amau dim arnyn nhw, hyd yn oed ar ôl iddi fynd yn rhy hwyr."

Cododd Carl yn ddiamynedd.

"'Rwyt ti'n malu awyr, Heilyn. 'Fydd 'na ddim lladd. 'Fyddan nhw ddim yn lladd."

"Mi fyddan yn siarad yn glên," ychwanegodd Heilyn, fel pe na bai wedi clywed Carl, "mi fyddan nhw'n gweld ein hochr ni a phob dim. Ella y byddan nhw'n rhannu jôcs hefo ni. Sbort iawn. A thrwy'r amser mi fyddan nhw'n cynllunio sut i'n lladd ni. Mi fyddan yn dweud yn eu meddyliau mai teimlad mor rhyfedd ydi siarad a sgwrsio hefo pobl sy'n mynd i gael eu lladd cyn nos. Mi fyddan nhw'n codi'n c'lonna ni, rhag i ni fod mewn tymer i ladd y bobl a'r plant 'ma. Yna, ar ôl ein cael ni i hwyl iawn, mi ffrwydran y drysa 'ma a thaflu bomiau nwy drwy'r ffenestri ac i lawr y corn, a mi fyddan nhw yn ein canol ni cyn y byddwn ni wedi symud gewyn, a mi fyddan nhw wedi'n lladd ni cyn iddyn nhw fod yn llawn ymwybodol eu bod nhw wedi anelu eu gynnau aton ni."

"Ffŵl dwl."

Ysgubodd Carl heibio iddynt a thrwy'r drws. Croesodd Heilyn at y ffenest, ac edrychodd drwy'r tyllau bach a wnaethai Marc yn y llenni.

"'Dydi Carl ddim yn or-hoff o glywed pethau fel'na," meddai'n dawel.

"Oeddat ti'n ei feddwl o?" gofynnodd Marc.

"Pam lai?"

"Ia, wel. 'Tasa ti'n sôn o ddifri am dy farwolaeth di dy hun mewn termau o ychydig oriau, ella y gallat ti swnio fymryn bach mwy cynhyrfus."

"Mi fyddai hynny'n newid y cwbl, debyg."

"'Wnâi o fawr o wahaniaeth i'n picil ni, ond mi wnâi dy droi di o fod yn robot i fod yn rhywbeth tebyg i greadur dynol. 'Choelia i nad oes 'na'r un merthyr wedi bod erioed na ddaru o ddangos mymryn bach ar ei deimladau, 'tasa ond i ddangos bod ganddo fo rai. Be uffar wyt ti? Marian?"

Arhosodd yn sydyn, a gwrido'n ffyrnig. Trodd Heilyn i edrych arno, a pheth syndod yn ei wyneb. Yna dechreuodd chwerthin yn ddistaw.

"Anghofia fo," meddai Marc yn ffrwcslyd, a chwilio am rywbeth i'w wneud. Daliodd Heilyn i chwerthin.

"'Sgwn i be ddweda hi," meddai, "'tasa hi'n dy glywed di. Rhywun arall yn dechra'i nabod hi." Goleuodd wyneb Marc, a gwenodd ei ryddhad. "Ond cad dy deimladau i chdi dy hun. Mae'r plismyn yn disgwyl ymgecru a ffraeo rhyngom ni. Rhaid i ni ochel rhag hynny, rhag ffraeo." Trodd yn ôl i edrych drwy'r llenni. "Prun bynnag, nid derbyn ei thranc yn dawel bach a wnâi Marian. Mi fyddai 'na weiddi a gwichian fel hen hwch yn cael gefail bedoli yn ei thrwyn. S.A.S. maen nhw'n eu galw nhw. Arwyr mawr."

"Pwy?"

"Y comandos fydd yn ein lladd ni. Y gwahaniaeth rhwng hynny a ni'n eu lladd nhw ydi be mae gwleidyddwyr yn ei alw'n broffesiynoldeb. Hwnna ydi o. Mi fydd yn andros o fuddugoliaeth. Lluoedd arfog gwlad a'i heddlu'n llwyddo i ladd pump o bobl. Mi godith yr hen ymerodraeth ar ei thraed eto. Bydd y cenhedloedd yn ei pharchu.''

"Paid, wir Dduw." Yr oedd Marc wedi dod i'r ffenest ato. "'Rwyt ti'n methu. Dwy ddynes a dau blentyn sydd gynnon ni yma. 'Dydi hynny ddim yn ein gwneud ni'n fwy o gachwrs, am mai damwain oedd hi, nid dewis. Ond mae o'n gwneud gwahaniaeth. 'Tasa gynnon ni hanner cant o wystlon, mi fyddai'r S.A.S. yn rhuthro. Mi fyddai ganddyn nhw obaith go lew o gael pedwar dwsin o'r hanner cant yn fyw ar y diwedd. 'Wnân nhw ddim meiddio rhuthro pan ydyn nhw'n gwybod yn eithaf mai siawns fach fach o gael dim ond un ohonyn nhw'n fyw fyddai 'na. Ella dy fod yn iawn mai nhw sy'n mynd i ennill, ond 'fydd 'na ddim lladd. Mi gawn ein colbio. Mi gawn flas artaith. Mi gawn oes o garchar. Mi ddaw 'na ddegau o wasanaethwyr cymdeithasol i'n mwytho ni a'n diwygio ni, a mi gawn ni ein gwobr mewn deng mlynedd. Ein gollwng allan, ein gollwng o garchar yn ddinasyddion parchus, hefo gradd allanol mewn Cymdeithaseg neu Economeg." Gwingai Heilyn. "Neu hyd yn oed Reolaeth Amgylchedd."

Yr oedd Heilyn â'i ddwylo dros ei glustiau. Tro Marc oedd hi i chwerthin.

Torrwyd ar eu hwyl byrfyfyr gan lais Carl yn galw arnynt o'r cefn. Rhoes Heilyn un cip sydyn drwy'r llenni. Oni bai am yr Audi â'i drwyn yn y tocyn pridd, gellid taeru nad oedd dim o'i le. Trodd o'r ffenest, ac aeth ar ôl Marc i'r cefn. Yr oedd y gegin fach ar y chwith yn wag, a'r merched a'r plant wedi eu symud i'r ystafell gyferbyn. Hon oedd y gegin fyw, yn ymestyn ar hyd y tŷ, gyda ffenest ym mhob pen. Yr oedd dau ddrws iddi, un gyferbyn â drws y gegin fach, a'r llall gyferbyn â drws y parlwr. Rhwng y ddau ddrws yr oedd silff lyfrau a dresel newydd sbon. Yr oedd lluniau'r plant ar y dresel, a llun priodas rhyngddynt yn y canol, dau wyneb yn gwenu'n swil. Yr oedd tân oer yn y grât fach gyferbyn â'r dresel, a dwy gadair freichiau o boptu iddo, a soffa o'i flaen. Eisteddai'r merched ar y soffa, a'r plant ar eu gliniau. Eisteddai Marian ar fwrdd o dan y ffenest gefn, ei choesau'n siglo uwchben y carped, a'r gwn yn ei llaw. Safai Carl yn ei hymyl, a golwg gas arno. Yr oedd Sean ar ei gwrcwd yn busnesa mewn cwpwrdd recordiau o dan y ffenest arall.

"O'r gorau." Yr oedd llais Carl yn awdurdodol galed.

"Mae'n bryd cael trefn yma. Gwnewch chi fel yr ydan ni'n dweud, a mi ddylai pob dim fod yn iawn arnoch chi. 'Gyntaf yn y byd y rhowch chi'r gorau i'ch crio a'ch strancio, gorau yn y byd fydd hi i bawb. Ond dalltwch hyn. Unrhyw lol a mi gewch eich saethu. A'r plant. Mae'n debygol na fyddwn ni yma'n hir, ond 'wyddon ni ddim yn iawn eto. Y plismyn sydd i benderfynu hynny. Os byddan nhw'n hir yn dod i benderfyniad, mi helpwn ni nhw."

Arhosodd ennyd. Yr oedd y merched yn welw lonydd ar y soffa, yn edrych yn ddi-weld i'r tân oer, a'u cegau'n troi i geisio rheoli eu dagrau. Trodd Heilyn i astudio'r silff lyfrau yn ei ymyl. Yr oedd golwg ddiflas arno.

"Mi gewch ddweud wrthon ni rŵan pwy ydach chi," meddai Carl.

Torrodd Marian ar ei draws yn syth.

"I be?"

"Wel . . ."

"Be 'di'r gwahaniaeth pwy ydyn nhw? Pa haws fyddwn ni o gael pedwar enw? 'Does 'na ddim cyfathrachu i fod â'r rhain. Dim. Dechreua di siarad efo nhw a dyna ti wedi colli, y munud hwnnw. Mae pobl ddienw'n haws eu lladd."

"Paid â bod yn wirion," meddai Sean yn ddiamynedd. Croesodd yr ystafell atynt, a gostyngodd ei lais. "Ylwch, mae'n rhaid setlo hyn rŵan, cyn i'r meicroffona gyrraedd. Nid ar y rhain y mae'r bai am ein picil ni. 'Dydyn nhw ddim wedi mynd ar ein traws ni, nac wedi ceisio'n rhwystro ni. 'Does 'na ddim lladd y rhain i fod. Iawn i ni gymryd arnom fel arall wrth y gleision, ond cymryd arnom yn unig. Gofalwch."

"Ac ers pa bryd mae bywydau pobl yn cyfri gen ti, tybed?" Nid oedd Marian yn gwneud ymdrech i gadw'i llais yn ddistaw nac i gadw'r dirmyg ohono.

Aeth Sean yn welw.

"'Laddis i 'rioed neb nad oeddan nhw'n llofruddion," meddai rhwng ei ddannedd.

"A phwy sy'n barnu? Pwy 'di'r barnwr mawr? Chdi? 'Ta dy blydi Pab?"

Aeth Carl rhyngddynt. Gafaelodd yn gadarn yn eu hysgwyddau.

"Hei, calliwch. Y ddau ohonoch chi."

Daliodd Heilyn i astudio'r llyfrau. 'Dydw i ddim hanner

call, meddai wrtho'i hun. Gwyddai ei fod yn dymuno i'r ffrae fynd yn ei blaen. Gwyddai hefyd pwy a gefnogai.

"Mae gen ti lawer i'w ddysgu, Sean," meddai Marian, yn dawelach o lawer, ac mewn llais llawer mwy cyfeillgar. "Mae'r rhyfel wedi dechrau bellach; 'rydan ni yn ei ganol o. 'Waeth i ti heb â bod yn deimladol. Os ydi hi'n dod yn ddewis o nhw neu ni . . . pan ddaw hi'n ddewis o nhw neu ni . . . os wyt ti'n mynd i ddechrau siarad hefo nhw mi ddechreui di eu hoffi nhw. Yna mi fydd hi wedi canu. Pan ddaw hi'n amser i orfod dewis, mi fyddi di'n methu â'i wneud o. Ond os daw hi i'r pen, dallt hyn: 'chaiff y rhain ddim tagu'r Mudiad. 'Chaiff hynny ddim digwydd."

Gwrandawai Heilyn yn astud. Chwiliai'n wyllt am y cam gwag yn ymresymiad Marian. Yr oedd yn siwr o fod yno, yn rhywle. Ond yr oedd Carl yn siarad eto.

"Ella y byddwn ni yma am ddyddiau. Mae'n afresymol meddwl y medrwn ni fod dan yr unto â'r rhain yn hir iawn heb wybod pwy ydyn nhw." Croesodd at y soffa, a sefyll o'i blaen. "Pwy ydach chi? Be 'di'ch enwau chi?"

Edrychai'r pedwar ar y soffa i'w lygaid heb ddweud dim. Syllodd Carl yn ôl arnynt. Trawodd y gwahaniaeth rhwng ansicrwydd diddeall y baban a gelyniaeth ofnus yr hogan fach ef. Ni wyddai beth i'w wneud â hwy. O safbwynt ei fargeinio efo'r heddlu, yr oedd yn fantais iddo fod y plant yn y tŷ, meddyliai, ond o bob safbwynt arall, anfantais ronc ydoedd. Ni ddeallai blant; nis hoffai. Pan oedd yn blentyn ei hun, nid anogid ef i chwarae gyda phlant eraill; byddid yn ei annog i astudio, i ddarllen, i weithio, i adeiladu'r Almaen newydd, fel ei dad. Damia'r plant. Yr oedd ei feddwl yn crwydro.

"Wel?"

"Rhonwen a Deian ydi'r plant," sibrydodd y ferch.

"Enwau Cymraeg ydyn nhw?"

"Ia."

"Chi ydi eu mam nhw?"

"Ia."

"Faint ydi eu hoed nhw?"

"Mae Rhonwen yn dair a hanner, a Deian yn dri mis ar ddeg. Peidiwch â . . ." Torrodd y ferch i lawr. Plannodd yr hogan fach ei phen yn ei mynwes, a dechreuodd grio gyda hi. Ymunodd y bachgen.

''A be 'di'ch enw chi?''

Yr oedd yn gas gan Carl ofyn y cwestiynau. Teimlai fel clerc llywodraeth.

''Rhian.''

''Enw Cymraeg arall?''

''Ia.''

''Mae gynnoch chi ddau i gadw cwmpeini i chi felly. A phwy ydych chi?''

''Mam Rhian,'' meddai llais cryg.

''Y?''

''Mam Rhian.'' Ychydig yn gryfach.

''A be 'di'ch enw chi?''

''Jane Roberts.'' Yr oedd yn sibrwd. ''Jane Mary Roberts.''

''Ydi'ch gwŷr chi'n fyw?''

''Ydyn,'' meddai'r ferch.

''Ble maen nhw?''

''Mae Robin yn gweithio, a . . .''

''Ym mhle?''

''Yn y dre . . . swyddfa Cyfrifwyr . . .''

''Hy! A beth am eich gŵr chi?''

''Mae o wedi ymddeol. Mae o gartra, yn y tai cyngor. Y rhai acw . . .''

Aeth bys y ddynes at y ffenest, a chofiodd fod y llenni drostynt. Tynnodd ei bys yn ôl yn araf, a daeth y dagrau yn eu holau i'w llygaid.

''Wel, dyna ni. Bywgraffiadur.'' Yr oedd Marian wedi codi oddi ar y bwrdd, ac wedi dod y tu ôl i'r soffa. ''Dyna ni, yn gwybod y cwbl. Y cwbl ond eu cyfoeth nhw a'u crefydd nhw. Babis neb, neb, a mam neb. Mae hynna'n rhoi'r holl wybodaeth i ni.''

Cododd y ddynes yn ei hyll.

''Ewch o'ma'r gnawes! Cerwch allan o'r tŷ 'ma! Yr hen slwt! Yng nghanol pedwar o ddynion . . .'' Rhoes sgrech wrth i gefn llaw Marian ei tharo'n egr ar ei boch. Rhuthrodd Carl rhyngddynt. Daeth Marc a Sean yn nes atynt, yn betrus. Arhosodd Heilyn yn ei unfan.

''Paid â gwylltio wrthi, Marian,'' meddai Marc yn dawel, ''paid â gwylltio wrthi am iddi ddangos bod 'na fymryn o gic ynddi hi. Diolcha nad oen llywaeth ydi hi.''

''Diolch i be?'' gofynnodd Marian yn wyllt. ''Be 'di'r ots

gen i be ydi hi? Pam ddyliwn i fod isio gwybod a oes ganddi ddannedd ai peidio?'' Aeth yn ôl at y bwrdd, a neidiodd i eistedd arno. ''Mi ddwedis i,'' meddai'n swta, ''mi fyddai'n well i bawb 'taen ni'n gwybod dim amdanyn nhw. Mi fyddai gorchmynion yn hen ddigon o sgwrs hefo nhw.''

Aeth y lle'n dawel. Trodd Sean i edrych drwy'r llenni. Yr oedd yn anodd ganddo gredu mai'r Farian hon fu'n mwytho ei war yn y gegin fach yn y fflat y noson cynt. Yr oedd eu methiant yn ddatgelydd didrugaredd.

''O'r gorau, 'ta,'' meddai Carl ymhen ychydig. ''Mi anghofiwn ni am y ddrama fach yna, am y tro. 'Fyddwn i ddim yn eich cynghori chi i ddangos gormod ar eich dannedd. Ond fel hyn y mae pethau i fod. Mi fydd y pedwar ohonoch chi'n aros hefo'ch gilydd, am y tro. Mi fyddwn yn newid stafelloedd bob hyn a hyn, i ddrysu cynlluniau'r plismyn. Os bydd 'na unrhyw lol, mi fyddwn yn eich cadw chi ar wahân. 'Fydd 'na'r un ohonoch chi'n gwybod be fydd yn digwydd i'r llall wedyn. 'Does dim rhaid i mi ddweud wrthych chi nad ydi hynny'n beth braf, o bell ffordd.''

Rhoes un edrychiad bygythiol arnynt cyn mynd heibio iddynt a chroesi am y drws, gan eu gadael yn eu harswyd.

IV

''Mae'r neuadd yn barod, syr.''

Tynnodd y Dirprwy Brif Gwnstabl y sbienddrych oddi ar ei lygaid, a'i drosglwyddo i'r heddwas a safai yn ei ymyl.

''O'r gorau.'' Pwysodd ei fraich ar do'r car, gan ddal i edrych i gyfeiriad y tŷ. ''Mae 'na rywbeth yn dweud wrtha i y byddwn i yma am hir. Oes 'na rywbeth pellach oddi uchod?''

''Dim ond ei fod ar y ffordd yma, a'i fod mewn cysylltiad â'r Swyddfa Gartref.''

Yr oeddynt wedi gyrru galwad frys i'r Prif Gwnstabl, a oedd yn cynadledda yng Ngogledd-Ddwyrain Lloegr. Yr oedd ei ymateb yn fyr, a dianghenraid. Yr oedd yn amlwg i bawb mai'r unig beth y medrid ei wneud ar hyn o bryd oedd siarad. Siarad, siarad a pharatoi. Dweud un peth a pharatoi rhywbeth arall. Dyna oedd eu haeddiant.

"O. Mi awn ni am y neuadd, 'ta. Mae'n amser iddyn nhw gael caniad. Mae'n amser siarad, eto."

Cerddodd oddi wrth y car ac i lawr y ffordd. Nid oedd y neuadd ond prin ugain llath i ffwrdd. Gwyddai wrth gerdded, a'i olygon wedi eu hoelio ar y ffordd o'i flaen, ei bod yn mynd i fod yn anodd. Yr oedd y llais a glywsai dros y ffôn yn y pencadlys awr a hanner yng nghynt yn dal yn ei glust; llais penderfynol, sicr, llawn ffydd ynddo'i hun. Gwyddai yn ei grombil nad lladron mewn panig oeddynt. Byddai'r Prif Gwnstabl a'r Swyddfa Gartref yn pwyso arnynt i ddod i adnabod y terfysgwyr cyn gwneud dim arall. Yr oedd bron yn siwr ei fod wedi adnabod digon arnynt yn barod.

Aeth drwy'r llidiart i'r llain o flaen y neuadd, heb edrych ar y tyrrau pobl a lanwai'r ffordd. Cyn bo hir byddai'r Wasg ar eu gwarthaf, os nad oeddynt eisoes wedi cyrraedd. Yr oedd un peth yn sicr: nid oedd ef am fynd i rwdlan efo nhw. Fe wnâi ateb cwestiynau hunanbwysig gohebwyr waith di-fai i'r Prif Gwnstabl, fe gâi hwnnw falu awyr efo nhw. Yr oedd ganddo ef ddigon o amynedd, digon o gwrteisi. Aeth heibio i'r garafán reoli a osodasid wrth ddrws y neuadd, ac i mewn i'r neuadd ei hun. Yr oedd y lle yn ferw gwyllt. Daeth rhingyll ato.

"Mi fydd yn rhaid cael gwell trefn na hyn yma, Sarjant."

"Syr?"

"Da i ddim." Ysgydwai ei ben. "Mae hi fel ffair yma. Nid lle dal lladron ydan ni ei isio, ond lle i feddwl. Gêm wyddbwyll sydd gynnon ni, Sarjant. 'Rydach chi wedi trefnu ar gyfer gêm rygbi."

"Syr. Mi dawelith petha yn y munud, syr. Mae 'na ddwy stafell lai yn y pen pella 'cw. Mae un ohonyn nhw i chi, syr. Mi fedrwch siarad ar y ffôn hefo nhw a gweld y tŷ yr un pryd o honno."

"Mae hynna'n nes ati. Rhowch daw ar y rhain. Mae'n amser ffonio."

Aeth drwodd i ystafell fechan yn y pen draw. Yr oedd dau fwrdd ynddi, a phum cadair. Ar y bwrdd o dan y ffenest, yr oedd tri ffôn, sbienddrych, a thwr o bapurau glân. Eisteddai Prif Arolygydd yn llewys ei grys ar un o'r tair cadair wrth y bwrdd. Wrth y bwrdd arall, eisteddai Arolygydd, a heddwas â chyrn siarad dros ei glustiau, a radio o'i flaen. Eisteddodd y Dirprwy Brif Gwnstabl wrth ochr y Prif Arolygydd.

Edrychodd ar y tri ffôn o'i flaen, a'u hastudio. Teimlai'n unig. Dechreuodd y Prif Arolygydd siarad.

"Y ffôn coch sydd i'r tŷ. Dim ond troi 322. Mae'r Met yn gyrru tri yma, ac mae pobl y Swyddfa Gatref ar eu ffordd, a'r Fyddin."

"Y Met?"

"Tri sydd wedi bod yn ei chanol hi o'r blaen, yn yr helyntion yn Llundain."

"Mi fyddwn yn iawn, felly."

"Hm."

"'Does dim tebyg i bobl llawn ffigurau tebygolrwydd."

Cododd y ffôn coch. Ar unwaith, distawodd y sŵn a ddeuai o'r neuadd. Dechreuodd droi'r rhifau. Ni fyddai llond neuadd o seiciatryddion a seicolegwyr a phobl â phrofiad o drin gwarchae o gymorth yn y byd yn awr. Y cwbl a oedd yn cyfrif yn awr oedd nad oedd ganddo ddim i'w gynnig i'r terfysgwyr dros y ffôn. Gwyddai na fyddai'r terfysgwyr yn brin o ddarganfod hynny ar unwaith.

"Oes 'na beryg i un o'r ddau ffôn arall 'ma ganu pan fydda i'n siarad â'r tŷ?"

"Nac oes."

"Ble mae ffôn y tŷ?"

"Y?"

"Pa stafell?"

"'Wn i ddim."

"Mi fydda i isio gwybod."

"Iawn."

"Mae o'n cymryd ei amser i ateb. Ydi'r drws nesa wedi ei wagio bellach?"

"Ydi. Un ddynes yn byw ar ei phen ei hun. Dim trafferth."

"Pryd fydd y meicroffonau a'r camerâu yn eu lle?"

"Go brin y byddan nhw cyn y bore. Ella y bydd un neu ddau . . ."

Rhoes y Dirprwy bwniad iddo i'w dewi. Clywai lais caled yn ei glust.

"Chi oedd yna y tro blaen?"

"Ia." Diolchai ei fod yn gallu cuddio'i ansicrwydd o'i lais.

"Be sydd gynnoch chi i'w ddweud wrtha i?"

"Mi ddechreuwn ni hefo'r peth pwysicaf." Gwyddai y byddai'r dyn yn gweld trwyddo cyn iddo orffen, ond daliodd ati. ''Ynglŷn â'r awyren. 'Fedra i ddim credu eich bod chi mor ddiniwed . . .''

''Y cwbl sydd angen i chi ei ddweud ydi a ydach chi'n derbyn ein gofynion ni ai peidio. Dyna'r cwbl. 'Tawn i wedi . . .''

''Gwrandwch am funud.'' Nid oedd am ildio dim, neu ni fyddai pen draw arni. '''Rydach chi isio awyren. 'Dydi honno ddim yn broblem ynddi'i hun. Ble'r ydach chi am ei glanio hi sy'n beth arall.''

''Mae 'na rywbeth pwysicach na hynny. Y peth pwysig i chi rŵan ydi a fydd y gwystlon—perchnogion y ddau gar 'na—yn fyw pan ddywedwn ni wrthoch chi ble maen nhw. Maen nhw wedi'u clymu, heb na bwyd na diod. 'Does yr un o'r ddau ohonyn nhw'n ifanc. Ddwy awr yn ôl mi gawsoch restr o'n gofynion ni, a'r amodau. 'Does 'na ddim wedi newid mewn dwy awr.''

Clywodd y Dirprwy y ffôn yn cael ei roi i lawr yn y tŷ. Arhosodd ennyd cyn rhoi ei ffôn ei hun yn ôl. Edrychodd drwy'r ffenest ar y tŷ yn y pellter islaw.

''A be rŵan?''

Tynnodd y Prif Arolygydd y cyrn siarad oddi ar ei glustiau, a'u gosod ar y bwrdd o'i flaen.

''Dangos ei hun mae o,'' meddai, a thinc bendant yn ei lais. ''Dangos ei hun i'w fêts ac i ninnau. Trio dangos nad oes 'na chwarae i fod. Mi ddofith o.''

'''Wnaiff o?''

''Dyna 'di hanes y rhan fwyaf ohonyn nhw.''

''Y rhan fwyaf. Be sy'n digwydd yn y ddinas 'na? Ydyn nhw fymryn nes at ddod o hyd i'r ddau ddyn 'na?''

Rhoes yr Arolygydd ei big i mewn.

''Na. Maen nhw wedi dod o hyd—neu mae'n hogia ni wedi dod o hyd—i'r car arall hwnnw, y Daimler, a dreifar yr Audi sydd wrth y tŷ.''

''Ia, 'roeddwn i'n gwybod hynny gynnau.'' Troes y Dirprwy'n ôl at y Prif Arolygydd. ''Be wnawn ni rŵan?''

''Wel, 'tasa hi'n mynd i hynny, nid ein problem ni ydi dod o hyd i'r ddau ddyn arall 'na. Problem . . .''

''Na, 'wnaiff hi ddim gweithio fel 'na.'' Ysgydwai'r Dirprwy ei ben. '''Dydi hynna'n ateb dim. Be ydan ni'n mynd i'w wneud i gael gwybod lle mae'r ddau 'na?''

"Yr unig ffordd bendant o gael gwybod hynny ydi rhoi i mewn iddyn nhw."

"Na. 'Fydd 'na ddim ildio. 'Fydd 'na ddim." Hyd yn oed os yr ydw i'n dedfrydu dau ddyn i'w marwolaeth, meddyliodd yn sydyn. Ceisiodd feddwl amdani fel arall. "Pwy ydi'r ddau ddyn?"

"Ynad cyflogedig ydi un. Dyna sut y cawson nhw'u dal. Y plismon a gafodd ei ladd wnaeth nabod car hwnnw."

"Oes 'na rywbeth wedyn ar y car arall hwnnw?"

"Yr un ddaru ddianc? Na."

"O Dduw mawr. Be wna i?"

"Cymryd arnat roi i mewn iddyn nhw?"

"Nid ddoe ganwyd nhw. Triwch gael gafael ar y Dyn. Dwedwch wrtho fo sut mae hi. Ella y medr o feddwl am rywbeth. Oedd raid i'r hen gynhadledd wirion 'na fod heddiw?"

Daeth llais yr heddwas, yn gynhyrfus.

"Mae ffôn y tŷ wedi'i godi, syr."

"Y?"

"'Does dim rhaid iddo fo droi'r rhifau," meddai'r Prif Arolygydd. "Dim ond codi ei ffôn."

Cododd y Dirprwy y ffôn coch.

"Ia?"

Yr oedd y llais a'i cyfarchodd yn sarcastig.

"Gwneud eich gwaith yn drwyadl, mi welaf," meddai, "yn ateb cyn i neb eich galw chi. Da iawn, yn wir. O'r gorau, gwrandewch yn ofalus. Mae dau beth. Yn gyntaf, nid bws i fynd â ni i'r awyren yr ydan ni ei eisiau, ond hofrennydd. Ac yn yr awyren, mi fyddwch wedi gofalu rhoi dau ddwsin o barasiwtau. Mi gewch roi rhai diffygiol os hoffwch chi, â chroeso. Yn enwedig os ydach chi'n hoffi gweld pennau plant bach yn ffrwydro ar greigiau . . ."

"Ylwch! Dyna'r ail neu'r trydydd tro i chi fygwth y plant arnom ni. Mae hyn yn gwbl ddianghenraid, a 'dydi o'n gwneud dim lles i'ch achos chi. Mae gynnon ni blant ein hunain, a mi wyddom ni'n iawn sut i edrych ar eu holau nhw. 'Rydw i'n barod i fetio nad oes gan yr un ohonoch chi blant . . ."

"Ydach chi isio i mi roi'r ffôn i lawr eto?"

"Nac oes." Yr oedd llais y Dirprwy'n gadarn, heb unrhyw arwydd o betruster. "Y cwbl yr ydw i'n ei ddweud ydi y bydd hi'n haws i ni siarad hefo'n gilydd heb ryw fygythiadau di-alw-amdanyn-nhw bob munud. Mi fedraf innau roi amodau cydweithredu hefyd.''

Cododd y Prif Arolygydd ei fawd yn gynnil. Rhoes y Dirprwy ochenaid ddistaw. Yr oedd y cynnwrf yn dal ynddo.

''O'r gorau.'' Yr oedd y llais dros y ffôn yn dawelach. ''Cyn belled â'ch bod yn deall. Mi awn yn ôl at yr awyren. 'Roeddech chi'n bwriadu'n twyllo ni drwy ddweud na wnâi unrhyw wlad ein derbyn ni, na fyddai 'na unrhyw lywodraeth yn caniatáu i'r awyren lanio ar ei thir. Mae'n ddigon tebyg na fydd raid i chi dwyllo, na fyddai 'na lywodraeth yn unman yn barod i gydweithredu. Fel y mae llywodraethau'n mynd yn debycach i'w gilydd bob dydd, ac yn fwy a mwy di-rym, 'does 'na fawr o ddim arall i'w ddisgwyl. Ond 'rwy'n credu y bydd y parasiwtau'n datrys y broblem fach yna. Mi gewch sbario gofyn i neb rŵan.'' Aeth yn dawelwch am ennyd. Daliai'r Dirprwy i wrando. Yna daeth y llais yn ôl. ''Mae'n siwr eich bod eisiau trafod rŵan. Mi gawn siarad eto mewn chwarter awr. Mi ddweda i wrthoch chi fod gen i fwy o barch tuag atoch chi rŵan nag a oedd gen i pan godis i y ffôn 'ma. Mae'n siwr fod rhyw bethau bach fel 'na'n eich plesio chi a'ch teip. Ond peidiwch â meddwl eich bod chi wedi cael buddugoliaeth am eich bod chi wedi—ym—wedi troi tu min. 'Chawsoch chi yr un. Mi fyddai i chi feddwl fel arall yn gamarweiniad dybryd. Chwarter awr.''

''Cyn i chi fynd . . .''

''Ia?''

'''Rydach chi'n gofyn am ryddhau'r ddau garcharor 'na yn yr Almaen. Rŵan, 'does bosib eich bod yn meddwl bod gan neb yn y wlad hon, yn blismon nac yn llywodraeth, unrhyw hawl i ofyn y fath beth. Mae'n gyfan gwbl y tu hwnt i'n gallu a'n hawliau ni i ddweud dim y naill ffordd na'r llall am garcharorion mewn gwledydd eraill, nad ydyn nhw'n ddinasyddion Prydeinig.''

''O, 'rwy'n siwr y medr eich llywodraeth chi ddod i gytundeb â Llywodraeth y Weriniaeth Ffederal. Ddemocrat cefnogwch Ddemocrat. Cofiwch eich bod yn ffrindiau erbyn hyn. Gall ffrindiau ddatrys popeth.''

Aeth ffôn y tŷ i lawr. Dyrnai'r Dirprwy y bwrdd.

''Os oes rhywbeth sydd gas gen i . . .'' ysgyrnygodd.

"'Rydach chi i gyd yn dallt, wrth gwrs, na fydd hwn yn ildio i ni?"

"'Wn i ddim," meddai'r Prif Arolygydd, "mi fydd ei grib o dipyn yn llai os rhown ni ddiwrnod neu ddau iddo fo. Mi sodrwn ni o."

"Dim peryg. Yr un clyfar ydi hwn. Y meddyliwr. Y math gwaethaf. Mi fedrwch drin rhai dylach. Mewn amgylchiadau fel hyn mi fedrwch gael at rai dylach, mi fedrwch siarad hefo nhw. Dyna'r drwg. Mae hwn yn rhy ddeallus. 'Rydd o fyth i mewn. Mi fyddai hi'n ormod o gwymp. Dyna pam na fydd dynion y Met yn dda i ddim. Hefo terfysgwyr sylfaenol ddwl y mae'r rheini wedi arfer."

"Mae hi wedi canu ar bobl y tŷ, felly."

Yr oedd peth dychryn yn llais y Prif Arolygydd.

"Ddim o anghenraid," atebodd y Dirprwy. "Na. 'Fyddwn i ddim yn rhagdybio hynny," ychwanegodd, a'i feddwl yn amlwg ymhell i ffwrdd.

"Mae hi wedi canu arno fo a'i griw 'ta."

"Wel ia. Peth bach iddyn nhw ydi hynny. 'Orfododd 'na neb mohonyn nhw i ddwyn o'r banc 'na, nac i ladd neb, nac i fygwth llond tŷ o bobl. Y peth diwetha sydd gynnon ni ar ein pennau i boeni amdano fo ydi eu crwyn nhw."

"Mae 'na neges yn dod trwodd," meddai'r Arolygydd wrthynt yn sydyn. "Mae 'na lun o'r Daimler." Ysgrifennai'n brysur. "Llun ohono fo cyn iddo fo fynd drwy'r bloc. Y dyn a ddaru 'i dynnu o aeth â fo i'r Wasg. Mae o wedi cael ei chwyddo, ac mae 'na dri wyneb i'w gweld yn glir. Mae 'na rai ar eu ffordd."

"Oes 'na rywun wedi eu nabod nhw?"

"Ddim eto."

"O'r gora. Mae 'na waith mynd o gwmpas, rhwng pawb. Rŵan 'ta, be sydd gynnon ni? Almaenwr yn bendant. Fo sydd ar y ffôn, a fo ydi eu harweinydd nhw. Ella ddau Wyddel, ac ella un Gymraes. Ac un arall yn y tŷ, ac un arall wedi dianc. Dipyn o gymysgfa. Siawns na ddaw 'na hanes iddyn nhw o rywle, a hanes gwleidyddol fydd o, mi wranta. 'Ddaeth 'na rywbeth ar y ddau garcharor 'na y mae hwn am eu cael nhw'n rhydd?"

"Ddim eto."

"Mi fydd yn rhaid i ni gael gwell sbid na hyn."

"Bydd. Be wyt ti am ei ddweud wrtho fo pan ddaw o ar y ffôn nesa?"

Plethodd y Dirprwy ei fysedd. Edrychodd allan i gyfeiriad y tŷ.

"Mi fedraf ofyn iddo fo a ŵyr o sut i agor parasiwt."

V

"Robin."

Ni chododd y gŵr ifanc ei ben. Eisteddai ar y soffa ger y tân yng nghartref ei deulu-yng-nghyfraith. Gyferbyn ag ef, eisteddai Mathew Roberts ar ei gadair freichiau, yn syllu'n ddwl i anghysur y lludw yn y grât.

"Robin."

"Y?"

"Beth am . . . fyddai hi ddim gwell i ti gael mymryn o fwyd?"

Ni chafodd y tad-yng-nghyfraith ateb. Nid aeth i ailofyn ei gwestiwn. Ar y chwith iddo, eisteddai Arolygydd aflonydd wrth y bwrdd, yn edrych drwy'r ffenest ar yr ardd gefn yn tyfu, er mwyn osgoi gorfod edrych ar y ddau arall o boptu'r tân. Yr oedd yn waeth yno na thŷ galar. Mewn tŷ galar yr oedd y gwaethaf eisoes wedi digwydd.

"'Wnaiff i ni'n llwgu'n hunain ddim lles i neb."

Ni chafodd Mathew Roberts ateb wedyn chwaith. Trodd ei ben, i edrych ar ddrws y gegin. Y tu allan i'r tŷ, yr oedd plismyn yn cadw busneswyr draw. Yr oedd hynny'n rhywbeth.

"Pryd cefaist ti fwyd, Robin?"

"'Wn i ddim." Nid oedd ganddo ddiddordeb. Trodd at yr Arolygydd. "Pam na fyddech chi wedi'u stopio nhw?"

"Be, Robin?"

"Pam na fyddech chi wedi eu stopio nhw cyn iddyn nhw gyrraedd y pentre?"

Rhoes yr Arolygydd ochenaid fechan. Yr oedd yn disgwyl y cwestiwn ers meitin. Yr oedd wedi gobeithio nad ef a fyddai'n gorfod ei ateb.

"'Fedra i ddim dweud wrthat ti, Robin. Mae'n siwr fod 'na reswm digon da dros iddyn nhw fethu â'u dal nhw ynghynt. 'Fyddai 'na neb wedi rhagdybio peth fel hyn."

"Mi ddylech chi."

Nid oedd y llais fymryn yn gyhuddgar.

"Cyrraedd adra, a methu mynd i mewn, methu mynd i mewn atyn nhw. Wyddoch chi ddim be ydi o." Trodd ei olwg ddiflas i'r grât. "Dod i olwg y tŷ, a methu mynd ymhellach. Gwybod bod Rhian a'r plant a Nain . . ."

Aeth ei lais yn ddim. Syllodd yn hir ar y procer sgleinus ar yr aelwyd.

"Faint sy 'na?"

Stwyriodd yr Arolygydd, am ymwared.

"Y?"

"Ers iddyn nhw fynd i'r tŷ?"

Edrychodd yr Arolygydd ar ei oriawr. Bu bron iddo â gwneud drama o'r peth, ond ymbwyllodd ar y munud olaf.

"Pedair awr a chwarter."

"Pryd ydach chi am eu cael nhw oddi yna?"

"Cyn gynted fyth ag y medrwn ni. Ond mae 'na fwy o bwyslais ar—ym—ar ddiogelwch eich teulu chi nag ar amser,—fel y byddet ti'n disgwyl."

"Mae'n rhaid i chi roi i mewn i'r bobl yna."

Gobeithiai'r Arolygydd nad oedd eisiau iddo ategu hynny.

"Mae diogelwch 'y nheulu i yn bwysicach na dal troseddwyr. 'Tasach chi'n credu hynny eich hunain, mi fyddech chi wedi rhoi i mewn iddyn nhw ers oriau, heb drafferth yn y byd. 'Tasach chi isio. 'Tasach chi wirioneddol isio."

"Mae arna i ofn nad ydi pethau mor syml â hynna, Robin."

"Nac ydi, m'wn. Mae isio dod ag enw da a balchdra'r heddlu i mewn. Hynny sydd bwysicaf."

"Naci, Robin."

"Be 'ta?"

"Taem ni wedi rhoi i mewn iddyn nhw, 'fydden nhw byth wedi mynd eu hunain. Mi fydden nhw wedi mynd â Rhian a'r plant a Mrs. Roberts hefo nhw. 'Does wybod be fyddai diwedd hynny. O leiaf, 'rydan ni'n gwybod ble maen nhw rŵan." Chwiliodd am gymorth y tad-yng-nghyfraith. "On'd ydan, Mathew Roberts?"

Cododd y dyn ei ben.

"Mae hynny ynddi, mae'n siwr," meddai'n ddistaw.

Cododd, yn afrosgo. Yr oedd am fynd i wneud bwyd. Ond agorodd drws y gegin, a daeth heddwas i mewn. Gafaelodd

Mathew Roberts yn dynn yn y silff ben tân â'i law dde, yn ddisgwylgar. Cododd Robin ei ben, â'i lygaid yn llawn o ddryswch ofn a gobaith. Gwridodd yr heddwas, a chyfarchodd yr Arolygydd.

"Mae 'na ddyn y tu allan, syr. Person y plwy. Mr.—ym—y Parchedig Ambrose Morgan."

Bradychodd Mathew Roberts ei siom. Aeth Robin yn ôl i edrych ar ei brocer. Gwnaeth yr Arolygydd wyneb.

"Person y plwy?"

"Dowch ag o i mewn," meddai Mathew Roberts.

"Mi'ch gadawa i chi am funud. Mae—ym . . ."

Nodiodd yr Arolygydd ar yr heddwas, a chododd.

Methodd yr esgus â dod, a gwridodd. Achubwyd ef gan gnoc betrus ar y drws agored. Aeth at y drws, a gafael ynddo'n ddianghenraid. Daeth y Person i mewn â'i het yn ei law. Dyn bychan, crwn, ei wallt claerwyn yn llawn a chyrliog, ac oes gyfan o boen yn ei wyneb gwelw.

"'Dydw i ddim yn tarfu arnoch chi, Inspector?"

"Ddim o gwbl, Ficer. 'Roeddwn yn mynd."

Aeth yr Arolygydd allan yn ddiolchgar, a chaeodd y drws ar ei ôl. Arhosodd i synhwyro'r awyr iach, a diolchodd.

Chwiliodd y Person am le i roi ei het. Methodd, a phenderfynodd ei rhoi ar y bwrdd. Safai Mathew Roberts wrth y silff ben tân o hyd, ac aeth y Person ato.

"Mathew Roberts."

Rhoes ei ddwy law am law'r gŵr, a dechreuodd ddweud rhagor. Ond rhoes y gorau iddi, ac arhosodd yno'n llonydd.

"Mr. Morgan."

Yr oedd llais Mathew Roberts yn sydyn yn doredig. Gwasgodd fwy ar law'r Person, am sicrwydd, ac aeth yn ôl i'w gadair yn llipa.

"Robin, Robin annwyl."

Cododd Robin heb feddwl. Teimlodd ddwy law oer yn cau am ei law dde. Am eiliad, teimlodd yn herfeiddiol. Am eiliad, teimlodd fel dweud wrth yr hen ŵr am roi ei grefydd a'i Dduw yn ei din, neu fynd â nhw i ddiogelwch ffantasïol ei eglwys, ymhell o'r byd go iawn. Am eiliad, yr oedd y goler gron yn rwts. Ond wrth godi ei lygaid i gwrdd â llygaid y Person, gwelodd yn eu gonestrwydd fwy o loes ac o gydymdeimlad nag a wyddai eu bod. Crynodd drwyddo.

"Be wna i, Ficer?"

Daliodd Ambrose Morgan ei afael yn ei law.

"Mae daioni'n siwr o drechu yn y diwedd, Robin. Daioni fydd yn trechu."

"Ia."

"Ia, Robin."

"Ond iddo fo beidio â bod yn rhy hwyr, 'te."

Gollyngodd y Person ei afael, ac aeth i eistedd ar y gadair wrth y bwrdd.

"Ond iddo fo beidio â bod yn rhy hwyr."

Eisteddodd Robin yn sydyn. Yr oedd rhyw dyndra newydd yn dod i'w fron, fel petai am ei fygu.

"Mae'n ofid calon gen i, deulu bach."

"Ella y bydd o'n rhy hwyr."

"Paid ag anobeithio, Robin. Cadw dy ffydd."

"Ffydd."

"Ia. 'Rydw i'n gweddïo bob munud."

Ni bu llawer o sgwrs wedyn. Yr oedd y Person fel petai wedi dweud y cyfan oedd ganddo i'w ddweud, ac eisteddai'n benisel, a'i lygaid weithiau ynghau. Yr oedd hynny o siarad a wnâi yn bytiog, ond nid yn troi'r stori er mwyn cael rhywbeth i'w ddweud. Yr oedd fel pe bai wedi penderfynu na fyddai mwy o eiriau'n gwneud dim ond cynyddu poen, ac ofn.

Cyn hir, cododd yn araf. Sylwodd Robin, am y tro cyntaf, ei fod yn dechrau mynd yn fusgrell.

"Maen nhw wedi cau'r lôn, fel y gwyddoch chi. Mi fydd yn rhaid i mi fynd ar hyd y lôn fawr, ac i lawr heibio i'r fferm. Mae Dewi wedi agor dau fwlch fel y gall y ceir fynd drwodd, ac mae hynny'n hwyluso pethau i'r plismyn, fel nad oes raid gadael y ffordd heibio i'r tŷ ar agor."

"Maen nhw'n paratoi i fod yma am hir, felly." Edrychai Robin yn llawn anobaith ar y Person. "Mae hwyluso'r ffordd i'r traeth yn bwysig, debyg iawn."

Daeth y Person ato.

"Paid â chwerwi, Robin. Dim ond pobl y pentre sy'n cael mynd drwy'r fferm. A'r plismyn. Maen nhw'n siwr o fod yn gwneud eu gorau."

"Ydyn siwr."

"Ia, wel, deulu bach."

Estynnodd y Person ei het.

"Ia, wel."

Aeth at y drws. Trodd, a daeth yn ei ôl. Ysgydwodd law â Mathew Roberts, heb ddweud dim. Ysgydwodd law â Robin. Yr oedd yr un olwg yn ei lygaid. Sylweddolodd Robin ei fod yn falch fod yr hen Berson wedi dod i ymweld.

"Diolch, Mr. Morgan."

"Mae daioni'n siwr o drechu yn y diwedd, Robin."

Aeth at y drws. Daliai i ategu ei eiriau ei hun o dan ei anadl. Agorodd y drws, ac aeth allan. Trodd yn ei ôl.

"Ia. Mi alwaf eto."

Aeth allan eilwaith. Clywsant ef yn dweud rhywbeth wrth un o'r plismyn y tu allan. Cododd y ddau, ac aethant gyda'i gilydd i'r gegin fach. Arhosodd Mathew Roberts wrth y drws.

"Robin bach, gobeithio'i fod o'n iawn."

Ni fedrai Robin ei ateb. Yr oedd y wasgfa yn ei fron yn dechrau ei chordeddu ei hun allan. Ni fedrai reoli ei anadl. Teimlodd fraich gadarn am ei ysgwydd, braich yr unig un yn y byd a oedd yn deall, am ei fod yntau hefyd yn dioddef yr un adfyd, yn cyd-fyw yr un ofn. Y fraich a oedd yn ei helpu i beintio'i dŷ ac i drin yr ardd, a'r un a oedd yn difetha'i blant heb arlliw o ymddiheuriad, am mai dyna oedd ei hawl. Wylodd Robin ei galon i'w ddyrnau tynn. Gafaelodd Mathew Roberts yn gadarnach ynddo, a theimlodd yr un tyndra'n mygu ei fron yntau. Cipiodd liain sychu llestri oddi ar fachyn y tu ôl i'r drws a chladdu ei wyneb ynddo.

VI

Ni fu erioed mewn coedwig o'r blaen, ac ni thybiodd yn ei fywyd y gallai mymryn o goed godi'r fath ofn ar ddyn. O am fod yng nghanol dinas, yng nghanol rhuthr a thwrw pobl, pobl ddieithr yr oedd yn eu hadnabod erioed. Yr oedd y lle hwn mor felltigedig o unig, mor ddi-bobl, mor ddi-leisiau. Mor ddychrynllyd o unig. Yr oedd rhyw synau dieithr a rhyw furmuron diderfyn yn codi arswyd arno. Ni fu Jim erioed mewn coedwig o'r blaen.

Yr oedd yr Audi wedi cael clawdd. Wedi troi i ffordd gefn gwlad yr oedd, rywbryd ganol y bore, pan welodd lwyth o geir plismyn yn y pellter o'i flaen ar y briffordd. Ffordd gul, gloddiog. Yn fuan yr oedd ar goll yn llwyr, a ffyrdd bychain yn gwau drwy'i gilydd ym mhobman. Pan oedd ar ganol un tro i'r chwith gwelodd lond ffordd o ddefaid yn syth o'i flaen, ddau hyd car i ffwrdd. Ni chynhyrfodd yr un o'r defaid. Yn ei ddychryn aeth Jim â'r Audi ar ei ben i'r clawdd, a malu pen blaen y car yn yfflon. Duw a wyddai sut na frifodd. Daethai o'r car, a'i gwneud hi nerth ei draed ar draws gwlad, gan anelu at goedwig yn y pellter. Ac ynddi y bu drwy'r dydd, heb fwyd.

Yr oedd y coed o'i amgylch yn teneuo. Cerddodd yn fwy gwyliadwrus, gan aros yn amlach i wylio. Cyn bo hir, gwelai dir glas. Gwelai wair yn tyfu, a da'n pori. Arhosodd wrth dderwen. Dri chae i ffwrdd yr oedd ffermdy, a phobl o amgylch, a chŵn yn rhedeg. Gwelai ddau blentyn yn chwarae ar gefn beiciau, a rhoddai'r byd am gael bod yn eu lle. Bron na chlywai aroglau bwyd. Bu yno am hir, hir, yng nghysgod y dderwen â'i law ar ei boncyff, yn gwylio. Wedi oriau, dechreuodd yr awel ddod â meinder i'w chanlyn i'w atgoffa na fyddai'r nos yn hir cyn dod ar ei warthaf. Gwyddai y byddai'n rhaid iddo aros noson yn y coed. Arswydai. Ond cyn hynny gwyddai y byddai'n rhaid iddo gael bwyd.

VII

Yr oedd y tŷ wedi hen dawelu. Yr oedd Rhian a'i mam a'r plant i gyd yn y llofft gefn, yn cysgu, neu'n ceisio cysgu, yr hogyn yn ei grud, a'r tair arall mewn un gwely-dwbl a symudasai Sean a Marc o un o'r llofftydd ffrynt. Yr oedd Carl a Marian wedi mynd i gysgu i'r llofft ffrynt arall, ar ôl pentyrru gorchmynion ar rywun a wrandawai. Yr oedd seibiant rhag llais miniog, cwta Marian fel gwyliau.

Safai Heilyn wrth y ffenest ben grisiau, yn gwylio'r merched yn y gwely. Gwyddai fod y fechan yn cysgu, ond yr oedd yn siwr fod y fam a'r nain yn effro. Ond nid oedd am fynd i edrych, rhag ofn i'w gydymdeimlad ddod i'r amlwg. Yr oedd ganddynt deulu yn rhywle'n eu poeni eu hunain o'u pwyll o'u plegid; ceisiai Heilyn beidio â meddwl am y peth. Ceisiai beidio â'i atgoffa'i hun yn ogystal mai ei syniad ef, ac ef yn unig, oedd dod yma, ac mai ei ddewis ef, ac ef yn unig, oedd y tŷ hwn yn hytrach nag unrhyw dŷ arall. Yr adeg honno nid oedd dewis. Erbyn hyn, gallai feddwl am lawer dewis, er eu bod i gyd bron mor annhebygol â'i gilydd. Rhoes ei lygaid yn y tyllau yn y llenni, i roi ei feddwl ar rywbeth arall. Allan, yr oedd bron yn hollol dywyll. Yn y gorllewin o'i flaen yr oedd y ddwy blaned, Gwener a Mawrth, yn gwneud triongl difyr gyda'r lleuad newydd, gydag un ongl i'r patrwm yn berffaith sgwâr, a'r blaned goch ar y brig. Nid oedd problemau arnynt, dim un. Daliai Heilyn i edrych arnynt. Lle nad oedd bywyd, nid oedd problemau. Ailfeddyliodd. Lle nad oedd pobl, nid oedd problemau.

Clywodd sŵn wrth ei ochr. Trodd ei ben, a gwelodd Sean yn edrych arno.

"Rhywbeth yn digwydd y tu allan 'na?"

Ysgydwodd Heilyn ei ben.

"Na, mae'n dawel. Ble mae Marc?"

"Ar y soffa yn y gegin."

"Ydi o'n cysgu?"

"Mae'n siwr. Wyt ti wedi'u clywed nhw?"

"Do, 'dw i'n meddwl."

Buasent yn clustfeinio am y sŵn crafu eiddil a ddeuai o'r drws nesaf. Tybiai Heilyn iddo hefyd, ar adegau, glywed sŵn gwantan yn dod o'r to.

"'Does arnyn nhw fawr o frys, Sean. Maen nhw'n gwirioni gormod ar eu trylwyredd i frysio dim. Mae'r paratoi'n rhan annatod o'r trapio. Yn y paratoi y mae hanner y pleser."

"'Does gen ti fawr o ffydd bellach, nac oes?"

"Be wnaiff Carl pan sylweddolith o mai chwarae efo fo y maen nhw? 'Glywaist ti sôn am y ddau 'na o'r Almaen o'r blaen?"

"Y ddau garcharor 'na? Do."

"Mewn cysylltiad â'r Mudiad?"

Petrusodd Sean.

"Naddo. Ddim mewn cysylltiad â'r Mudiad."

"Pam dod â'r rheini i mewn i'r peth rŵan?"

"'Wn i ddim. I wneud yn siwr ei fod o'n cael yr hyn y mae o'i isio go iawn, ella. Os wyt ti isio canpunt, gofyn am ddau. Oes gen ti syniad?"

"Isio gwneud y Mudiad yn fwy nag ydi o y mae o. Isio creu argraff." Trodd Heilyn i'r llenni unwaith yn rhagor. "'Weli di mo Erin eto, Sean."

Edrychodd Sean yn syn am ennyd. Yna rhoes ddyrnod i Heilyn ar ei ysgwydd.

"Ffydd, was."

Aeth Sean i lawr y grisiau'n ysgafndroed, ac edrychodd Heilyn drwy'r llenni eto. Yr oedd mymryn o awel yn codi ac i'w gweld yn chwarae â'r cysgodion, ac uwchben, yr oedd y lleuad wedi symud ac wedi difetha'r triongl.

4

I

Eisteddai'r hen Berson prudd yn ei gadair freichiau yn ei stydi, ei ddwylo ymhleth, a'i draed yn daclus gyda'i gilydd. Bob yn hyn a hyn, agorai ei lygaid yn araf, i syllu'n ddwl ar y glaw mân a ddaethai gyda'r wawr yn cymysgu'n stomplyd gyda'r llwch a'r heli ar y ffenest i dywyllu'r ystafell, ac yna, yn ddi-feth, deuai ei olygon yn ôl at y bwrdd bach o'i flaen, at y llun. Byddai'n ysgwyd ei ben mewn tristwch ac anobaith, a byddai'r llygaid yn cau drachefn.

Y ddynes ddaeth â'r papur, y ddynes a ddeuai deirgwaith yr wythnos i edrych ar ei ôl ef a'i reithordy. Nid oedd yn arfer ganddo godi papur dyddiol ers i'w wraig farw.

"Y llun, ylwch."

"Llun, Mrs. Jones?"

"Ia, llun y mwrdrwrs, ylwch, yn eu car. Y tacla."

"O, ia."

Aethai Ambrose Morgan â'r papur gydag ef, ar ôl un cip ar y llun, i gael llonydd i ddychryn, i gael llonydd i ofidio.

"'Gymrwch chi'ch panad rŵan?"

Yr oedd y drws wedi agor yn swnllyd. Cododd y Person yn rhy sydyn.

"Na. Na. Dim rŵan, am funud. Mae arna i isio picio i'r eglwys."

Aeth y ddynes at y grât, gan bwyntio at y papur heb edrych arno.

"Cymraes ydi'r hogan 'na. Mae arna i gywilydd. Fel 'tasa peintio a malu a llosgi ddim yn ddigon."

Ciliai'r hen Berson yn ansicr tua'r drws.

"Jyrman ydi'r llall, hwnnw sydd yn y cefn wrth ei hochr hi. Fo ydi'r pen dyn, fo sy'n eu harwain nhw. 'Cawn i afael arno fo . . ."

Yr oedd y Person wedi mynd. Nid oedd arno eisiau pregeth howscipar. Rhoes glogyn dros ei ysgwyddau, ac aeth allan drwy'r drws cefn. Yn union gyferbyn ag ef, yr oedd y giât fach i'r fynwent ac i gefn yr eglwys. Yr oedd bedd dwyflwydd oed ei wraig ar ochr y llwybr, ac arhosodd yr hen Berson uwch ei ben, am hir, gan adael i'r manlaw dyfu'n haenen ar ei glogyn, cyn mynd yn araf benisel i'r eglwys.

Ymhen rhyw chwarter awr, daeth allan, ar ôl bod yn eistedd yn seddau'r gynulleidfa, lle na fu'n eistedd o gwbl yn ystod y chwe blynedd y bu'n gwasanaethu'r plwyf. Bu'n darllen salm, yn ddistaw iddo'i hun, ac yn offrymu gweddi fer, ingol. Yr oedd wedi cerdded at yr allor, ac ymgroesi, ac edrych arni am hir, heb symud. Yr oedd wedi pwyso am funud cyfan ar glicied y drws cyn dod allan i'r fynwent.

Yr oedd llygad y dydd yn tyfu ar ganol y bedd. Plygodd yn boenus i'w godi. Bron nad oedd yn ffiaidd ganddo'i ddistrywio. Rhwbiodd y pridd a'r glaw oddi ar ei fysedd yn beiriannol wrth ddarllen yr oll o'r arysgrif euraid ar y garreg ithfaen dywyll. Arhosodd yno'n edrych arni, gan adael i'r glaw ddechrau bargodi dros ei aeliau, heb gymryd sylw ohono. Agorodd ei enau, a llefarodd yn floesg, heb dynnu ei lygaid oddi ar y garreg.

"Diolch i ti am ei chymeryd hi pan wnest ti."

"'Rydach chi ar fai yn sefyllian yng nghanol y glaw 'na. 'Wnaiff o ddim lles i chi."

"Mi fydda i'n iawn, Mrs. Jones."

"Meddach chi, 'te. Mi eill glaw Mai ddŵad â mwy o annwyd a madwch i'w ganlyn na holl stormydd gaeaf. Mae'n well i chi aros i mewn, prun bynnag, rhag ofn i'r hen bobl 'na dorri allan a dechra saethu pawb."

"'Dydw i ddim yn eu gweld nhw'n gwneud peth felly chwaith."

"'Fentrwn i mohonyn nhw. 'Rydach chi newydd golli'r niws."

"Colli?"

"Ar y wyirles. Maen nhw wedi dod o hyd i'r ddau ddreifar 'na mewn rhyw garej gefn. Rhyw ddynes aeth i ddweud wrth y plismyn. Wedi gweld ceir diarth bore ddoe, a mynd i ddweud bore heddiw. On'd oes isio ysgwyd rhai pobl?"

"Ella na ddaru hi ddim amau ar y pryd."

"Hy! Lle cymerwch chi'ch coffi?"

Ystyriodd yr hen Berson.

"Mi cymra i o yn y stydi, Mrs. Jones. 'Rydw i isio paratoi mymryn at y Sul."

"Dyna chi, 'ta."

Aeth Ambrose Morgan drwodd i'r stydi. Tynnodd y ddynes y llefrith oddi ar y stof.

"Rêl Person. Mae hi'n bandemoniym i lawr y lôn 'na, ac mae o'n mynd i'w gongol i baratoi ei bregeth. On'd ydi'n braf arno fo?"

II

Yr oedd y llun a ddangosai dri wyneb mewn car, ar werth ar draws Ewrob. Yr oedd papurau newydd yr Almaen yn amlwg yn falch iawn o gael ei ddangos, gyda phob un yn rhestru'n dwt y banciau yn y wlad honno a oedd wedi derbyn yr un driniaeth dan ddwylo'r ddau a ddangosid yng nghefn y car ag a gafodd y banc yn Lloegr y diwrnod cynt. Nid oedd gair o sôn am y gyrrwr yn unman. Yr oedd hwnnw'n anhysbys, felly'n anniddorol. Y ddau yn y cefn oedd yn cyfrif.

Mewn ystafell foethus ar gyrion Dortmund, cerddai dyn yn ôl ac ymlaen, â'i ben yn ei ddwylo. Cerddai at fwrdd derw hirgrwn, estyn sigarét o'r llestr, a'i hysmygu'n ffyrnig. Yr oedd y papur o'i flaen ar y bwrdd, a'r llun a ddangosai'r wyneb mor ddigamsyniol wedi ei guddio o'r golwg. Buasai'r llun ar y teledu hefyd, y noson cynt, pan oedd ef a'i wraig allan yn ciniawa. Ar un wedd yr oedd hynny'n fendith. Arswydai rhag dychmygu'r hyn a fyddai wedi digwydd pe bai'r llun wedi ymddangos o'u blaenau ar ganol eu cinio. Ond nid hynny oedd o bwys yn awr. Yr oedd ei wraig yn mynd i weld y llun yn hwyr neu'n hwyrach. Am hynny byddai'n rhaid iddo ef ddweud wrthi ei hun. Mewn dagrau o ofn, aeth i chwilio'n hunandosturiol am unrhyw wendid ym magwraeth yr wyneb.

Ychydig filltiroedd i ffwrdd, yr oedd yr awyrgylch yn brafiach o'r hanner, heb unrhyw arwydd o dyndra.

"Mi newidiaf waith hefo chi am y sigârs 'ma, syr."

Chwarddodd Prif Swyddog y carchar.

"'Wnei di'n wir, Gerhart? A minnau'n gyfalafwr?"

"Ia."

"'Tawn i wedi dweud hynna wrthat ti dair blynedd yn ôl, mi fyddet wedi fy saethu i."

"Byddwn, syr. Chi 'ta fi sydd wedi ennill?"

"Cwestiwn i ti dy hun ydi hwnna, Gerhart, diolch am hynny. Rŵan 'ta, 'rwyt ti wedi dy enwi eto."

"O?"

"Rhywun yn poeni am dy ysbryd di, yn meddwl bod y Weledigaeth mewn peryg."

"Eto?"

"Mae arna i ofn. Carl?"

"Carl?" Tynnodd yn ei sigâr. Astudiodd hi. Ysgydwodd ei ben. "Carl. Na. Rhyw bedwar neu bump Carl y gwn i amdanyn nhw. 'Wnaiff yr un ohonyn nhw ffitio."

"Marian?"

Crychodd yr aeliau.

"Marie Anne?"

"Marian. O Gymru."

Ysgydwodd y pen eilwaith. Estynnodd y Prif Swyddog lun, a'i roi iddo.

"Nhw sydd yn y cefn."

Edrychodd ar y llun. Gwnaeth stumiau. Chwythodd fwg sigâr ar yr wynebau. Ysgydwodd ei ben drachefn. Rhoes y llun ar y ddesg.

"Pobl ddiarth. A'r dreifar. 'Wna i mo'u gwawdio nhw."

"Calla dawo."

"Ia, syr."

"Dyna ni 'ta, Gerhart. Mi gei fynd yn ôl at dy lyfrau."

"Diolch, syr."

"Dyma ti." Rhoes y Prif Swyddog flwch iddo. "Cofia ddiffodd honna cyn mynd."

Agorodd y blwch. Yr oedd cryn ddwsin o sigârs ynddo.

"Gobeithio fod 'na fwy yn poeni amdana i. Iechyd da, Carl a Mari-an. Diolch, syr."

"Diolch, Gerhart."

Aeth drwy'r drws, ac i'r cyntedd, lle'r arhosai'r swyddog wrtho. Caeodd y swyddog y drws, a cherddodd y ddau i gyfeiriad y gell. Estynnodd Gerhart sigâr o'r blwch a'i stwffio i geg y swyddog. Chwarddodd hwnnw'i ddiolchiadau, ac aeth Gerhart i mewn i'w gell, a chaewyd arno. Neidiodd ar ei wely, ac agorodd y blwch. Tynnodd sigâr ohono, a'i ffroeni. Gwenodd arni.

"Carl, myn diawl. Y dyn cadw-mi-gei."

III

Gwnaethai Carl ei goffi ei hun. Yr oedd ei sigarét olaf wedi ei thaflu'n stwmp er ben bore, ac yr oedd yn dechrau mynd yn fain arno, a'r dymer yn dechrau ymgorddi. Y peth diwethaf a ddywedodd Heilyn wrtho cyn mynd i'w wely ar ôl ei sifft nos ddi-ddigwydd oedd nad ydoedd i ofyn i'r heddlu roi sigarennau iddo, ar boen ei fywyd.

"Pam?" gofynnodd yntau, fel pe bai am gael cam.

"'Does 'na neb arall yn smocio yma. 'Fedri di ddim rhoi tamaid i'w brofi i'r plant, nac i'r merched. Mae'r plismyn yn gwybod bellach nad oes yr un o'r ddwy'n smocio, Rhian na'i mam."

"Heilyn."

"Y?"

"Paid â galw honna'n Rhian."

"Fel mynnot ti. Rhyw feddwl oeddwn i y byddai'n llawn mor hwylus ei galw hi wrth ei henw iawn."

"A chyn pen chwinciad, mi fydd rhyw fath o ddealltwriaeth, hyd yn oed rhyw rithyn o gyfeillgarwch, wedi ei hadu. A phan ddaw hi'n amser i ddewis, yn y diwedd pan ddaw hi'n amser i weithredu, mi fyddi di'n methu. Mi fydd bod wedi defnyddio'i henw hi'n dy faglu di."

Yr oedd llais Heilyn yn ddistaw, ddistaw, wrth iddo ateb.

"Carl, os daw hi i hynny, os bydd raid gwneud rhywbeth i un o'r rhain, nid fi fydd yn gwneud. Nid fi. Nid er dy fwyn di, nac er mwyn y Mudiad. Nac er mwyn fy nghroen fy hun. Pan ddaw hi i'r pen, 'rydw i'n ddigon o gachwr i beidio â saethu rhywun-rhywun. Waeth gen i faint o ragrith ydi o, ond mae 'na wahaniaeth rhwng defnyddio rhywun sy'n gofyn amdani a phobl fel y rhain."

"Heilyn, dos i dy wely." Yr oedd Heilyn wedi ufuddhau, bron fel plentyn. "Fi sy'n iawn, Heilyn."

"Hwyl, Carl."

Ac yna canasai'r ffôn. Y Dirprwy Brif Gwnstabl hwnnw'n dweud, gyda llond bysedd o fêl, yn ddiamau, fod y ddau yrrwr wedi'u darganfod, yn fyw. Er, erbyn meddwl, nid oedd tinc fuddugoliaethus yn ei lais, fel y byddid wedi disgwyl. Yr oedd y plismon wedi ei adael ar hynny o newyddion, er mwyn iddo gnoi cil arno. Gwyddai'r plismon ei waith. Gwyddai mai'r ffordd orau i roi pwysau arno oedd dweud dim. Ni fedrid taeru yn erbyn distawrwydd.

Yr oedd wedi cael y parlwr bach iddo'i hun erbyn hyn, ac wedi cau'r drws i gael llonydd i feddwl. Yr oedd Marian a

Marc yn gwarchod eu gwystlon yn yr ystafell arall, a Sean a Heilyn yn cysgu. Efallai y byddai'n well iddo ofalu o hyn ymlaen y byddai Marian neu ef ei hun yn effro bob adeg. Yr oedd Heilyn newydd ddweud na fyddai ef yn gwneud dim i'r merched, ac yr oedd Sean wedi dweud rhywbeth yn debyg y noson cynt ar ganol ei ffrae gyda Marian. A olygai hynny na fyddai'r un o'r ddau'n codi bys petai'r merched yn penderfynu eu rhuthro'n sydyn? Ai peth felly oedd y llwyr ymroddiad i'r Mudiad y credasai, nage, y gwybuasai fod Heilyn a Sean yn ei goleddu? Os felly, yr oedd wedi methu'n drybeilig. Nid oedd ganddo'r syniad lleiaf sut i ddechrau adnabod neb. Twyllwr ydoedd, yn ei dwyllo'i hun gystal ag y twyllai neb arall.

Crafodd ei ben. Yr oedd yn gorymateb wrth gwrs. Yr oedd Heilyn a Sean yn ddigon diogel. Pe byddent yn gachgwn, ni fyddent dragwyddol yn cydnabod hynny. Pe rhuthrai'r ddynes Sean, ni fyddai'n ei saethu; byddai'n rhoi cic iddi o dan ei thin ac yn rhoi gorchymyn siarp iddi gallio. Chwarddodd yn gynnil wrtho'i hun. Yr oedd yn adnabod Sean, a Heilyn. A phrun bynnag, gwyddai yn ei galon nad oedd wahaniaeth beth a fyddai ymateb y ddau pe bai saethu'r gwystlon yn dod yn orfod arnynt. Erbyn hynny, byddai popeth ar ben, a phob ymdrech yn ddychrynllyd ofer.

Dylai fod yn ddigon o ddyn i anghofio fod arno eisiau smôc, ond yr oedd ei du mewn yn dechrau crafu am fwg. A gwyddai bod Heilyn yn iawn. Pe byddent yn rhoi sigarennau iddo, byddent yn eu drygio yn gyntaf. Ni fyddai angen iddynt dynnu'r papur oddi ar y blwch na dim. Ac nid gwenwyn y byddent yn ei roi ynddynt; yr oeddent yn rhy graff i hynny. Byddent yn llwytho'r sigarennau â drygiau codi'r felan: byddai hynny'n ddiogelach ac yn fwy o hwyl na gwenwyn. Chwaraewch â'ch gelynion. Yr oedd yn ddigon o ddyn i anghofio bod arno eisiau smôc.

A dyma ef mewn trap. Bu'n dychmygu ganwaith sut brofiad a fyddai, os deuai'r adeg pan fyddai'r cŵn hela'n ei gornelu. Yn niogelwch dychymyg, yr oedd wedi dyfeisio degau o ffyrdd i ymryddhau, a phob un ohonynt yn gweithio fel deial, gyda phob rhwystr yn cael ei ysgubo ymaith gan fenter a dyfeisgarwch a beiddgarwch y Mudiad. Yn niogelwch dychymyg, pethau dwl diddeall fel milwyr gelyn mewn ffilmiau oedd yn ei erbyn; yn niogelwch dychymyg nid oedd eu synau llechwraidd gefn nos yn bod, synau a oedd yn peidio'n rhy sydyn pan ddeuai ambell glec fechan anfwriadol. Nid ychydig o blismyn arfog yr oedd wedi eu tynnu i'w ben, ond gwladwriaeth gyfan, gyda grym a oedd i bob pwrpas yn ddiderfyn. Ond nid yn anorchfygol. Hynny oedd yn bwysig, hynny a'i gyflwr ef ei hun. Ar ôl noson gyfan o wrando ar sŵn crafu a hepian cysgu bob yn ail, nid oedd arno ofn. Ei herio oedd y byd y tu allan i'r tŷ, nid ei ddychryn. Efallai fod ar Marc a Heilyn a Sean ofn drwy eu tinau ac allan, ond yn y pen draw nid oedd hynny'n cyfrif. Ef ei hun oedd yn mynd i benderfynu eu tynged.

Gwyddai fod y meicroffonau yn eu lleoedd, ac yr oedd wedi paratoi ar eu cyfer. Eisoes, yr oedd popeth o bwys yn cael ei sibrwd, a'r cwbl a ddeuai dros setiau radio eu gwrandawyr fyddai'r siarad mwyaf arwynebol, a gorchmynion gwneud. Nid oedd mor sicr ynglŷn â'r camerâu. Efallai mai camerâu pen pin oeddent, efallai mai camerâu pelydr-X, os oedd pethau felly'n bod ar gyfer achlysuron fel hyn. Efallai nad oedd ganddynt gamerâu o gwbl, mai celwydd ar gyfer y Wasg er mwyn codi amheuaeth ar ddarpar-derfysgwyr oedd y cwbl. Ond nid oedd wahaniaeth. Camerâu neu ddim camerâu, byddai ei feddwl ef yn dal yn gyfrinach iddynt, a'u dyfeisiadau siafins oll yn ddiwerth, a'r dechnoleg a addolent mor orffwyll yn dda i ddim.

Cododd. Am funud, bu bron iddo â mynd at y ffôn, ond gwyddai nad oedd ganddo ddim i'w ddweud wrthynt. Gwendid oedd lluchio'i bwysau'n rhy aml. Yr oeddynt wedi cael dwy fuddugoliaeth: ei enw ef a Marian, a chyda hynny eu hanes, a'r ddau yrrwr yna yn y ddinas. Am hynny byddent yn eu gweld eu hunain yn ennill, a'u seicolegwyr a'u dynwaredwyr yn rhwibio'u dwylo. Pan fyddent yn dal Jim, fe gaent fuddugoliaeth arall, ac enwau Sean, Marc, a Heilyn. Byddai'r fuddugoliaeth honno mor wag â'r ddwy arall, oherwydd dim ond un fuddugoliaeth oedd o bwys. Yr oedd honno i ddod iddo ef.

Aeth at y ffenest. Edrychodd yn hir drwy'r tyllau yn y llenni. Yr oedd digon o brysurdeb o amgylch y neuadd i fyny'r pentref, ac yn y ffordd fawr, hyd y gwelai. Ond yn nes at y tŷ, ac yn y ffordd o'i flaen, yr oedd yn ddistaw ddigynnwrf, ar wahân i ambell ben plismon yn codi'n betrus yn awr ac yn y man. Nid oedd sôn am y milwyr na'r tanciau y bu'n disgwyl eu gweld yn cyrraedd yn swnllyd. Codai hynny benbleth arno. Nid felly y byddai ar y Cyfandir: ni fyddai'r awdurdodau yno mor barod i gymeryd arnynt eu bod am drio trwy deg cyn dim arall. Byddai presenoldeb milwyr yn llawer gwell, oblegid fel hyn yr oedd yn haws i'w feddwl ddechrau simsanu.

Aeth yn ôl i'w gadair. Yr oedd yn rhaid iddo feddwl am ffordd i roi stŷr ar yr heddlu. Yr oedd yn amlwg ddigon bellach mai am aros, a dal i aros, yr oeddynt hwy, a siarad ag ef, siarad a siarad nes y byddai ef yn dechrau anghofio mai gelynion oeddynt. Ac yna byddent wedi ennill. Dyna oedd eu nod.

Cododd y ffôn yn ei hyll. Yr oedd am ddweud wrthynt pwy oedd y meistr. Yna sylweddolodd mai dyna'n union y disgwylient iddo'i wneud. Yr oedd yn rhaid iddo siarad yn awr, fodd bynnag, neu fe fyddent yn penderfynu ei fod yn dechrau gwegian yn barod. Yr oedd yn rhaid iddo ddweud rhywbeth.

"Ia, Carl?"

Ia, Carl. Ni ddychmygodd yn ei fywyd y byddai dau air bychan, syml, mor beryg.

"Mae arnom ni angen llefrith. A bara." Yr oedd yn gymaint ag y medrai ei wneud i beidio ag ychwanegu sigarennau at ei restr. "Ar unwaith."

"Faint o lefrith, Carl?"

Yr oedd y llais mor gyfeillgar, mor ddi-sebon, mor ddi-ddrama. 'Doeddynt erioed yn hyfforddi'r diawliaid i hyn.

"'Dydi o ddim ots faint. Digon. Mae 'na bethau pwysicach. Be sy'n digwydd, bellach?"

"Wel." Yr oedd y llais mor rhesymol. "Mae'r Prif Gwnstabl, ar ôl ymgynghori â'r Swyddfa Gartref, wedi gofyn i'r R.A.F. baratoi awyren i chi."

"Mae'r Prif Gwnstabl wedi gweithio'n galed."

"Carl, mae'n llawer haws gweiddi gorchmynion na'u gweithredu nhw. Mae . . ."

"Mae'r Prif Gwnstabl, ar ôl ymgynghori â'r Swyddfa Gartref, wedi gwneud diawl o ddim."

"Carl . . ."

"'Rydw i'n gobeithio, er eich mwyn chi yn gymaint â neb arall, na fydd yn rhaid i ni brofi ein bod o ddifri ynglŷn â'n gofynion."

"Nid dyna sydd, Carl, ddim o gwbl."

"'Rydach chi'n meddwl, am eich bod wedi dod o hyd i'r ddau ddreifar 'na cyn i ni ddweud wrthoch chi ble'r oedden nhw, eich bod wedi cyflawni strôc, eich bod un ar y blaen i ni.

'Rydach chi'n camgymeryd yn ddybryd.''

"''Doedd hynny ddim ar ein meddyliau ni, Carl.''

"Nac oedd. Nac oedd mae'n siwr. Fel 'roeddwn i'n dweud, 'rydw i'n gobeithio nad oes raid i mi orfod dechrau bygwth eto. Y tro nesaf y byddwch yn siarad hefo fi, mi fydd y trefniadau i gyd wedi eu gwneud. 'Rydan ni am fynd oddi yma heddiw.''

Rhoes y ffôn i lawr. Gwyddai ei fod yn iawn. Yr oedd yn hanfodol iddynt fynd o'r tŷ cyn iddo droi'n noddfa iddynt, ac iddynt hwythau ddechrau ofni gorfod symud oddi yno. Cyn nos, byddai Sean yn chwarae gyda'r plant, ac yn ymresymu gyda'u mam a'u nain. Yr oedd Sean, a Heilyn, yn ormod o ddyngarwyr i fod yn y fath le. Yn y bôn, nid chwyldroadwyr mohonynt.

Aeth yn ôl i'r ffenest i edrych. Yr oedd yr Audi'n dal yng nghanol yr ardd, a hanner ei olwyn flaen o'r golwg mewn pridd. Am funud, tybiodd Carl fod posibilrwydd llwytho pawb i mewn iddo, a mynd i ffwrdd gyda'r gwystlon. Yna cofiodd fod ei danc petrol bron yn wag, ac nid aent ymhell. Yr oedd yn syniad gwirion prun bynnag.

O flaen yr olwyn yr oedd pryf genwair braf yn ymnyddu o'r pridd. Dechreuodd fusnesa'n ddall o'i amgylch, ond mewn chwinciad yr oedd mwyalchen wedi disgyn yn ei ymyl ac wedi ei lyncu heb ddim lol. Cofiodd Carl fod garddwyr yn dweud bod pryfed genwair yn dda i'r pridd. Yr oeddynt yn dda i fwyeilch hefyd. Gwyliodd yr aderyn yn hedfan yn fodlon i waelod yr ardd. Trechaf treisied. Dyna'r cwbl oedd Natur; dyna'r cwbl oedd y Mudiad. Dyna haeddiant y tyrfaoedd. Bron yn ddiarwybod iddo, cododd ei fawd i gymeradwyo'r fwyalchen, a theimlodd yn ffŵl braidd. Meddyliodd ei bod yn dechrau mynd yn fain arno os oedd yn tynnu hyder o weld aderyn yn bwyta pryf, a gwenodd yn gwta. O leiaf yr oedd yr aderyn wedi rhoi hyder, ac nid iselder, iddo. Gallasai fod wedi meddwl am y rhyddid a oedd gan yr aderyn o'i gymharu ag ef ei hun. Diolchodd nad oedd yn fardd, a chwarddodd. Byddai'r meicroffonau'n siwr o benderfynu ei fod yn dechrau colli arno'i hun.

IV

Neidiodd Robin yn ei gadair wrth i'r cryndod o ddeffro'n sydyn wibio drwyddo. Yr oedd wedi dechrau hepian cysgu, a theimlai gywilydd mawr o'r herwydd. Ni ddaethai'r awydd lleiaf un i gysgu arno gydol y nos, y noson waethaf iddo erioed fod yn effro drwyddi. Yn awr yr oedd hynny'n dechrau dweud arno, yn enwedig ar ôl i'r heddlu fod.

Buont yn ei holi am dros ddwy awr, holi parhaus, manwl, am bopeth yn y tŷ. Erbyn iddynt orffen, o'r diwedd, yr oedd yn hollol ddiymadferth. Y cwbl oedd ei dŷ ef iddynt oedd cerrig a gwydrau a choed, heb affliw o arwyddocâd byw i ddim ynddo. Yr oeddent yn union fel y byddai penseiri hunandybus yn trafod cartrefi pobl fel unedau trigo; bron na fyddent wedi galw Rhian a'r plant yn unedau bywyd. Yr oedd y cyfan mor amhersonol, mor ddideimlad, ac mor effeithlon. Cynyddasai ei ofn ef gyda phob cwestiwn, ac ni chymerai neb sylw o hynny; nid oedd arnynt eisiau gwybod. Byddai ei deimladau ef yn tarfu ar y cynllun, yn gwrthod ffitio i'r patrwm.

Yr oeddynt yn glên iawn; ni fedrid cael ffordd garedicach o ddweud wrtho am feindio'i fusnes, o ddweud wrtho mai hwy oedd yn gosod y drefn. Yr oedd ei berthynas ef â'i deulu ei hun yn cael ei thagu a'i diystyru mewn stôr ddihysbydd o eiriau cydymdeimlad a thebotau te. Unig ddiben y cwestiynau y gorfodid iddo'u hateb oedd hwyluso'r gwaith paratoi ar gyfer rhuthro'r tŷ. Gwadent hynny, a throi'r stori'n syth. Gyda phob gwadiad âi ei anobaith ef yn llwyrach, a'i ofn yn fwy annioddefol. Yr oedd wedi ymbil, wedi ffraeo, wedi torri i lawr, wedi erfyn. Y cyfan yn ofer. Yr oedd y peiriant mawr ar waith, wedi cychwyn ar ei siwrnai ddi-droi'n-ôl ar hyd ei rigol anghyfnewidiadwy, ac nid oedd lle iddo ef arno.

Yr oedd yn hollol effro eto, ond nid oedd arno awydd symud o'i gadair. Fe'i teimlai ei hun yn swrth, a'i anobaith yn ei lethu. Clywai sŵn ei dad-yng-nghyfraith yn y llofft, a chofiodd fel y dychrynodd pan welodd ef ben bore. Yr oedd Mathew Roberts wedi mynd yn hen ŵr mewn unnos. Ni wyddai beth a ddywedai Rhian pe bai'n ei weld.

Cododd, a cherddodd at y ffenest. Syllodd yn wag ar yr ardd. Yr oedd y Prif Gwnstabl wedi galw hefyd, i geisio'i sicrhau a thawelu ei feddwl a chodi ei galon. Yr oedd yn pwysleisio nad oedd dim yn cyfrif ond diogelwch Rhian a'r plant a

Nain. Yr oedd i'w weld yn poeni; yr oedd i'w weld yn ddyn call. Gofynasai Robin iddo ar ei ben.

"Ydach chi am ruthro'r tŷ?"

Yr oedd yn meddwl cyn ateb.

"Dyna'r peth olaf y medrwn ni ei wneud. Os bydd popeth arall, pob un dim, yn methu, yna mi fydd yn rhaid i ni fynd i mewn. 'Fedra i ddim bod yn bendant, am na wn i be fydd y terfysgwyr yn ei wneud nesaf. Hynny fydd yn penderfynu be fyddwn ni'n ei wneud."

Pa ateb arall y medrai ei roi. Rhaffu syniadau stoc.

"Peidiwch â rhuthro'r tŷ."

Cymerodd amser drachefn i ateb.

"Mae'n amhosib i mi addo hynny. Mae'n ddrwg gen i."

O leiaf nid oedd yn ceisio'i dwyllo, nid oedd yn ceisio'i berswadio bod popeth yn rheolaeth yr heddlu.

Yr oedd y tatws cynnar bron â bod yn barod i'w codi. Byddai'n ras rhwng Robin a'i dad-yng-nghyfraith bob blwyddyn, ras datws. Mathew Roberts fyddai'n ennill bob blwyddyn wrth gwrs; byddai ganddo ef fwy o ddiléit mewn rhes o lysiau nag y medrai Robin ei fagu mewn gardd gyfan. Ei ddull ef oedd claddu rywsut rywsut a'i gadael hi i Natur. Yr oedd hynny'n gweithio hefyd. Petai wahaniaeth. Ni fyddai ras eleni.

Aeth yn ôl i'w gornel a disgyn i'w gadair. Plygodd ei ben i'w ddwylo a theimlodd ei lygaid yn cau. Daeth cryndod mawr drosto unwaith eto wrth iddo, am y tro cyntaf erioed, geisio gweddïo fel y gwyddai fod yr hen Berson yn ei wneud.

V

"Mae hi'n ddrwg, Dic."

"Mae hi'n duo."

Eisteddodd y Prif Gwnstabl yn ymyl ei Ddirprwy gan sgwario'i gadair at y bwrdd o'i flaen.

"Mae o newydd ddweud bod raid iddyn nhw gael mynd oddi yna heddiw," ychwanegodd y Dirprwy. "'Dydi o mo'r teip i lyncu esgusion bob munud."

"Os felly, mi fydd yn rhaid dweud wrtho fo."

"'Weithith hynny ddim chwaith. 'Rydw i wedi dweud wrtho fo'n barod ein bod ni'n trefnu awyren iddyn nhw."

"Mae hynny'n wir."

"Y?"

"Newydd wneud. Mae 'na awyren yn cael ei pharatoi ac mi fydd 'na ddau ddwsin o barasiwtau a dwy filiwn o bunnau ynddi. Mae 'na hefyd hofrennydd yn barod i ddod yma unrhyw adeg. Yr unig beth ydi nad oes unrhyw siawns o gwbl y bydd yr un ohonyn nhw'n cael ei ddefnyddio."

"Ond mae isio'u paratoi nhw?"

Nid oedd y cwestiwn yn synnu'r Prif Gwnstabl. Cododd y sbienddrych oddi ar y bwrdd, ac edrychodd drwyddo ar y tŷ am hir cyn ateb.

"Mae isio'u paratoi nhw." Rhoes y sbienddrych yn ôl ar y bwrdd. "'Dydi'r holl feicroffonau 'na'n dda i fawr o ddim. Maen nhw'n gwneud ati i siarad gwag iddyn nhw. 'Tasan nhw'n gwybod ble mae'r camerâu, mi fydden nhw'n tynnu stumiau i'r rheini hefyd mae'n siwr."

"Pam paratoi'r awyren?"

"Dyna ofynnodd y tri 'na o'r Met hefyd, a'r bobl 'na o'r Swyddfa Gartref. Os ydw i'n mynd i wneud camgymeriad hefo'r rhain, 'rydw i'n mynd i wneud yn saff nad bod yn rhy siwr o 'mhethau fydd o. 'Does 'na ddim gobaith mul y gwêl yr un o'r rheina yr awyren 'na, fyth dragwyddol. Ond mi fydd hi yna. Mi fydd hi yna."

Bu'r ddau yn dawel am ychydig.

"Ia," meddai'r Dirprwy yn y man, "mae 'na rywbeth yn hynna. Mi ofalith nad awn ninna'n ormod o lanciau hefyd."

"Siwr iawn debyg. Ac mae'r holl wybodaeth am y tŷ ac amdanyn nhw ar ei ffordd i'r S.A.S."

Caeodd y Dirprwy ei lygaid.

"O Dduw mawr," meddai'n dawel, bron mewn sibrwd.

"'Rydw i'n gobeithio mai'r un amodau fydd iddyn nhw ag sydd i'r awyren 'na, Dic. Dyna'n gwaith ni. Dyna dy waith di."

"A mi fydd yn rhaid i ti ddweud ar y diwedd mai chdi oedd yn gofyn amdanyn nhw, yn un swydd." Trodd y Dirprwy bensel o amgylch ei fysedd, gan edrych arni'n ddyfal. "'Weithith hi ddim. 'Does 'na ddim digon o wystlon."

Gadawodd y Prif Gwnstabl y ddau sylw heb eu hateb.

"Mae 'na un gwirionedd na chaiff o mo'i glywed, beth bynnag," meddai. "Mae 'na un o'r carcharorion y mae o am eu gweld yn rhydd yn yr Almaen yn rhy fodlon ar ei fyd i feddwl am ei newid o. A 'chlywodd o 'rioed am y rhain."

"Beth am y llall?"

"Fel y clywais i, 'does 'na neb wedi gofyn iddo fo, am na fyddai 'na gydweithrediad i'w gael. Mae hwnnw'n dal i gredu yn ei gynlluniau ar gyfer y byd. A chyn i ti feddwl y medrwn ni ddefnyddio hyn arnyn nhw, mi gei ailfeddwl. 'Rydan ni newydd fod yn trafod hynny rŵan. Hyd yn oed pe bai'n ei gael o o lygad y ffynnon, 'fyddai Carl fyth yn coelio bod Gerhart yr arwr mawr wedi syrthio. A phe bai 'na fodd ei berswadio, mi fyddai'r cwymp yn rhy beryg. 'Does wybod be wnâi o."

"Mae o wedi ei methu hi yn fan'na, felly."

"Ydi. Hwnna ydi ei fethiant mawr cynta fo. Dyn bach yn gwneud ei hun yn fawr ydi o. Mi geisiodd ddefnyddio'r ddau 'na o'r Almaen i greu argraff, a mi fethodd."

Cododd y Dirprwy'r llun oddi ar y bwrdd, i'w astudio eto.

"Ond mae o'n beryg, dyn bach neu beidio."

"Ydi. Mae'n o amlwg nad oedd y methiant yna'n nodweddiadol ohono fo. Mae Carl yn ddyn clyfar."

Edrychodd y Prif Gwnstabl ar y llun. O ystyried ei fod wedi ei dynnu ar amrantiad, yr oedd yn llun da. Yr oedd wyneb y gyrrwr yn y Daimler i'w weld yn glir, ac yr oedd yn amlwg ei fod yn siarad. Ni welid ond rhan o gorff yr un a eisteddai yn y sedd flaen wrth ei ochr, ac ni welid dim o'i wyneb. Yr oedd Carl yn gliriach na neb, a'i wyneb bron yn edrych yn syth i'r camera, gan wneud llygaid bychain, penderfynol. Bron nad oedd Marian, yn y canol ar y sedd ôl, i'w gweld, ond yr oedd digon o'r wyneb blin i'w datgelu. Yr oedd y pumed o'r golwg bron yn llwyr.

"'Ddaeth 'na rywbeth am y dreifar?" gofynnodd y Dirprwy.

Ysgydwodd y Prif Gwnstabl ei ben.

"Na. 'Rydw i'n cofio i ni gael ymholiad am Marian rai blynyddoedd yn ôl, pan ddaeth yr Almaenwyr i'w nabod nhw, neu heddlu Awstria, 'dydw i ddim yn cofio. 'Ta waeth, 'dydi o ddim yn bwysig. 'Doedd gynnon ni ddim byd arni, na'r lleill yng Nghymru chwaith. Pwy bynnag ydi hi, ar ôl iddi fynd i ffwrdd yr aeth hi'n hogan ddrwg. Ond mi gawn ni hanes y dreifar a'r ddau arall pan ddaw dreifar yr Audi arall hwnnw i'r fei. Maen nhw'n meddwl ei fod o mewn rhyw goed yn rhywle. O, ia, 'roedd 'na un peth arall hefyd. Mi aethon nhw i'r drafferth o gael olion bysedd Carl a Marian yma o'r Almaen, a maen nhw newydd gadarnhau bod olion bysedd y ddau ohonyn nhw hyd y ceir 'ma. Diolch yn fawr, meddaf finna.''

''Ond 'does 'na neb yn gwybod be ydyn nhw? 'Does 'na'r un mymryn o wybodaeth amdanyn nhw a fyddai'n rhywfaint o gymorth i ni. 'Tawn i'n cael rhywbeth y tu cefn i mi pan ydw i'n siarad hefo fo.''

''Dyna'r peth wrth gwrs. 'Rwyt ti'n iawn. Mae'r ffôn a'r radio 'na'n wynias hefo rhyw wybodaeth newydd bob munud. Ond gwybodaeth dweud dim ydi hi yn y diwedd. Llwytho mwg i sacha y maen nhw.''

''''Tawn i ond yn cael rhyw syniad o'u daliadau nhw, eu hamcanion nhw . . .''

''Ia, wel, y peth ydi nad oes 'na brinder grwpiau yr un fath â nhw ar y Cyfandir. Mae 'na ddegau ohonyn nhw hyd Ewrob, ambell un hefo dipyn go lew o aelodau, ddau ddwsin neu fwy, rhai eraill hefo dim ond dau neu dri yn perthyn iddyn nhw. Dyna ydi hwn. 'Doedd 'na ddim sôn fod 'na fwy na dau yn eu Mudiad nhw tan ddoe. Ond Mudiadau Chwith ydi'r rhan fwyaf ohonyn nhw, a hwn hefyd, yn ôl pob tebyg.''

''Ia, ond os ydi o'n Fudiad, mae 'na rywbeth, rhyw bwrpas, rhyw nod . . .''

''Ia. Ella bod y gair 'mudiad' yn gamarweiniol. 'Dydi ei ystyr o ar y Cyfandir ddim cweit yr un ag yr ydan ni wedi arfer hefo fo. Mae 'mudiad' i ni'n golygu rhywbeth â mwy o drefnyddiaeth o'i amgylch o. Ella y byddai'n nes ati 'tawn i'n dweud mai isio bod yn Fudiad y mae'r rhain. Yn sicr 'dydi o ddim yn Fudiad sydd ynghlwm wrth rywbeth llawer mwy, fel achos y Palesteiniaid, neu'r Iddewon yn Rwsia. Grwp bychan ydi Mudiad Carl, wedi tyfu o'i glyfrwch a'i anniddigrwydd o'i hun. Ond er hynny, mae'n rhaid i ni beidio â'i ddibrisio fo, peidio â'i gymryd o'n ysgafn. Mae o'n beryg, ac mae o'n glyfar. Dyna'r ddau beth sy'n cyfri amdano fo.''

''A'r ffaith ei fod o'n mynd i farw yn y tŷ 'na.''

Aeth y lle'n dawel drachefn. Eisteddai'r ddau yn llonydd, a'u llygaid ar y tŷ draw odanynt.

''''Rwyt ti'n hoff o ddweud petha nad oes 'na ateb iddyn nhw.''

''Ella 'mod i. 'Rydw i'n iawn, on'd ydw?''

''Os daw hi i hynny, ein gwaith ni ydi gofalu nad aiff o â neb ond ei bobl ei hun hefo fo.''

''Pam yr holl arian?''

"Y?"

"'Chreda i ddim mai mudiad politicaidd ydi o. Taflu llwch i'n llygaid ni maen nhw. Bandits ydyn nhw, siwr Dduw, nid chwyldroadwyr. Yr unig beth sydd 'na'n hanes iddyn nhw ydi dwyn arian. Mae cyfalafiaeth yn beth drwg i bawb ond iddyn nhw."

"Ys gwn i a fyddai'n ddoeth i'w drio fo?"

"Trio be?"

"Siarad hefo fo. Siarad go iawn."

Ysgydwai'r Dirprwy ei ben, a golwg sur arno.

"Mae'n gofyn cael dau i wneud hynny. 'Siaradith o ddim, am ein bod ni islaw ei sylw o. 'Ollyngith o mo'i dafod i'n siort ni. Ond prun bynnag, mae'n gwestiwn gen i a fedrwn i ddal i siarad hefo fo fel 'tawn i'n darllen tywydd 'tai hi'n dŵad i athronyddu. Beth bynnag ydi 'i ddaliada fo, mi wn i na chytunwn i dragwyddol hefo fo, a mi ŵyr yntau hynny. 'Dydi o ddim yn brin o graffter."

"Nac ydi. Ond nid bandit ydi o chwaith. Mae 'na ddau bwrpas i'r dwyn pres. Yn gyntaf, mae o'n rhoi clusten i'r Drefn, yn enwedig os ydi'r anturiaethau'n feiddgar a digywilydd. Mae'r Mudiad yn gweithredu fel Mudiad ac yn hel pres yr un pryd. Wedyn, mae Carl yn gwybod o'r gorau nad oes ganddo fo fawr o obaith gwneud dim ohoni os nad oes ganddo fo bres y tu cefn iddo fo. Mae trefnu'n costio. Os oes arno fo angen arfau, neu drefnu ymgyrchoedd, neu hyd yn oed gasglu byddin o rai yr un fath ag o, mae'n rhaid iddo fo wrth bres. Dyna pam ei fod o'n beryg. Mae o'n paratoi i fod yn ddyn mawr. A phan mae dyn hefo horwth o uchelgais mewn trap, a'r uchelgais a phopeth mewn peryg o'u difodi, y cwbl fedr unrhyw un call ei wneud ydi gobeithio."

"Mi fedrwn ni ddechrau drwy obeithio'i fod o wedi anghofio bod arno fo isio mynd oddi yna heddiw. 'Wn i ddim ar yr hen ddaear fawr 'ma be i'w ddweud wrtho fo nesaf. Sut maen nhw trwodd 'na?" Amneidiodd y Dirprwy â'i ben tua'r drws. "Oes 'na ryw syniadau'n dod o fan'na?"

Ffrwydrodd ebychiad bychan o enau'r Prif Gwnstabl. Rhoes gip yn ôl tua'r drws.

"Nac oes siwr. Y cwbl y maen nhw'n ei wneud ydi astudio be mae o'n ei ddweud dros y ffôn 'na, a'i droi o bob sut i wneud iddo fo ffitio i ryw batrwm. A mae'r termau seicoleg yn dod allan o'u cegau nhw fel y maen nhw'n anadlu. Pob dim dan reolaeth. Maen nhw'n dda iawn am ddisgrifio be sydd wedi digwydd eisoes. Gofyn iddyn nhw be sy'n mynd i ddigwydd nesaf, a mi gei ffrydiau o eiriau crand, a'r rheini mor ddiystyr â chwythu swigod mewn bath. 'Dydyn nhw ddim yn sylweddoli nad ydyn nhw'n twyllo neb ond nhw'u hunain. Mae 'na fwy o synnwyr yn y stafell fach 'ma, Dic. Ella fod dy waith di'n anos nag un neb, ond os bydd 'na rywbeth yn dy dwyllo di, dros y ffôn 'na y daw o, ac nid o dy glyfrwch di dy hun."

"A 'dydi gwybod hynna ddim yn mynd i fod o ddefnydd yn y byd i mi pan ddaw Carl ar y ffôn. 'Rydw i'n dal heb ddim y medra i ei ddweud wrtho fo."

"Mi ddaw 'na rywbeth pan fyddi di ei angen o. Gad iddo fo siarad yn gyntaf. Mala 'chydig o awyr am y ddau garcharor 'na yn yr Almaen. Os aiff hi'n ddrwg, dwed wrtho fo na fedri di ddim addo cadw'r S.A.S. draw os bydd rhywbeth yn digwydd i un o'r gwystlon. Mae o wedi clywed am y rheini, siawns. Ella na chynhyrfith o flewyn, ond eto, 'fedri di ddim dweud. Mae o'n siwr o fod isio byw; mae'r uchelgais yn cnoi am gael ei gwireddu."

"Ella. 'Fuost ti'n gweld yr hogyn 'na?"

"Robin? Do. Do, mi fûm yn ei weld o."

"Mm."

"Faint bynnag o gyfrifoldeb sydd ar 'y sgwydda i, 'ffeiriwn i ddim lle hefo fo. Welist ti blentyn yn ymbil? 'Roedd o'n waeth. 'Roedd 'y nhu mewn i'n gweiddi arna i i ddweud c'lwydda wrtho fo i'w dawelu o, ond 'fedrwn i ddim. 'Fedrwn i ddweud un dim ond y gwir wrtho fo. Erbyn hyn, 'dydw i ddim yn difaru. Ond, Dic bach, wir Dduw, 'dydw i ddim isio gorfod mynd i ddweud wrtho fo ein bod ni wedi methu."

"Mae arna i ofn."

"Y bydd raid i mi."

"Mae arna i ofn."

"Oes gen ti ddim ffydd, Dic?"

"Dim un iotan."

Cododd y Prif Gwnstabl, a rhoi ei gadair yn ôl yn daclus wrth y bwrdd.

"Paid â gadael i Carl wybod. 'Thwyllis i mo Robin. Mi fyddwn yn un gwirion ar y naw 'tawn i'n trio dy dwyllo di." Trodd, ac aeth at y drws. "Mae gen i gyfarfod hefo'r Wasg rŵan. Difyr iawn. Mae 'na rai ohonyn nhw'n dechrau codi helynt am na chân' nhw fynd yn nes at y tŷ. Colli'r sioe."

"Er eu mwyn nhw y gwnaed pob sioe. Er eu mwyn nhw y mae'r byd yn bod."

"'Wnei di fyth ddiplomat, Dic."

"Dim diolch."

"Dyna pam mai chdi sydd ar y ffôn 'na, a neb arall. 'Fedrai diplomat ddim trin Carl."

Caeodd y Prif Gwnstabl y drws ar ei ôl yn ddistaw. Daliodd y Dirprwy i eistedd lle'r oedd, yn llonydd, a'i lygaid yn rhythu'n synfyfyriol ar y tŷ. Teimlai bwysau o bob cyfeiriad yn ei gau mewn cyfyngder annymunol, diymwared. Yr oedd yn arswydo rhag yr amser y byddai, unwaith yn rhagor, ac efallai am y tro olaf, yn gorfod codi'r ffôn coch.

VI

Yr oedd hyd yn oed y plant i'w gweld yn synhwyro bod Carl a Marian yn wahanol ac yn beryclach na'r tri arall, ac nid oedd Heilyn heb fod wedi sylwi ar hynny, ac wedi teimlo rhyw ryddhad mawr o'r herwydd. Pan gododd o'i wely, ar ôl ond ychydig oriau o gwsg, ni chymerodd yr un o'r plant fawr o sylw ohono. Pan fyddai Carl neu Marian o gwmpas byddai'r ddau am y gorau'n swatio rhagddynt. Hynny, yn fwy na dim, a oedd wedi perswadio Heilyn nad oedd yn rhyw lawer o derfysgwr.

Yn awr, yr oedd ef a Rhian ar eu pennau eu hunain yn y gegin fach. Yr oedd Deian yn cysgu ar y soffa yn y gegin, a chwaraeai Rhonwen gyda'i nain. Yr oedd wedi bod yn bwyllgora dyfal rhwng y pump ben bore, cyn i Sean ac yntau fynd i gysgu, ynghylch y merched, ac yn y diwedd bu iddynt benderfynu y byddai'r merched, un ar y tro, ac o dan oruchwyliaeth wrth reswm, yn cael gwneud ychydig o waith tŷ a choginio. Heilyn oedd wedi dadlau dros hynny hefyd. Ei ymresymiad ef oedd y byddai gadael i'r merched wneud rhywbeth yn llacio'r tyndra yn y lle, peth pwysig i bawb. Hefyd, byddai i'r heddlu wybod bod y gwystlon yn symud hyd y tŷ yn ei gwneud yn anos iddynt gynllunio ar gyfer rhuthrad. Yn annisgwyl i Heilyn, derbyniwyd ei ddadl, er bod Marian—pwy arall—yn amau.

Yr oedd yn amlwg ar wyneb gwelw Rhian fod arni eisiau siarad. Golchi clytiau yr oedd hi, gan aros yn aml, weithiau â'i dwylo o'r golwg yn y dŵr, fel pe bai'n methu dechrau siarad, yn methu cael hyd i'r peth iawn. Edrychai drwy gil ei llygaid bob hyn a hyn ar Heilyn yn eistedd ar stôl, yn dal cyllell fara ar ochr ei fys. Penderfynodd Heilyn mai hi a gâi ddechrau siarad. Gwyddai y byddai'n rhaid iddo ef siarad wrth gynulleidfa.

"'Fedra i ddim mynd â'r clytiau 'ma allan i'w sychu."

Yr oedd siarad siop gystal â dim i ddechrau arni, meddyliodd Heilyn. Sylwodd nad oedd cymaint o gynnwrf yn ei llais ag a fu.

"Be fyddwch chi'n ei wneud pan fydd hi'n bwrw?"

"Eu sychu nhw o flaen tân."

"Dyna chi, 'ta. Mi gymrwn arnom ei bod hi'n bwrw."

"'Fuoch chi ar eich traed drwy'r nos neithiwr?"

"Do."

"'Roedd hi'n dawel."

"Oedd."

"'Fuoch chi'n meddwl?"

Ni fedrai Heilyn ymatal rhag rhoi chwarddiad byr.

"'Dydw i ddim yn chwerthin."

"Do, mi fûm i'n meddwl. A 'dydw i ddim wedi penderfynu mai rhoi'r gorau iddi sydd orau."

"'Dydi hi ddim o bwys amdanon ni, wrth gwrs."

"'Waeth i chi heb, 'weithith hynna ddim."

"Chwyldroadwyr mawr wedi hen galedu i bethau fel 'na, debyg iawn."

Rhoes Heilyn ei sylw ar chwarae â'r gyllell. Nid oedd diben cynnal sgwrs a fyddai'n mynd yn orau daeru cyn pen dim.

"Trio dynwared Carl a'r hogan 'na ydach chi? 'Dydach chi mo'r teip."

"Rhian, 'wela i ddim bai arnoch chi am drio. Ond 'wnewch chi mohoni'n ddrwg rhwng yr un ohonon ni. Mi welwch y pump ohonon ni'n ffraeo ambell dro, bron hyd at daro, ond ffraeo mewn dealltwriaeth yr ydan ni. Mae'r rhaffau sy'n ein dal ni wrth ein gilydd yn hen ddigon cry i ddal pob ffrae. Pan fo'r rhaffau'n iawn, 'dydi'r ffrae fwyaf yn y byd yn ddim ond chwarae plant. Mi welsoch Marian a Sean yn ffraeo neithiwr. Gollwng stêm. 'Tasa un wedi cael clusten, mi fyddai'r ddau'n chwerthin dros y lle y munud nesaf. 'Rydan ni mor glòs, mi fedrwn drin gwendidau'n gilydd heb wneud môr a mynydd ohonyn nhw. 'Roedd Marc a minna'n dweud neithiwr fod calon Marian fel haearn Sbaen. Iawn. Dyna fo. 'Roedd y peth drosodd cyn i ni sôn amdano fo bron. 'Waeth i chi heb â meddwl y medrwch chi'n gyrru ni i yddfau'n gilydd, Rhian. 'Fedrwch chi ddim gwneud i mi gasáu Carl na Marian, mwy na fedra i wneud i chi gasáu Rhonwen a Deian. Mae'r rhaffau'n rhy gryf."

Yr oedd y dwylo ar goll mewn dŵr clytiau ers meitin.

"Pam nad oedd y teledu'n sôn am neb ond Carl a Marian?"

"Am mai'r ddau yna sydd wedi gwneud sôn amdanyn nhw'u hunain o'r blaen."

"Dim ond y ddau?"

"'Fydd gwatwar ddim o gymorth chwaith, Rhian."

"Be 'dach chi'n ddisgwyl i mi ei wneud? Faint sydd yn eich —eich Mudiad chi?"

Clywsant ddrws y parlwr yn cau, a sŵn rhywun yn dod. Yr oedd y cyfnewidiad a ddaeth dros Rhian wrth i Marian ddod i mewn i'r gegin fach mor weladwy fel y bu bron i Heilyn redeg ati i'w chysuro. Yr oedd ei gor-ganolbwyntio ar ei golchi mor amlwg, ond yn rhyfedd iawn, nid oedd Marian yn ymateb fel y disgwyliai Heilyn iddi wneud. Dylai Marian fod wrth ei bodd; dylai diymadferthedd y ferch fod yn abwyd blasus iddi.

Aeth Marian i nôl diod. Tywalltodd lefrith i gwpan, a'i yfed yn araf, gan edrych ar Rhian a'r clytiau bob yn ail. Cymerodd Heilyn arno nad oedd yn edrych arnynt, ond gwelodd ryw olwg nas deallai yn llygaid Marian. Yr oedd yr edrychiad sarhaus a thrahaus wedi mynd, a rhyw ddieithrwch nas gwelsai Heilyn yn ei llygaid o'r blaen wedi dod yn ei le. Nid oedd am adael y ddwy gyda'i gilydd ar gyfrif yn y byd.

Gorffennodd Marian ei diod, a rhoes ei chwpan yn ôl gyda chlec. Cychwynnodd o'r gegin fach.

"Paid â siarad gormod hefo hi, Heilyn. Gwylia hi. Peidiwch â bod yma yn rhy hir."

Aeth drwodd i'r gegin. Yr oedd Rhian wedi peidio â golchi, ac edrychai'n syth i'r llenni caeëdig o'i blaen. Trodd yn araf at Heilyn.

"'Rydw i'n dallt rŵan," meddai mewn llais isel, bron yn anghlywadwy. "'Rydw i'n dallt rŵan. Nid codi ofn arna i er mwyn dangos ei hawdurdod y mae hi, ond er mwyn cuddio'i hofn ei hun. Hi sy'n f'ofni i."

Edrychodd Heilyn arni am hir, tra oedd yn ystyried. Yna ysgydwodd ei ben.

"Rhian, peidiwch â chymryd Marian yn ganiataol. Mi

fyddai hynny'n drychineb arnoch chi. Beth bynnag a wnewch chi, peidiwch â meddwl y medrwch chi nabod Marian mewn diwrnod."

"O ble ydach chi'n dod?"

"Y?"

"Ble magwyd chi?"

Astudiodd Heilyn fin y gyllell fara ag un llygad, gan ddal y gyllell i fyny i'r golau.

"'Awn ni ddim ar ôl hynna."

"Oes ofn arnoch chitha, hefyd?"

"Ella fod Marian yn iawn. Ddylwn i ddim siarad hefo chi."

"Ydi hwnna—Carl—yn llofrudd go iawn?"

"Mae o wedi lladd."

"Ydach chi?"

"Naddo."

"'Rydach chi am ddechrau hefo ni, felly."

Rhoes Heilyn y gyllell i lawr yn rhy sydyn. Edrychodd ar Rhian, a braw yn llenwi ei lygaid. Yr oedd hi wedi peidio â golchi, ac edrychai'n syth i'w lygaid.

"Nac ydw."

"'Tasa'r plismyn yn rhuthro'r tŷ 'ma rŵan, mi fyddech yn fy lladd i, o ran sbeit."

"Na fyddwn."

"Mi fyddai Carl."

"Byddai."

"A'r hogan 'na."

"Marian. Ella. 'Dydi'r peth ddim yn berthnasol. 'Fydd 'na ddim rhuthro."

"'Tawn i'n eich rhuthro chi rŵan, yn sydyn, mi fyddech yn fy lladd i."

"Na fyddwn."

"Be wnaech chi 'ta? Gofyn i honna ddod yma i wneud yn eich lle chi?"

"Mae cawodydd geiriau wedi stopio fy mrifo i ers talwm, Rhian."

"Y Gwyddel gwallt du 'na . . ."

"Sean."

"'Roedd hwnnw'n sôn am ladd neithiwr."

"O?"

"Pan oedd o'n ffraeo—yn gellweirus—hefo'r hogan 'na."

"Marian."

"Mae o wedi lladd."

"Mi gafodd ei frawd o ei saethu o flaen ei lygaid o. Mae Sean wedi lladd llofruddion ei frawd."

"Fel mewn ffilm gowbois."

"'Dydan ni ddim yn dallt, Rhian."

"'Dydw i ddim yn dallt."

"'Dydi'n hanes ni ddim yr un fath, 'dydi'n gwerthoedd ni ddim yr un rhai. 'Does ganddo fo mo'r ansicrwydd hunaniaeth sydd wedi bod yn llestair i'n datblygiad ni. Nid yr un peth ydi urddas ac anrhydedd teulu i ni ag iddo fo. Iddo fo, mae o'n gryfach."

"'Does 'na fawr o arwyddion o hynny."

"Sean a Marc ydi'r unig ddau ohonon ni yr oedd eu teuluoedd nhw'n dal yn ffrindia hefo nhw pan oedden nhw'n gadael cartra."

"Ac am hynny, 'rydach chi'n dial arnon ni."

Trodd Rhian yn ôl at ei golchi. Yr oedd ar Heilyn eisiau gwadu, eisiau egluro, eisiau ymresymu, ond gwyddai na fyddai'n tycio. Ond o leiaf yr oedd y ferch yn siarad, ac nid yn strancio. O leiaf nid oedd arni ofn dangos ei dirmyg.

"Syniad pwy oedd dod i'n tŷ ni?"

Fe'i teimlodd Heilyn ei hun yn mynd yn oer. Gwibiodd ei lygaid ar hyd y gegin fach i chwilio am ymwared. Nid oedd Rhian yn edrych arno. Astudiodd ei gyllell yn ffyrnig.

"Eich syniad chi, 'te?"

Cododd Heilyn ei ben. Daliai Rhian i olchi.

"Ia."

Yn sydyn teimlai Heilyn fel plentyn yn cael ei ddwrdio. Ei fam yn brysur wrth y sinc, ac yn gwrthod cymryd sylw ohono ar ôl y ceryddu. Yntau'n gwerthu lledod, gycheidiau, a'r ymdrechion oll yn ofer. Yr oedd yr atgof hwnnw'n ddigon byw; yr oedd gwallt ei fam yn wynnach.

"'Dydi hi ddim yn bosib meddwl pan fo plismyn wrth eich tin chi."

"Mae'n rhy hwyr i chwilio am esgusion rŵan. A phrun bynnag, os na fedrwch chi fyw hefo'ch teuluoedd eich hunain, 'waeth i chi heb â chymryd arnoch barchu teuluoedd eraill. 'Rydach chi am ddysgu'r byd sut i fyw, a hynny cyn i chi eich hunain ddysgu cyd-fyw hefo'ch perthnasau chi'ch hunain, heb sôn am neb arall. Mi fydd y byd yn falch iawn o'ch arweiniad chi, bobl fel chi sy'n gwybod be mae pobl ei isio."

"'Does 'na neb ond gwleidyddion a llythyrwyr papurau newyddion yn gwybod be mae pobl ei isio."

"Mae'r gwleidydd mwya dwl yn well na chi."

"Ydi o?"

Yr oedd Rhian yn bwrw'i llid ar y clytiau. Gwasgai hwy nes ei bod yn ysgyrnygu, gan fynnu tynnu'r diferyn olaf un o ddŵr ohonynt. Yr oedd y cwbl mor ddianghenraid wrth gwrs: dim ond i Carl godi'r ffôn byddai digon o glytiau glân ar sil ffenest y parlwr yn syth. Ond eto, yr oedd mor angenrheidiol; gwyddai Heilyn gymaint gwell oedd iddi fwrw'i llid ar y clytiau yn hytrach na gori arno yn ei chadair. Yr oedd yn dal i fod eisiau egluro iddi, ond gwyddai nad oedd haws. Ni fyddai gwrando.

"Heilyn."

Sythodd Heilyn ar ei stôl. Yr oedd y gair mor annisgwyl, y y tro cyntaf ers blynyddoedd i neb o'r tu allan i'r Mudiad ei alw wrth ei enw, a'i ynganu'n gywir. Yr oedd yr effaith fel clusten. Cymerodd ychydig eiliadau iddo ateb.

"'Waeth i chi heb, Rhian. 'Wna i ddim."

Trodd Rhian ato.

"Ddim be? Y cwbl ddwedis i oedd 'Heilyn'."

"'Wna i ddim trio perswadio'r lleill i roi'r gorau iddi, ac ildio, a 'wna i ddim gwneud bargen â'r plismyn yn eu cefna nhw chwaith."

Trodd Rhian yn ôl at ei golchi, gydag ochenaid ddiflas.

"'Rydach chi mor glyfar, on'd ydach?"

"Nac ydw, Rhian. Ond 'wna i ddim."

"Yn gallu ateb cwestiynau cyn i neb eu gofyn nhw."

"'Doedd 'na ddim byd arall ar eich meddwl chi."

"Ydi'ch Mudiad chi'n rheolwr meddyliau hefyd?"

"Nac ydi, Rhian. I atal hynny y mae'r Mudiad yn bod."

"O, mae 'na ddiben iddo fo, felly?"

"Mae 'na ddiben, Rhian. A 'dydi dal teulu fel chi yn wystlon ddim yn rhan ohono fo. Coeliwch fi."

"Pam ydach chi'n bobl mor dda mor sydyn?"

Gadawodd Heilyn ei chwestiwn heb ei ateb. Yr oedd bron â mynd yn orau daeru eto. Ac yn sydyn, yr oedd y lle'n dioddef o ddiffyg golau dydd. Pan fyddai, flynyddoedd yng nghynt, yn mynd i sinema yn y prynhawn, byddai mynd allan i olau dydd yn ei ffwndro am funud neu ddau bob gafael. Byddai cael teimlo'r bendro honno unwaith eto'n braf. Yr oedd rhywbeth yn afiach mewn golau trydan a hithau'n haul braf oddi allan.

"'Weithith hynna ddim chwaith."

"Be?"

"Cymryd arnoch eich bod chi'n dda yn y bôn. 'Dydach chi ddim. Mae'r pump ohonoch chi'n ddrwg drwyddoch."

"'Fyddwn ni ddim yn unig iawn, felly," atebodd Heilyn yn dawel.

"Pa mor ddrwg bynnag ydi'r byd mawr 'ma yr ydach chi am ei newid o hefo'ch Mudiad a'ch gynnau, 'dydi o ddim gwaeth na'r un ohonoch chi eich hunain."

"Faint ydi oed y peth agor tun 'na?"

Trodd Rhian ato'n sydyn.

"Peth agor tun?" gofynnodd yn anghrediniol. "Peth agor tun?" Rhoes chwarddiad diddeall. "Am ffordd o droi'r stori. 'Fyddai Rhonwen ddim mor blentynnaidd â hynna. Peth agor tun. Am derfysgwr drama!"

"Ers faint mae o gynnoch chi?"

"Yr Arglwydd mawr!"

"Faint pery o?" Ni chafodd ateb. "Mae o'n mynd i wisgo neu falu, on'd ydi? 'Dydi o ddim yn mynd i bara am byth. Be wnewch chi wedyn?"

"Pan ddaw Deian i siarad mi fydd yn gofyn cwestiynau callach."

"Bydd. Mi brynwch chi un newydd. 'Wnewch chi ddim trwsio'r hen un. 'Does 'na neb wedi'ch dysgu chi sut i wneud hynny, dim peryg. A phetasech chi'n gallu 'i drwsio fo, mi fyddai pawb wrthi ei orau glas yn eich cymell chi i beidio. Mi fyddai prynu un newydd yn rhatach, yn llai o drafferth, ac yn dod â mwy o waith i bobl. 'Tasa hynny ddim yn ddigon i'ch perswadio chi, mi fydden nhw'n eich galw chi'n hen gybyddes. Mi brynech un newydd wedyn."

"Mudiad dros atal taflu hen bethau agor tun sydd gynnoch chi."

"'Fyddai Carl na Màrian ddim yn trafferthu siarad hefo chi."

"'Wela i fawr o fai arnyn nhw, os dyna bennau'r bregeth."

"Mae'ch annog chi i daflu pob dim unwaith y mae o'n torri, yn lle 'i drwsio fo, yn gymorth mawr tuag at greu swyddi. Creu'r galw am nwyddau. Un o hanfodion mwya'r Drefn. Mi ddwedan hynny wrthoch chi eu hunain. Y peth na ddwedan nhw wrthoch chi ydi nad ydi unrhyw allu i drwsio'ch pethau eich hun ddim yn beth i'w ddymuno. 'Dydi hynny ddim yn siwtio'r cynllun. Mae'n beryg i hynny roi gormod o annibyniaeth i chi."

"'Dydach chi ddim yn gall."

"Mae hanner eich bwyd chi mewn tuniau. Un o wyrthiau glanwaith yr oes. 'Rydach chi'n agor y tuniau i gael at y bwyd. Mae'r peth agor tun yn erfyn pwysig iawn yn y tŷ. A 'fedrwch chi mo'i drwsio fo os malith o. Ond mae 'na ddigon o rai newydd sgleinus model-newydd-sbon ar gael yn y siopau. Mae un o'r rheini'n gymaint gwell. Bron na ddylech chi daflu'r hen un cyn iddo fo falu."

"Ia, mi tafla i o, os plesith hynny."

"A rhyw ddiwrnod 'fydd 'na'r un newydd yn y siop. Mi fyddwch yn chwilio pob siop yn y wlad, a 'fydd 'na'r un ar gael, am bris yn y byd. A 'fyddwch chi ddim mymryn haws o drio yr wythnos nesaf."

Yr oedd Rhian wedi peidio â golchi, ac wedi troi i syllu'n syn arno. Edrychodd yn ôl i'w llygaid.

"Y peth agor tun 'na ydi'r enghraifft fwyaf diniwed. Enwch rywbeth yn y tŷ 'ma, unrhyw beth yr ydach chi'n ei gael o yn annibynnol o ryw gyfundrefn anferth anweledig nad oes gan neb yn y byd bwt o reolaeth arni bellach, rhyw gyfundrefn sydd wedi'ch amddifadu chi o bob arlliw o unrhyw fath o ryddid go iawn."

Yr oedd Rhian yn welw.

"Mi wn i be sy'n f'amddifadu i o ryddid heddiw, Heilyn. Gwagedd ydi'ch siarad chi. Nid y peth agor tun 'na sy'n fy ngharcharu i rŵan."

"Naci, Rhian. Ond drwy amryfusedd yr ydan ni yma."

"A mi fydd 'y mhlant i'n dallt mai drwy amryfusedd y mae eu bywydau nhw mewn peryg rŵan, mai drwy amryfusedd y maen nhw'n methu cael gweld eu tad."

"'Tasa pob tre a phentre o fewn can milltir yn cael eu difa, ond hwn, be fyddai'n digwydd yma?"

"Dameg arall i droi'r stori?"

"A phetasa'r un peth wedi digwydd ganrif neu ddwy yn ôl, be fyddai wedi digwydd yr adeg honno?"

"Mi fyddai wedi bod yn amhosib i bump o gachgwn byd, ac un ohonyn nhw'n siaradwr crand, ddod yma i darfu ar neb."

Anwybyddodd Heilyn y sarhad.

"'Tasa fo wedi digwydd ganrif neu ddwy'n ôl, mi fyddai yma lanast ac anhrefn. Ond 'fyddai hi ddim yn ddiwedd byd. Mi fyddai'r crydd yma i wneud sgidiau, a'u trwsio nhw, a'r teiliwr i ddilladu, a'r gof i wneud celfi. Mi fyddai'r tir yn dal i dyfu. 'Fyddai'r tlodi ddim gwell na dim gwaeth, ond mi fyddai 'na'r un pwrpas i fywyd. 'Tasa'r un peth yn digwydd heddiw, mi fyddai'r stori yn un wahanol iawn."

"Pam nad ewch chi i fyw i'ch ogofâu, 'ta?"

"'Fyddai 'na ddim trydan, na phetrol. Mewn deuddydd mi fyddai'r bwyd-cadw yn y ffrij yn drewi. Mewn wythnos 'fyddai gan neb fatsen ar ôl i g'nesu nac i goginio. Mewn ychydig wythnosau mi fyddai pawb yn farw gelain. 'Fyddai'r tir ddim yn tyfu am na fyddai'r cemegau y mae'r byd yn honni eu bod mor angenrheidiol i'r pridd ar gael. 'Thyfith 'na ddim hebddyn nhw bellach. Faint o ieir bach yr haf welsoch chi y llynedd? 'Fuo 'na 'rioed gyfnod o'r blaen mewn hanes lle mae pawb yn cael cymaint o addysg, ac yn cael eu gwahardd yr un pryd mewn ffordd mor drwyadl rhag dysgu sut i edrych ar eu hôl eu hunain. Rhian, mae'r tŷ 'ma'n gysurus ac yn gynnes. Mae amodau gweithio eich gŵr chi'n ganmil gwell a chanmil esmwythach nag yr oedden nhw i weithiwr ganrif yn ôl. 'Fydd eich plant chi ddim yn marw cyn bod yn un oed. Mae 'na ddigon o bobl i ddweud hynny wrthoch chi. 'Dydi Datblygiad ddim yn brin o ladmeryddion. Ond 'wnân nhw byth sôn am y pris yr ydach chi, neu y byddwch chi, yn ei dalu amdano fo. 'Tasa fo'n ddatblygiad go iawn, mi fyddai'r ofn a'r ansicrwydd sy'n cael ei orfodi arnoch chi wedi diflannu hefo caledwch yr hen gadeiriau. 'Tasa fo'n ddatblygiad go iawn, 'fyddai 'na ddim lluniau teledu'n dangos awyrennau slic yn gollwng nwyon ar blant bach ac ar wlad o goedwigoedd, a 'fyddech chi ddim yn teimlo mor anobeithiol ac analluog bob tro y gwelech chi bethau cyffelyb. 'Fyddai'ch teimlad o oferedd chi ddim mor llethol a llesteiriol bob tro y clywch chi ddynion gwalltiau saim yn sôn am ryfel niwclear mewn iaith mor rhesymol."

"A sut deimlad ydw i i fod i'w gael hefo'ch presenoldeb chi yma, tybed?"

Yr oedd Heilyn wedi llwyddo i gael y gyllell fara i orwedd yn wastad lonydd ar ben ei fys bach. Byddai ei anadl yn ddigon i'w dymchwel, er nad oedd arno angen hynny'n esgus dros gadw'i lais yn dawel.

"Mi fydd 'na lanast ryw ddiwrnod, Rhian."

"Rhyw ddiwrnod?"

"Mi fydd 'na lanast ryw ddiwrnod." Yn araf bach, ond yn ddi-droi'n-ôl, yr oedd yn dechrau colli ei frwydr gyda'r gyllell, a gallai deimlo'r llafn yn dyheu am droi at i lawr. "Mi wyddoch hynny, Rhian. Mi wyddoch hynny'n iawn. Ond am ei fod o'n rhy annymunol i feddwl amdano fo, 'rydach chi'n ei luchio fo o'ch meddwl, a dyna'r union beth y mae ar y Drefn isio i chi ei wneud. Peidiwch byth ag awgrymu eu bod Nhw'n fethiant. 'Thâl hynny ddim, colli'r ffydd ddigwestiwn yn yr Hollalluog Newydd. Ond mi ddylech. Mi ddylech ei sgrechian o o ben y tŷ 'ma. 'Tasa pawb yn gwneud hynny, 'fydden ni ddim wedi dod yma o gwbl. 'Fyddai'r Mudiad ddim yn bod."

Agorodd Rhian y cwpwrdd o dan y sinc yn ddiamynedd. Collodd y bys bach ei hyder yn y twrw, a disgynnodd y gyllell yn glep ar y llawr. Yr oedd golwg euog sydyn ar Heilyn wrth iddo godi oddi ar ei stôl i'w hestyn. Y munud hwnnw yr oedd yn ôl yng nghegin fach y rheithordy panelog hyll hwnnw drachefn, a'i fam anhapus o flaen y sinc yn dwrdio heb ddweud yr un gair o'i phen, yn y ffordd ryfedd honno na wyddai unrhyw fam arall amdani.

Gafaelodd yn y gyllell, ac wrth ei chodi, gwelodd galen yn y cwpwrdd a agorasai Rhian. Aeth at y cwpwrdd a thynnu'r galen ohono. Edrychodd arni am ennyd, cyn sylwi'n sydyn ar yr ofn yn llygaid Rhian. Rhoes ochenaid ddistaw, ac aeth yn ôl ar y stôl.

"Mi fyddai'n dda gen i 'tasa amgylchiadau'n caniatáu i ni fedru siarad yn well hefo'n gilydd, Rhian."

Gwelodd y llygaid yn caledu'n sydyn.

"Felly'n wir?" Caeodd Rhian ddrws y cwpwrdd yn wyllt. "Mi fyddai'n dda gen i 'tasa amgylchiadau'n caniatáu i chi fedru mynd yn ddigon pell o 'ngolwg i, a mynd â'r nialwch eraill 'na i'ch canlyn."

"'Rydw i o ddifri, Rhian. Ac yn dweud y gwir. Mi gofiwch pan ddaw'r llanast ar eich gwartha chi, mi gofiwch."

"Ar fy ngwartha i? A 'dydi o ddim am ddod ar eich gwartha chi, debyg?"

Trodd Rhian i edrych arno pan welodd nad oedd am gael ateb. Yr oedd Heilyn yn syllu'n syn ar y galen ar ei lin. Cododd ei ben pan synhwyrodd hi'n edrych arno. Yr oedd ei lygaid yn llawn tristwch.

"Cyn diwedd eich oes chi, Rhian, mi fydd 'na ddiawl o lanast."

Gafaelodd yn y galen, a dechreuodd wneud min ar y gyllell fara, yn araf a dyfal.

VII

Brasgamai'r Prif Gwnstabl o amgylch yr ystafell gan ysgyrnygu a damio o'i hochr hi. Ni allai'r Dirprwy yn ei gadair ymatal rhag gwenu'n braf drwy'r ffenest. Yr oedd y digrifwch lleiaf un yn gwneud byd o les.

"'Fedran nhw symud y meicroffon?" gofynnodd yn ddiniwed.

"'Waeth gen i be wnân nhw," arthiodd y llall yn ei glust fel yr oedd yn gorffen ei gwestiwn. "On'd oes isio gras? Y? On'd oes isio blydi gras? Llond lle o ddynion, yn addysg at 'u cyrn gyddfau i fod. Yr holl dechnoleg fodern grand yma y mae pawb, ac yn enwedig nhw'u hunain, yn canu 'i chlodydd hi mor ddiddiwedd ac mor syrffedus at eu galwad nhw. A be maen nhw'n ei wneud? Y?"

"Ia, wel."

"Ia wel o ddiawl. Mae 'na un o'r terfysgwyr 'na'n cael seiat brofiad yn y tŷ 'na, yn dweud ei galon. Mae 'na un o wyrthiau gwareiddiad yn gofalu bod pob smic a ddaw o'i hen geg hyll o'n cyrraedd y neuadd 'ma, a'r cwbl yr ydan ni'n ei glywed yn y diwedd ydi sŵn dynes yn golchi clytiau babi." Neidiodd y Dirprwy wrth i'r gadair yn ei ymyl gael cic. "Pan oeddan ni'n sgwennu hefo pensel las yng ngolau lamp beic, roedden ni'n eu dal nhw i gyd, pob un troseddwr. Rŵan, hefo'r holl daclau felltith yma . . ." Rhoes y gorau iddi, yn ei gynddaredd.

"O leiaf 'rydan ni'n gwybod mai Cymro ydi o."

"Hy!"

"Ac mi glywson ni o'n dweud mai fo oedd yn gyfrifol am fynd â nhw i'r tŷ."

"Hy!"

"Fo oedd yn dreifio, felly."

"Y?"

"Pwy arall fyddai'n dewis pa dŷ i fynd iddo fo?"

Dyrnodd y Prif Gwnstabl y bwrdd.

"Reit 'ta. Estyn y llun 'na."

VIII

Yr oedd y goedwig yn dawel bellach, heblaw am y synau cynhenid yr oedd yn dechrau arfer â hwy, ac yn gallu anghofio amdanynt. Yr oedd y bywyd byrlymus cuddiedig o'i gwmpas yn dod, yn raddol, i beidio â chodi ofn arno, ond nis hoffai o gwbl. Ni welai'r cyfanrwydd yr oedd yn ei ganol; ni welai bwrpas i'r peth. Anifeiliaid ac adar a gwybetach yn sleifio drwy ddail. Astudiai rhai pobl bethau felly. Ffyliaid.

Cododd Jim ei goes dde a siglo mymryn arni i geisio atal y cyffio, gan geisio yr un pryd osgoi tynnu sylw, er y credai ei fod yn ddiogel yn awr, am ryw hyd. Fe enillasai.

Bu'n dda iddo gynllunio. Pe bai heb feddwl sut i ymguddio pe deuai'r plismyn, byddai wedi cael ei ddal yn ddiamau. Yr oedd rhinwedd, erbyn gweld, mewn noson ddigysur ddigwsg, ac yntau'n ymguddio'n anesmwyth mewn twmpath o goed a oedd yn nes at ei gilydd na'r rhelyw, a brigau dros ei ben. Bu'r oriau diddiwedd yn foddion iddo gynllunio.

Cawsai swper, a brecwast, o fath. Hyd yma, nid oedd mor ddrwg arno gan fod yno ddigon o ddŵr iddo i'w yfed, a gallai rhywun ddioddef newyn ychydig yn well os oedd dŵr wrth law. Yr oedd oerddwr y nant a redai drwy'r coed, nant a fu'n waredigaeth iddo mewn ffordd arall hefyd, yn ddieithr iddo, yn rhyfedd yn ei geg. Dŵr iddo ef oedd yr hyn a ddeuai yn llawn cemegau o dap, a blas milltiroedd o beipiau arno.

Wyau amrwd fu ei swper, a'i frecwast. Wyau amrwd a dail letys. Tra oedd yn gwylio'r fferm y noson cynt, buasai'n dadlau llawer gydag ef ei hun ynghylch y ffordd orau o gael bwyd. Am a wyddai ef nid oedd bwyd i'w gael yn y goedwig. Yr oedd gwersi bywydeg flynyddoedd pell yng nghynt yn yr ysgol fonedd wedi hen rydu yn ei gof. Iddo ef, rhywbeth â mwd y tu allan iddo ac nid rhywbeth â maeth y tu mewn iddo oedd pryf genwair. A'i gefn yn pwyso ar ddiogelwch horwth o dderwen, gwelsai falwen wrth ei draed. Bu bron iddo â chwydu am ei phen wrth feddwl am ei bwyta. Ond yr oedd y pangfeydd yn ei stumog yn gwaethygu, a'r nos yn graddol ddynesu.

Dau blismon a ddaethai i'r fferm. Ar ganol y ffordd yno, yr oeddynt wedi dod o'u car i edrych ar y goedwig. Yr oedd gan un ohonynt sbienddrych. Yr adeg honno yr oedd Jim yr ochr arall i'r dderwen, a'i holl feddwl yn afresymol o dawel a ffyddiog. Gwyddai nad oedd dau yn beryg; gwyddai hefyd y byddai llawer mwy cyn hir. Byddent yn sicr o ddod i chwilio'r goedwig.

Aeth y plismyn i'r fferm. Buont yn siarad ac yn chwilio, am ryw chwarter awr. Yna, aethant yn ôl, a Jim yn dal i wylio, a'r pangfeydd yn dal i dynnu yn ei stumog. Cyn hir, yr oedd bron yn dywyll, a'r cysgod aneglur a oedd gynt yn ffermdy yn dechrau dangos golau yma a thraw. Yn araf, a gwyliadwrus, dechreuodd yntau symud, gan gadw gyda'r coed nes iddo ddod at glawdd blêr o bridd a cherrig. Wrth ddilyn y clawdd, gan gadw'n dynn ato, daeth at y fferm.

Tyfai'r letys ar fymryn o ardd ar ochr y ffordd i'r fferm, dair rhes ohonynt wedi eu plannu'n drefnus ar wahanol adegau. Nid oedd sôn fod yr un ohonynt am galonni, a thynnodd Jim bump neu chwech o'r rhai mwyaf, a'u stwffio i'w boced. Trawodd eu harogl ef yn sydyn, a phlygodd i dynnu un arall a'i stwffio i'w geg heb edrych arni. Nid oedd angen archwilio blasusfwyd. Yr oedd wedi bwyta pedair cyn iddo sylweddoli fod anferth o fwlch yn y rhes. A wnaed, a wnaed; erbyn hynny yr oedd yn rhy hwyr, a hyd yn oed pe gallai, ni fyddai traws-blannu'n cuddio'r pechod.

Yr oedd y cwt cyntaf yn llawn o aroglau oeliach. Wrth graffu, gwelai duniau a blychau, a chelfi a oedd i gyd yn ddieithr iddo, rhyw offer y chwysai'r gwerinos drostynt yn y caeau. Llyncodd ei draha, a chofiodd nad oedd chwysu'n rhan o fywydau'r bobloedd mwyach. Cofiodd hefyd ei fod yn gom-iwnydd. Gafaelodd mewn tun hoelion, a'i wagio.

Credai'r ffermwr mewn rhyddid i ieir. Yr oedd y cwt yn isel, a heb ei garthu ers hydoedd. Siaradai un hetan o hen iâr ddu yn ei chwsg, ond yr oedd y lleill i gyd yn dawel, heb ddim yn tarfu ar ymson yr iâr ddu ond ambell symudiad pen neu sigl corff a chodiad plu. Daliai'r tun hoelion ddeg o wyau cynnes. Yr oedd Jim yn dechrau mwynhau cyffro'i antur pan ddech-reuodd ci gyfarth. Mewn llai na phum munud, yr oedd Jim yn ôl wrth ei dderwen. Mewn llai na chwarter awr, yr oedd goleu-adau glas yn troi'n wyllt ar y ffordd i'r fferm. Penderfynodd Jim fod rhyw ragfarn anesboniadwy a oedd ganddo erioed yn erbyn ffermwyr yn rhagfarn ddigon iach. Hen gnafon drwg-dybus o bawb a phopeth ond nhw'u hunain.

Nid oedd y plismyn am ddod i'r goedwig gefn nos. Yr oedd yn amlwg nad oedd digon ohonynt i chwilio. Ond gwyddai y byddai'n rhaid iddo gael y blaen arnynt pan dorrai'r wawr.

Llyncodd dri ŵy amrwd, gan geisio'i orau glas i beidio â'u taflu i fyny'n ôl, a chladdodd y plisg. O leiaf ni fyddai'n llwgu. Yr oedd wyau amrwd yn well na malwod. Aeth i chwilio am ei wely. Dywedai ei reddf wrtho am beidio â mynd ymhell o'r nant, ac ar ôl ymbalfalu yn y tywyllwch drwy'r coed, penderfynodd cyn hir ei fod yn ddigon diogel. Yr oedd yng nghanol clwstwr bychan clòs o goed, ac ymgladdodd yn y deiliach ar y ddaear i bendwmpian, gan bentyrru hen frigau drosto'i hun. Yn y bore byddai plismyn yn ei hela, lond coedwig ohonynt, i gyd yn ysu am gael eu crafangau arno. Daeth y syniad iddo fel fflach pan sylweddolodd y byddai ganddynt gŵn i'w cynorthwyo. Dechreuodd gynllunio a phendwmpian bob yn ail. Pan dorrodd y wawr yr oedd yn barod.

Cododd, a churodd y dail oddi ar ei gorff. Chwalodd ei wely gyda'i draed a gwasgaru'r brigau. Byddai yno hyfrydle i drwynau'r cŵn, ond nid oedd hynny o wahaniaeth os gweithiai'r cynllun. Llyncodd ŵy, a chnodd letysen, ei chnoi'n ddyfal. Nid llenwi stumog oedd bwyta; yr oedd diwallu go iawn yn gofyn am gnoi. Cadwodd ychydig ar ôl, at ginio. Yr oedd yn dechrau laru arno'n barod.

Yr oedd yn dda iddo fod cangen wrth law pan aeth i'r nant. Rhwng oerni annisgwyl y dŵr a llithrigrwydd dieithr y cerrig ar y gwely odano, bu bron iddo â mynd ar wastad ei gefn. Gallasai fod wedi trawo'i gefn neu ei ben ar garreg wrth ddisgyn, a dyna'r gêm drosodd. Dechreuodd gerdded yn ofalus i lawr y nant, i ganol y goedwig. Ar ôl ychydig gamau, teimlai'n fwy hyderus ei gerddediad, ac yr oedd y dŵr yn dechrau dod yn braf i'w draed. Yr oedd yn union fel petai mewn ffilm ers talwm, pan oedd yn gwawdio'r arwyr a gerddai mewn afonydd trefysglyd, a'r dŵr at eu hysgwyddau, i osgoi gadael eu holion i dracwyr a chŵn. Yn awr yr oedd yr holl wylio ar gampau'r actorion yn dwyn ffrwyth. Yr oedd dŵr at fferau'n llawn mor effeithiol â'r llifeiriant mwyaf dwfn a dramatig.

Cyn bo hir, fe'i gwelodd. Cangen braf yn ymestyn yn wahoddgar dros y nant. Cangen ffawydden, a digon o le i ymguddio yn y goeden gyda chymorth brigyn neu ddau wedi eu torri. Yna ystyriodd. Beth petai un o'r plismyn wedi bod yn gwylio ffilmiau hefyd, ac yn penderfynu cerdded yr afon a'i lygaid at i fyny? Drwg y gangen oedd ei bod yn rhy amlwg, yn rhy hwylus. Aeth odani. Yr oedd y goeden a ddewisodd yn y diwedd os rhywbeth yn well.

Bu'n cuddio ynddi am awr cyn iddo'u clywed. Yr oedd wedi golchi'i wyneb mewn mwd o'r afon, ac wedi torri brigau o'r goeden i roi dros ei gorff, ac yr oedd—gobeithiai—yn gudd-iedig o'r ddaear islaw ac o'r awyr uwchben. Yr oedd hynny'n llawn mor bwysig, oherwydd sŵn hofrennydd oedd y sŵn cyntaf iddo'i glywed.

Yr oedd yn dal heb fod arno ofn, hyd yn oed wrth sbecian arnynt drwy'r dail, a'u gwylio'n chwilio amdano. Yr oedd y peth yn chwerthinllyd o afreal; yr oedd rhai ohonynt yn cario gynnau, yn cario gynnau i chwilio amdano ef. Bron na fyddai'n gweiddi arnynt i gallio. Yr oedd y cŵn yn amlwg mewn dryswch. Yr oedd hynny'n ddigri. Yr oedd llygaid y plismyn yn galed wrth i'w tremion wibio o un lle i'r llall, wrth rythu dan lwyni, wrth edrych i fyny i ganghennau'r coed. A gweld dim. Yr oedd hynny'n ddigri hefyd. Degau o bobl brof-iadol yn cydweithio i ddal un amatur bach, a hwnnw'n eu gwneud yn racs o dan eu trwynau. Uwchben eu trwynau. Uwchben eu hen drwynau annymunol didostur.

Yr oedd arnynt eisiau rhywbeth i'w wneud. Gwyddent yn iawn nad oedd ganddo ef arian o'r banc. Yr oedd ef wedi mynd oddi yno cyn i neb ddod o'r banc. Pam cael cymaint i chwilio amdano ef, ni wyddai. Yr oedd wedi trawo'r plismon hwnnw i lawr, yr oedd hynny'n wir, ond ni allai fod wedi brifo llawer arno, oherwydd gwelsai'r plismon yn codi oddi ar y ffordd wrth edrych yn nrych y car. Fe ddylai fod ganddynt rywbeth gwell i'w wneud. Ond efallai fod y lleill wedi cael eu dal, a bod saethu'r Gwyddel hwnnw wedi ei gysylltu â hwy. Efallai fod Sean wedi dweud wrth y plismyn mai ef, Jim, a saethodd y Gwyddel. Efallai mai dyna pam fod cynifer yn chwilio amdano. Efallai y byddai Sean neu Marc yn dweud rhywbeth felly i achub eu crwyn eu hunain; wedi'r cyfan, yr oedd y ddau'n gyfeillion mynwesol. Rhoddai'r byd am gael gwybod ymhle'r oedd y lleill; yr oedd yr ansicrwydd yma'n ei lorio'n waeth na dim.

Ond fe aethant. Ciliodd eu sŵn; ciliodd sŵn yr hofrennydd. Yr oedd y goedwig yn dawel bellach, heblaw am y synau cyn-henid yr oedd yn dechrau arfer â hwy. Erbyn meddwl, nid oedd fawr o wahaniaeth am y lleill, a oeddynt yn rhydd ai peidio, a oedd eu Mudiad yn gyfoethocach ai peidio. Fe gâi hwnnw suddo i anghofrwydd y pethau a fu. Ef a'i aelodau. Yr oedd ganddo ef bethau pwysicach i feddwl amdanynt. Ar ôl i'r plismyn fod yn ei chwilio, byddai'r goedwig yn haws dianc ohoni.

Dianc o'r goedwig, cael mymryn o fwyd, a dwyn car. Y tri hyn. A'i gwneud hi am y ddinas agosaf. Yno gallai gynnal sgwrs â phlismon a fyddai'n chwilio amdano.

Tynnodd y brigau oddi arno, a'u gollwng i'r ddaear. Daeth i lawr o'r goeden, a phwysodd yn ddiolchgar ar ei boncyff am ennyd, gan roi ochenaid o ryddhad am iddo ddarganfod ei fod yn fwy o ddyn nag y tybiodd. Llyncodd ei ddau ŵy, a gorffennodd ei letys.

IX

Yng nghlydwch didarfus seddau dosbarth cyntaf y trên nos Wener i Gaer, astudiai'r ddau Aelod Seneddol y lluniau a'r stori yn y papur nos.

"Ys gwn i pwy ydi'r Cymry 'ma," meddai'r Sosialydd.

"'Wn i ddim," meddai'r Cenedlaetholwr mewn ychydig, "maen nhw'n ddiarth i mi." Rhoes gip drwy'r ffenest ar wastadeddau Lloegr yn dechrau diflannu yn y gwyll. "Diolch am hynny," ychwanegodd, hanner wrtho'i hun.

Rhoes y Sosialydd chwarddiad byr wrth gadw'r papur ar y sedd agosaf ato.

"Pam, oeddet ti'n poeni?"

"Poeni? Na, nid poeni. Rhyw fymryn yn anniddig, ella."

"Mae'n bosib eu bod nhw wedi bod yn genedlaetholwyr ryw dro. Go brin y byddai grŵp fel hwn yn genedlaetholwyr o hyd. Mae cenedlaetholdeb yn rhy llywaeth iddyn nhw; mae 'na hanes rhy dderbyniol iddo fo. Mae'n hen bryd i Hiwi Dew gael geirfa newydd."

Chwarddodd y Cenedlaetholwr. Hiwi Dew oedd yr Ysgrifennydd Cartref, a fu'n rhoi datganiad i Dŷ'r Cyffredin llawnach nag arfer yn gynharach yn y prynhawn. Am fod y digwyddiadau bellach yn amlwg yn boliticaidd ryngwladol, yr oedd datganiad i'r Tŷ'n anhepgorol er datgan i'r hollfyd mai Hiwi Dew sydd Ben, chwedl y Sosialydd.

"'Roedd 'na ddigon o weryru i'w gynnal o, beth bynnag,"

meddai'r Cenedlaetholwr. ''Ein hysbryd cenedlaethol traddodiadol Prydeinig yn eu hymladd, yn ateb i bob terfysgaeth. 'Glywaist ti 'rioed y fath rwts?''

Yr oedd ẏ Sosialydd wedi ailafael yn ei bapur i ddarllen y copi o'r datganiad.

'' 'Dadeni barbareiddiwch.' 'Chlywis i mo hwnna ganddo fo o'r blaen. O ble daeth hwnnw, tybed?''

''Aros di. Mi wn i hynny.'' Rhoes y Cenedlaetholwr ei bapur o'r neilltu. ''Y Pab Paul ryw dro, pan saethwyd rhywun go enwog tua'r Eidal 'na. Moro, dywed? Ond y Pab Paul oedd bia hwnna. 'Doedd o ddim yn Hiwi Dew wreiddiol.''

'' 'Fuo 'na 'rioed ddim yn Hiwi Dew wreiddiol. Y Pab Hiwi Dew. Duw a helpo Duw. 'Dydi'r bobl 'na 'rioed yn meddwl eu bod nhw'n mynd i ennill, debyg?''

''Mae'r byd 'ma'n prysur lenwi hefo pobl na fedr ein Trefnau ni mo'u dallt nhw. Yn y pen draw, y Trefnau eu hunain fydd yn dioddef; nhw fydd yn colli.''

''Gamp i ti ddweud hynna wrth Hiwi Dew.''

''Mi fydd y plismyn neu'r milwyr yn mynd i mewn i'r tŷ 'na, ac yn lladd y pump. Mi rydd Hiwi Dew barti i ddathlu'i Fuddugoliaeth. Mi fydd yn serennu. Mi fydd yr haul yn gwenu unwaith eto ar ei Ymerodraeth o. A 'fydd y creadur bach anobeithiol ddim yn gallu dirnad, ddim yn gallu dechrau dirnad, mai wedi difa un ploryn bach o gansar fydd o. Cansar na fendith na Thorïaeth na Sosialaeth na Chomiwnyddiaeth na Chenedlaetholdeb na'r un o'n gwleidyddiaethau bach ni'n hunain mohono fo.''

''Mi fyddet at ddant Job. Mae gan bob oes ei phrotest.''

''Ac mae gan Hiwi Dew ei gyfraith a'i drefn, wedi'u cymeradwyo gan ei Dduw o.''

''Mae'n bosib na fydd 'na ladd. Ella y dôn nhw allan ohonyn eu hunain.''

''Lladd fydd 'na. Ar ôl Llysgenhadaeth Iran 'wnaiff 'na ddim arall y tro.''

''Dwed hynna yn y Tŷ, a mi droa' i yn genedlaetholwr.''

''Ho ho.''

Aeth yn ddistawrwydd rhyngddynt. Agorodd y ddau eu bagiau i wneud ychydig o ddarllen cwynion etholwyr. Yr oedd y llythyr cyntaf o'i etholaeth a ddarllenodd y Cenedlaetholwr yn gwerthu lledod ac yn gofyn am gymorth i gael maes carafánau ar lethrau rhyw fynydd. Yr oedd yr ail o un o'r Tai

Cyngor uwchben y tŷ yr oedd y pump o bobl wedi ei feddiannu, gan garcharu'r teulu yn eu cartref eu hunain. Yn sydyn, yr oedd yr holl beth yn fyw iddo.

5

I

Ni chafodd Carl ei ddymuniad. Cysgu noson arall yn y tŷ fu hi arno, ac nid cael siwrnai mewn awyren i ddiogelwch. Yr oedd wedi deffro bedwar o'r gloch y bore—amser drwg—a'r felan wedi dechrau corddi ynddo'n syth. Yr oeddynt yn ei drin fel plentyn, gyda'u 'ia, Carl' hyn, a'u 'ia, Carl' arall. Yr oedd yn dechrau dod yn amlwg, yn ddychrynllyd o amlwg, nad oeddynt ar feddwl gadael iddo fynd o'r tŷ. Yn ei fyw, ni fedrai weld bod ganddo unrhyw ddewis ond dangos iddynt na chaent chwarae mwy ag ef. Bu'n pendroni am deirawr gyfan.

"Mae'n rhaid i ti saethu un o'r bobl 'ma heddiw. Bore heddiw."

Yr oedd Marian wedi deffro heb iddo sylweddoli hynny, ac yn amlwg wedi bod yn ei wylio'n meddwl. Gallai Marian ddweud y frawddeg nesaf a oedd yn ei feddwl ef bob amser.

"'Dwyt ti ddim yn cachgïo, nac wyt, Carl?"

Yr oedd ei chorff yn gynnes braf wedi cwsg, a swatiodd Carl ati. Yr oedd fel noddfa iddo. Tybiai fod hynny'n wendid.

"Nid colli'n bywydau ni'n hunain ydi'r peth," meddai'n synfyfyriol, "na diddymu'r Mudiad. Mae 'na ddigon o fudiadau eraill; mae 'na ddigon o bobl—nid llawer, ond digon—i gychwyn Mudiad o'r newydd. Nid dyna'r peth. Drwg mwyaf chwyldroadwyr ydi eu bod nhw'n methu dallt pam na chân nhw fyw am byth i ofalu bod eu chwyldro nhw'n mynd rhagddo fel y mae o i fod. 'Fyddai ein marwolaethau sydyn ni gan fwledi byddin Prydain Fawr ddim yn ddiwedd byd. Ond mi fydd iddyn nhw ennill yn dod â diwedd y byd gymaint â hynny'n nes. Mi fyddan yn meddwl, os enillan nhw, mai nhw sy'n iawn, ac y bydd eu buddugoliaeth nhw'n hwb i'r gwareiddiad truenus yma y maen nhw'n gorfod ei gynnal o ar faglau, am eu bod nhw wedi ei gam-drin o gymaint. Os enillan nhw, mi gân' ddathlu, ac anghofio. A mynd yn ôl i'r gystadleuaeth wallgof bitw rhwng dim a dim. A rhoi eu holl fywyd i hynny. A phawb yn y byd yn eu dilyn nhw, yn eu credu nhw, yr un mor barod ag erioed i luchio'u bywydau diwerth dros eu brenin neu 'u rhyddid neu'u mamwlad. Am ddynoliaeth."

Rhoes Marian ei braich dros ei gorff. Edrychodd i fyw ei lygaid.

"'Chei di ddim marw, Carl. 'Chaiff y Mudiad ddim darfod yn y twll lle 'ma. Mae 'na ormod o waith i'w wneud. Yli, mae'n rhaid i ti godi rŵan, a siarad hefo'r plismon 'na heb gymryd dim o'i lol o na'i wên fêl o. Dwed dy neges yn syml, un waith. Os na fydd o'n gwrando, os na fydd o'n barod i'n cael ni o'r lle 'ma cyn hanner dydd, mi gei ddisgrifio wrtho fo be fydd yn digwydd. Mi fydda i'n dod ag un o'r bobl 'na at y ffôn, a mi fyddi di'n gofyn iddo fo un waith wedyn. Os deil o i hel esgusion, mi fyddi di'n saethu'r ddynes—neu'r plentyn—fel y bydd y plismon yn clywed y glec. I wneud yn saff ei fod o wedi dallt, mi fyddwn ni'n agor ffenest y parlwr ac yn lluchio'r corff allan i'r ardd. Mi fyddan yn gwybod wedyn. Erbyn canol y pnawn mi fydd y parasiwtau ar waith. Tyrd, cod."

"Marian."

"Be?"

"'Rwyt ti wedi anghofio un peth."

"Be?"

"Heilyn a Sean."

Aeth wyneb Marian yn sur ar amrantiad.

"Mae Heilyn a Sean, Carl, yn gwneud fel yr wyt ti'n dweud."

"Nid milwyr ydyn nhw, Marian."

"Heilyn a Sean o ddiawl," hisiodd Marian. "Mi fyddai Byddin yr Iachawdwriaeth yn rheitiach lle iddyn nhw, os ydyn nhw'n darganfod yn sydyn fod ganddyn nhw gydwybod bob tro y mae hi'n mynd yn fain arnyn nhw." Cododd o'i gwely'n sydyn, a chroesi i edrych drwy'r tyllau yn y llenni. "Yli allan 'na. Yn union fel ddoe, yn union fel echdoe. Ceir plismyn a cheir armi yn y pellter, yn y top acw. Ambell helmet yn codi yma a thraw hyd y caeau 'ma. Dim brys ar neb. Os nad ydi holl synnwyr Heilyn a Sean yn dweud wrthyn nhw fod yn rhaid gwneud rhywbeth yn o fuan, yna 'dydi Heilyn a Sean ddim gwerth cyboli hefo nhw."

"O'r gorau 'ta." Yr oedd Carl yn rhoi ei grys isaf a'i drons amdano. "Mi awn ni i lawr i ddweud wrthyn nhw. Fel 'rwyt ti'n dweud, mae'n rhaid gwneud rhywbeth." Ysgydwodd ei grys cyn ei wisgo. "Pwy ydan ni am ei saethu?"

Trodd Marian i'w wynebu.

"Un o'r plant."

Edrychodd y ddau ar ei gilydd. Yr oedd yr un olygfa'n union ym meddyliau'r ddau. Marian yn sefyll ym mhrif orsaf reilffordd Paris, yn gwylio Carl yn cerdded oddi wrthi, a phapur llwyd yn barsel yn ei ddwylo. Carl yn eistedd ar fainc nid nepell oddi wrthi, ac yn codi ymhen ychydig a dod yn ôl ati, a'r ddau'n cerdded i ffwrdd o'r orsaf heb edrych yn ôl gymaint ag un waith ar y fainc a'r parsel bychan aflonydd arni.

"Mi wnaethom yn iawn, Carl. 'Fydda fo ddim wedi gweithio. Mi fydda fo wedi bod ar y ffordd."

Ar y ffordd. Yr oedd golwg ryfedd yn llygaid Carl. Yr oeddynt wedi darogan y byddai babi'r Mudiad yn deffro i'r bywyd newydd, y Tyst cyntaf i'r Dadeni go iawn, yr hoelen olaf yn arch rhagrith a thrachwant ac ymelwa. Pan oedd babi'r Mudiad yng nghroth Marian yr oedd hynny, a Charl yn rhoi ei law arno beunos i deimlo'r tyfiant a disgwyl y cicio. Yr oedd pethau mawr yn aros y bychan.

Nes ei ddyfodiad. Nes iddo brofi ei fod cystal piswr a sgrechiwr a mynnwr sylw ag unrhyw wichyn. Ni bu'n hir na phylodd y gobaith a'r uchelgeisiau a'r cynlluniau. Ni bu'n hir na sylweddolwyd nad oedd lle iddo, eto, yn y patrwm. Yn y diwedd nid oedd ddewis ond ei gyflwyno, yn ei siwt o bapur llwyd, i ofal y byd yr oedd ei rieni mor ddrwgdybus ohono ac mor awyddfrydus o'i newid.

"Na, Marian." Yr oedd llais Carl yn dawel, bendant. "'Weithith hi ddim. 'Roeddat ti'n cysgu neithiwr. 'Welist ti mohono fo."

"Gweld be, Carl?"

"Ar ôl i ti fynd i dy wely, pan oeddwn i'n dod i fyny'r grisiau, 'roedd Heilyn a Sean yn y llofft gefn hefo'r bobl 'na."

"Wel?"

"'Roedd Sean yn trio newid clwt y babi, ac 'roedd Heilyn a'r hogan 'na'n chwerthin am ei ben o. 'Roedd hyd yn oed y ddynes 'na'n gwenu."

Trodd Marian yn ôl at y ffenest, a'i dyrnau a'i llygaid ynghau. Agorodd ei dyrnau i halio'n ffyrnig yn y llenni.

"Damia, damia, damia."

"Mi ddylem fod wedi mynd oddi yma ddoe."

"Nid dyna'r peth o gwbl. Ydi'r ddau yna'n hollol honco?

Dduw mawr, Carl, os na fedri di gadw gwell rheolaeth na hyn, be arall sydd 'na i ni ei haeddu?''

"'Rydw i'n drist, Marian.''

"Wyt ti'n wir?''

"Paid. Rhaid bod yn oer i lwyddo. Mae 'na wahaniaeth rhwng bod yn annynol a hynny. Mae Heilyn a Sean yn rhy 'gored eu c'lonnau i fod mewn lle fel hwn. Rhinwedd ydi eu gwendid nhw.''

"Carl, gwrando.''

Yr oedd Marian wedi dod ato ac wedi hoelio'i llygaid llawn pryder arno, ac wedi rhoi ei dwy law ar ei ysgwyddau, i gynnal ei dadl neu i'w chynnal ei hun. Ni wyddai Carl pa un.

"Nid Heilyn a Sean sy'n bwysig bellach, Carl. Nid eu hadwaith nhw i rywbeth a ddigwydd yma sy'n cyfri rŵan. Mi fedrwn ddod drwy hyn eto, mi fedrwn lwyddo. Nid rhywbeth i'w ildio fel pres rhent ydi'r Mudiad; mae o wedi costio gormod, wedi golygu gormod i ni. Os saethwn ni un ohonyn nhw rŵan, mi fyddwn yn rhydd heno.''

Daliai'r ddau i edrych i lygaid ei gilydd. Yr oedd y mymryn lleiaf o ddagrau'n bygwth gwlitho llygaid Carl wrth iddo ysgwyd ei ben yn araf.

"Paid â bod yn rhy siwr, Marian, paid â chymryd adwaith y rheina y tu allan 'na'n rhy ganiataol. Mae'n bosib y bydden nhw'n rhuthro'r lle 'ma unwaith y bydden nhw'n clywed clec bwled. Mi fedrai pethau fynd o chwith cyn i ni sylwi dim. Yn enwedig os saethwn ni un o'r plant.''

"Mae nifer y gwystlon yn rhy fach iddyn nhw ruthro'r lle 'ma, Carl. Mi wyddost hynny. 'Dydi eu dewrder nhw'n dda i ddim os na chaiff o 'i frolio ar y diwedd.''

"Paid â'u cymryd nhw'n ganiataol, Marian.''

Ochneidiodd Marian. Rhoes gusan swnllyd iddo ar ei wefusau, a symudodd oddi wrtho at y drws.

"Mae 'na un ffordd arall,'' meddai Carl yn dawel.

Trodd Marian yn syth.

"Be?''

"Rhoi i mewn iddyn nhw. Diodda deunaw mlynedd o garchardai.''

"Carl.''

"Be?''

"Byth.''

Cododd Carl ei lygaid. Gwenodd y ddau'n gynnil ar ei gilydd.

"Mi a' i i'w codi nhw," meddai Marian. "Mae'n rhaid i ti benderfynu y bore 'ma, rŵan hyn."

Yr oedd Marc ar ben y grisiau, yn eistedd ar stôl, ac yn chwarae â'i fysedd. Hongiai ei wn yn flêr o'i boced dde, o olwg y teulu yn y llofft gefn.

"Iawn?" holodd Marian.

"Difyr ar y diawl."

"Hidia befo. Mi altrith pethau heddiw. Heno mi gawn ddathlu."

"Neu mi gawn orwedd ar fwrdd patholegydd. Cymer bwyll, Marian."

"Wedi bod yn gwrando, do?"

"Naddo. Mi adawa i hynny i'r meicroffonau. Mae gen i well dyfais."

"Y?"

"Mae dy lygaid di'n huotlach na dy geg di. Cymer bwyll."

"Ni pia' hi, Marc."

"Ydi Carl yn dod?"

"Ydi, rŵan hyn."

"Mi a' i i 'ngwely, 'ta."

"Bydd yn barod i gael dy ddeffro'n sydyn."

"Felly'r ydw i wedi bod ers blynyddoedd."

Aeth Marc i'r llofft yr oedd Marian newydd ddod ohoni. Cerddodd Marian yn benderfynol i'r llofft gefn. Ni ddywedodd air, dim ond amneidio i gyfeiriad y drws. Ar unwaith, swatiodd Rhonwen, gan afael yn dynn yn ei mam, gafael yn ddistaw ac argyfyngus, fel pe bai arni ofn crio. Yr oedd Deian yn cysgu o hyd.

"Deffrwch hwnna hefyd."

Aeth Marian yn ôl i ben y grisiau. Gwyliodd y merched yn ymolchi ac yn ymwisgo, ac aeth ar eu holau i lawr y grisiau. Yr oedd Deian yn dal i gysgu â'i fawd yn ei geg, ei ben yn hongian dros ysgwydd ei nain, a'i law rydd yn gafael yn dynn am ei gwddw. Gafaelai Rhonwen yn llaw ei mam, gan droi'n ôl yn aml i wylio Marian, y ddynes ddieithr beryglus nad oedd byth yn edrych arni, heb sôn am siarad hefo hi.

Amneidiodd Marian ar Rhian i fynd i baratoi brecwast. Tywalltodd Rhian lond mẃg o lefrith i Rhonwen, ac aeth â'r tegell trydan at y tap. Daeth Marian i'r gegin fach ac yfed y llefrith ar ei dalcen. Ffieiddiodd Rhian, ond ni ddywedodd ddim. Ceisiodd anwybyddu Marian tra oedd wrthi'n gwneud y brecwast.

Daeth Carl i lawr, a golwg guchiog arno. Bwytaodd pawb ei frecwast heb i neb ddweud dim, na hyd yn oed edrych ar ei gilydd. Pan oeddynt ar orffen, dechreuodd Jane Roberts siarad, yn bwyllog, gadarn.

"Mae hi'n ddydd Sadwrn heddiw."

Nid oedd neb am ategu.

"Dyna ddau ddiwrnod er pan ddaethoch chi yma. Faint mwy o amser y mae'n mynd i gymryd i'ch darbwyllo chi tybed?"

"I'n darbwyllo ni?" Yr oedd llais Marian yn llawn gwatwareg. "I'n darbwyllo ni? Dwedwch o'n uwch er mwyn iddyn nhw gael clywed yn iawn."

"'Wela i ddim bod angen darbwyllo neb arall yma."

Yn sŵn y lleisiau yr oedd Deian wedi deffro, ac wedi lledu ei freichiau i gyfeiriad ei fam yn syth.

"Na welwch chi'n wir?" meddai Marian. "Mae 'na lawer o bethau na welwch chi mohonyn nhw. Mae 'ma lawn cymaint o bethau nad ydyn nhw'n ddim o'ch busnes chi."

"Fel 'na'n union y bydd plant bach yn terfynu dadl," meddai Jane Roberts, a'i llais yn oeraidd. "Ond dyna ydach chi, 'te? Plant bach hefo gynnau."

"Felly'n wir?" Yr oedd Marian wedi codi i ganol y llawr, ac yn dechrau gwylltio. "Ac mae hi'n dechrau mynd yn sbeitio, ydi hi? O'r gorau, os dyna'r gorau y medrwch chi ei wneud mi rown ni reitiach peth i chi gnoi'ch cil arno fo. Mi dorrwn ni eich blydi cribau chi. Mi gei di ddweud wrthyn nhw, Carl."

Gorffennodd Carl ei de. Rhoes ei gwpan yn ôl ar y soser. Edrychodd yn hir o un ddynes i'r llall, ddwywaith, gan adael iddynt ddechrau anesmwytho.

"Mae'r plismyn yn styfnig," meddai'n dawel ddi-hid, "yn styfnig iawn. Nhw sydd angen eu darbwyllo, ddynes, nid ni."

"Meddwch chi, 'te," torrodd hithau ar ei draws yn siort.

Crechwenodd Carl.

"Braidd yn ddewr y bore 'ma, ond ydan? Wel, arhoswch chi . . . fel 'roeddwn i'n dweud, mae isio darbwyllo'r plismyn. 'Rydan ni am wneud hynny cyn pen yr awr."

Disgwyliodd am fwy o sylwadau, ond nis cafodd. Yr oedd Deian wedi bachu darn o grystyn oddi ar ei fam, ac yn ei sugno'n daclus. Yr oedd Rhonwen wedi ei gwthio'i hun yn ôl ar ei chadair, fel na welai ddim ond y wal ar un ochr a ffrog ei nain ar yr ochr arall, ac wyneb ei mam welw am y bwrdd â hi. Yr oedd llygaid Rhian yn llonydd, yn syllu ar y plât bara-menyn gwag, gan chwilio am Robin ym mhobman.

Yr oedd Carl yn siomedig braidd na chafodd ymateb; gallasai wedyn fod wedi cyfarth, ac yr oedd hynny'n haws. Ond nid oedd o bwys; yr oedd Marian yn siarad drosto.

"Mae 'na un ohonoch chi'n mynd i gael eich saethu y bore 'ma os na fydd y plismyn yn barod i adael i ni fynd heddiw."

Ni wyddai Carl beth fyddai'r adwaith. Eiliad fach a gafodd i ystyried ryfedded oedd rhannu bwrdd bwyd â phobl a wyddent eu bod yn mynd i gael eu lladd ganddo. Eiliad fach a gafodd hefyd i osgoi'r gwpan de wrth i honno saethu o law Jane Roberts a malu'n dri darn ar dalcen Marian.

Am Marian yr aeth gyntaf, am mai hi yr oedd yn ei hadnabod. Fel yr oedd ei gadair yn disgyn ar lawr y tu ôl iddo yr oedd yn atal llaw dde Marian rhag rhuthro am ei gwn.

"Os wyt ti'n meddwl fod arna i dy ofn di a dy fygythiadau, y sopen . . ." meddai'r ddynes, wedi codi ar ei thraed yn ei dychryn.

"Byddwch ddistaw!" gwaeddodd Carl ar ei thraws. Trodd ati'n ffyrnig. "Steddwch!"

Edrychodd y ddau'n atgas ar ei gilydd, y ddynes yn herio, a Charl yn gosod y drefn. Carl a orfu. Eisteddodd Jane Roberts yn ôl, a'i llygaid yn melltennu. Dechreuodd Rhian wylo'n ddistaw. Yr oedd y crystyn wedi disgyn yn swpyn meddal o geg Deian, a dechreuodd yntau wylo. Yr oedd Rhonwen o dan y bwrdd.

Trodd Carl yn ôl at Marian.

"Dangos." Gafaelodd yn ei phen. "Mae o'n gwaedu. Dim llawer, ond mae 'na friw yna. Dos i'w olchi fo."

"Aros i mi dagu'r ddynes 'ma . . ."

"Dos i'w olchi fo."

Trodd Marian at y drws, a'i cheg yn dynn. Aeth drwodd, a chau'r drws yn glep ar ei hôl.

"'Roedd hynna'n beth gwirion iawn i'w wneud. Peth gwirion iawn." Yr oedd Carl wedi tynnu ei wn o'i boced. "Mae'n amlwg rŵan pwy fydd yn cael ei saethu, os daw hi i hynny. 'Waeth i chi heb â dweud nad ydach chi wedi gofyn amdani."

Nid oedd y ddynes am ddangos edifeirwch. Daliai i edrych yn herfeiddiol ar y gwn ac ar Carl bob yn ail.

"Am bobl! Am Fudiad!" Poerai'r geiriau o'i genau. "Pwy gythral ydach chi'n ei feddwl ydach chi, y dihirod? Yn rhuo yn y lle yma un munud eich bod chi'n fwy abl na neb i drin y byd, ac yn brolio ar yr un gwynt nad oes fymryn o wahaniaeth gynnoch chi pa un ai pobl ai pryfed yr ydach chi'n eu lladd. Mudiad chi'ch hunain sydd gynnoch chi. Chi fawr, a neb arall."

"Mae 'na lawer yr un fath â chi," atebodd Carl yn sarrug. "Miloedd. I gyd yn meddwl na fedr y byd wneud heboch chi. Nid poeni am ein bod ni'n ystyried lladd pobl ydach chi, ond poeni am ein bod ni'n ystyried eich lladd chi. Rŵan 'ta, 'does arna i ddim isio lol yma eto fel y digwyddodd rŵan. Os digwyddith rhywbeth fel 'na eto, y peth gorau y medrwch chi ei ddisgwyl fydd cael eich cadw i gyd ar wahân."

Yr oedd Carl yn falch o glywed y drws yn agor, a gweld Heilyn a Sean yn dod i mewn. Yr oedd yr helynt gyda'r gwpan wedi gwneud y lle i gyd yn ddiflas, a'r awyrgylch yn annymunol. Ar ei orau, nid oedd ganddo amynedd i siarad gyda'r merched; erbyn hyn, yr oedd yr holl fygwth a lluchio gorchmynion yn ei ddiflasu yntau.

"Pethau'n fflio yma y bore 'ma," meddai Sean yn ysgafn.

Daeth Rhonwen yn ôl yn llechwraidd i'w chadair. Edrychodd ar Sean a Heilyn am ennyd cyn ymguddio y tu ôl i'w nain. Rhoes Carl ei wn yn ei boced.

"Gwyliwch nhw, y ddau ohonoch chi," meddai'n swta. "Ac ylwch, 'waeth i mi ddweud hyn yn wyneb pawb ddim, y chi'ch dau a'r merched 'ma. Mae 'na ormod o gyfeillachu yn y lle 'ma. Rhaid i chi roi terfyn arno fo. Cadwch eich sgwrs i orchmynion yn unig."

Trodd, ac aeth o'r gegin ac am y parlwr. Yr oedd ganddo waith meddwl dybryd cyn codi'r ffôn.

Eisteddodd Sean wrth y bwrdd.

"Mrs. Roberts," meddai, "peidiwch byth â phledu neb hefo cwpanau pan mae eu cariadon nhw hefo nhw."

"'Glywsoch chi be ddwedodd y peth arall 'na?" atebodd hithau'n siarp.

"Y?"

"Cadwch eich siarad i orchmynion. 'Roedd o'n iawn. 'Rydach chi'ch dau yn cymryd arnoch eich bod yn gleniach na'r lleill, ac yn barotach i wrando a rhesymu. Ond ciwed ydach chitha, llathen o'r un brethyn. Os rhywbeth, 'rydach chi'n waeth."

"Mrs. Roberts fach, 'chymris i 'rioed arna 'mod i'n sant. 'Tasa gynnoch chi'r syniad lleiaf faint o drafferth y mae'r Tad Joseph wedi ei gael hefo fi . . ."

"Peidiwch â gwamalu."

"'Dydw i ddim. 'Rydw i o ddifri calon. Ar ôl sesh hefo'r Tad, 'feiddiwn i ddim gwamalu. 'Fyddai gwg y Forwyn ddim ynddi o'i gymharu â dicllonedd y Tad Joseph. Ond er hynny, dal i bechu 'roeddwn i, hyd yn oed yn ei wyneb o."

"'Dydw i ddim isio clywed! 'Fyddwch chitha ddim chwaith, ar ôl clywed be sydd gen i rŵan. 'Rydach chi'ch dau, yn arbennig, wedi sôn fyth a hefyd pa mor ddyngarol ac ystyriol yr ydach chi yn y bôn. Reit 'ta. Mae adeg eich profi chi wedi dod. Mi gawn wybod rŵan a ydi'ch geiriau chi'n rhywbeth heblaw siarad."

"Mi ddargynfydda i cyn nos am be'r ydach chi'n sôn."

"Llai o'r clyfrwch 'na." Yr oedd Jane Roberts yn ddigymrodedd. "Mae'r dyn 'na a'r hogan 'na wedi dweud ar ei ben wrthon ni gynna eu bod nhw am saethu un ohonon ni y bore 'ma os na fydd y plismyn yn fodlon eich gollwng chi'n rhydd. Mae synnwyr pawb ond y ddau yna'n dweud na wnaiff y plismyn ddim o'r fath beth. Felly, mi fydd yma saethu, saethu rhywun na wnaeth ddim byd erioed yn eich erbyn chi na'ch Mudiad, yr un ohonoch chi. Lladd er mwyn lladd. Rŵan 'ta, ddynion da. 'Rydach chi'n mynd i ganiatáu iddyn nhw saethu, neu 'rydach chi'n mynd i'w rhwystro nhw rhag gwneud. Pa'r un?"

Yr oedd Heilyn yn bwyta'i frecwast yn ddistaw, heb gymryd arno fod ganddo ddiddordeb yn y siarad. Edrychai Jane Roberts yn syth i'w wyneb, yn disgwyl am ateb. Ond Sean a siaradodd.

"'Fyddwch chi'n mynd i'r eglwys?"

Rhoes Jane Roberts ddyrnod i'r bwrdd.

"Dyna fo," meddai'n derfynol. "Dyna fo. Siaradwyr mawr, cachgwn mwy."

"'Fyddwch chi'n mynd i'r egwlys?"

"Mae'n well gen i'r ddau arall 'na na chi." Yr oedd arwyddion siom yn llenwi llais y ddynes. "'Does 'na'r un ohonyn nhw wedi trio'n twyllo ni."

"'Tasach chi'n mynd i'r eglwys, mi fyddech yn gwybod nad

ydi o fawr o wahaniaeth pa bryd y byddwch chi farw. Mae marw'n braf pan nad oes arnoch chi ofn. Dyna cadwodd fi'n gall pan saethodd y bobl 'na Thomas. 'Does 'na neb yn mynd i'ch saethu chi.''

''Hy!'' Yr oedd y ddynes yn ansicr. '''Dydach chi ddim wedi ateb 'y nghwestiwn i,'' ychwanegodd yn gyflym, i geisio cuddio'i phetruster, ''dim ond ei droi o, a dweud rhywbeth-rhywbeth. A mi fydda i'n mynd i'r eglwys, dalltwch, a mae Mr. Morgan yn—yn . . .'' Aeth ar goll.

Yna cododd Heilyn ei ben.

''Mr. Morgan?''

''Fo ydi'r Person,'' meddai Rhian yn ddistaw.

''Ac mae sôn am ddyn fel Mr. Ambrose Morgan yng nghwmni gwehilion fel chi yn fwy na fedra i ei ddiodda.'' Yr oedd Jane Roberts wedi cael ei hyder yn ôl. '''Wn i ddim be ddywedai o . . .''

''Ers faint mae o yma?'' gofynnodd Heilyn.

''Pam?''

''Dim byd, am wn i. Gofyn er mwyn gofyn.''

''Rhyw chwe blynedd,'' atebodd Rhian yn lle ei mam. ''Mae o'n ŵr gweddw rŵan. Mi farwodd ei wraig o ryw ddwy flynedd yn ôl. Mi fydd yn cael cinio hefo ni, mam neu fi, yn bur aml. 'Rydan ni'n ffrindia mawr hefo fo.''

''Dyna chi 'ta.'' Yr oedd llais Jane Roberts yn galed unwaith eto. ''Siawns nad ydan ni wedi troi digon ar y stori i chi bellach i'ch cydwybodau ceiniog-a-dimai chi gael sbario wynebu'r hyn yr ydach chi mewn gwirionedd. 'Wna i ddim trafferthu gofyn y cwestiwn i chi eto, 'wna i ddim trafferthu.''

''Mrs. Roberts.'' Yr oedd Heilyn yn chwarae gyda briwsion ar ei blât, ac yn edrych yn ddyfal arnynt o dan ei fysedd. Yr oedd ei wyneb yn welw, welw. '''Fydd 'na ddim saethu yma. 'Does 'na'r un ohonoch chi'n mynd i gael eich saethu heddiw. Na fory. Na'r un diwrnod arall.''

''A phwy ydach chi yn ymyl y ddau arall 'na? Pa reswm sydd i'r rheini wrando ar ddyn pren?''

'''Fydd 'na ddim saethu, Mrs. Roberts.''

Yr oedd Heilyn wedi codi ei ben i edrych ar y ddynes, ac astudiai'r ddau ei gilydd. Gwelodd hi'r pendantrwydd yn ei lygaid; gwelodd hefyd y tristwch dwfn digyrraedd hwnnw a welsai Rhian y diwrnod cynt. Yna, yr oedd hi'n ei goelio, ac ni wyddai beth i'w wneud.

"Mae honna'n waeth na phlentyn."

Rhian a dorrodd ar y distawrwydd anghyffyrddus.

"Be mae Marian wedi ei wneud rŵan?" gofynnodd Sean.

"Mi fydd Rhonwen yn yfed mygiad o lefrith y peth cyntaf bob bore. Mi yfodd honna fo o ran sbeit pan ddaeth hi i'r gegin fach. Dyna i chi hyd a lled eich arweinyddes fawr chi. Dwyn llefrith plant bach tair oed."

Chwarddodd Sean.

"Na," meddai, "nid dyna ydi o. Grym arferiad. 'Rydan ni i gyd yn byw yn yr un fflat. Eiddo un, eiddo pawb. Os oes ar un isio diod, mae o'n cymryd yr un agosaf i law. 'Dydi ffraeo am gwpanau neu gria sgidiau neu drimins felly ddim yn rhan o'r drefn. Mae gynnon ni well pethau i feddwl amdanyn nhw ac i boeni yn eu cylch nhw. Nid dwyn llefrith hogan fach ddaru Marian. Mae'n ddrwg gen i eich siomi chi."

"'Does 'nelo siomi ddim byd â'r peth."

"Nac oes? Hm. Diolch am y brecwast. 'Rydw i am fynd at Carl a Marian. Os clywch chi weiddi a damio, peidiwch â chodi gormod ar eich calonnau."

Cododd Sean, ac aeth drwy'r drws. Cododd Jane Roberts hithau.

"Mi olcha i y llestri 'ma."

Dim ond Rhonwen a gymerodd sylw ohoni. Yr oedd Heilyn a Rhian am y gorau'n pensynnu.

"Wyt ti isio i mi wneud Deian?"

"Y?"

Daeth Rhian o'i phensyndod a golwg ruslyd arni. Yr oedd cynnwrf aruthrol yn ei mynwes, oherwydd yr oedd ei meddwl, bron er ei gwaethaf, wedi dechrau ffurfio cynllun, cynllun mawr, cynllun peryglus. Ni fedrai ei daflu o'i phen; yr oedd yn gwrthod yn llwyr â mynd. Yr oedd arni ofn fod ei hwyneb yn ei bradychu, ac y byddai Heilyn yn darganfod. Ceisiodd swnio'n ddidaro.

"Na. Mi gwna i o rŵan."

Yr oedd ei chynllun yn mynd i olygu drygioni mawr, rhywbeth na wyddai fod ganddi'r gallu i'w ystyried. Yr oedd arni eisiau cael Robin yn fyw yn ei meddwl, i'w nerthu a'i chynghori. Yr oeddynt newydd fod yn sôn am yr hen Berson; yr oedd arni angen ei gymorth tawel sicrhaol yntau hefyd, i daflu'r cwbl i gyd yn glir o'i meddwl. Ni fedrai wneud y peth, byth.

Yr oedd Heilyn yn edrych arni. Am ennyd, cyfarfu eu llygaid, ac yna, yn annisgwyl, yr oedd fflach anesboniadwy o ddealltwriaeth rhyngddynt. Am eiliad, yr oedd Heilyn fel petai wedi deall y cyfan, ac wedi ei gloi'n ddiogel ynddo'i hun. Yna meddyliodd Rhian mai dychmygu'r peth a wnaeth, oherwydd yr oedd Heilyn wedi troi ei olygon yn ôl at ei blât, heb gyffroi dim. Yr oedd yn amlwg iddi fod Heilyn yng nghanol ei feddyliau ei hun.

Ac yr oedd yn iawn. Yr oedd Heilyn hefyd wedi bod yn meddwl, yn meddwl am berson plwyf a'i wraig.

II

Yr oeddent yn rhes fach daclus y tu ôl i'w gilydd ar y silff uchaf yn un o gypyrddau'r gegin fach. Ceisiai Rhian beidio ag edrych arnynt wrth estyn tuniad newydd o bowdr babi. Pe bai wedi gwrando ar Robin, ac wedi lluchio tabledi nad oedd eu hangen mwyach, ni fyddent yno yn awr i'w themtio. Efallai nad oedd digon yno prun bynnag; ni fyddai un neu ddwy yng ngwaelod pob potel yn gwneud dim i neb. Eto yr oedd paced ond newydd ei agor o dabledi poen. Eu cymysgu i gyd a'u stwffio i lawr corn-gwddw swnllyd yr hen hogan 'na,—yr oedd y peth yn arswydus, ond yr oedd yn rhaid iddi feddwl amdano. Yr oedd ei mam wedi dangos dewrder newydd sbon; ni ddisgwylid mwy ganddi hi. Yr oedd y plismyn yn ddiymadferth. Nid oedd ond un ar ôl. Hi ei hun.

Clywed Sean yn dweud am yr arfer a oedd ganddynt o hel eu diod rywsut-rywsut a ddaeth â'r syniad iddi. Ers deuddydd, buasai yn ei hanobaith yn gwenwyno'r pump ohonynt, yn ei meddwl. Ond yn awr yr oedd yn bosibl. Nid gwenwyno pump, ond gallai wenwyno un. O ddewis yr un iawn, gallai fod mor effeithiol â'u lladd i gyd. A honno oedd yr un iawn.

Breuddwyd ffŵl oedd yr holl beth wrth gwrs. Ni fyddai fyth yn gweithio. A phrun bynnag, nid oedd ganddi fymryn o hawl i ddwyn bywyd neb, nac i gynllwynio i ddwyn bywyd neb. Os nad oedd mynd i'r eglwys gydol ei hoes wedi cyfrif dim . . . ond nid oedd neb yn yr eglwys yn dal gynnau uwchben ei phlant, nac yn cadw Robin rhag dod ati. Nid oedd yr eglwys yn paratoi neb ar gyfer rhywbeth felly. Byddai'r tabledi'n toddi mewn dŵr berwedig.

Heilyn oedd yn gwylio. Yr oedd y gyllell fara fel pe bai wedi cael rhyw afael annaturiol arno; yr oedd yn gwneud min arni'n barhaus. Eisoes, yr oedd wedi ei chael i dorri trwy daten heb arafu, ac yr oedd yn dal i wneud min arni, fel petai'n methu peidio. Yr oedd yr eiliad ryfedd honno wrth y bwrdd brecwast yn dal yn fyw yn ei meddwl, a châi ei themtio bob hyn a hyn, pan na fyddai atyniad y tabledi'n ei dal yn gyfan gwbl, i ofyn i Heilyn a oedd ef wedi profi rhywbeth. Ond gwyddai nad gwiw hynny.

Ni chymerai sylw ohoni. Petrusodd Rhian; rhoes gip nerfus arno, ac estynnodd y poteli'n sydyn. Cuddiodd hwy y tu ôl i'r cymysgydd teisennau o'i blaen.

Bu'n dipyn o ffraeo yn y parlwr, ond yr oedd yn edrych fel petasai Sean wedi cael ei ffordd ei hun. Yr oedd yn tynnu at hanner dydd, a neb wedi sôn ychwaneg am saethu. Agorodd gaeadau'r poteli'n llechwraidd. Daliai Heilyn i chwarae â'r gyllell. Gwagiodd y poteli fesul un i'w llaw. Trodd un botel ar ei hochr, a rhoi'r tabledi ynddi un ar ôl y llall, gan adael iddynt wthio'i gilydd i'r botel, rhag iddynt wneud twrw. Rhoes y capiau'n ôl ar y poteli, a'u gosod yn ôl ar y silff. Byddai un botel yn haws i'w gwagio na chwech. Y cwbl yr oedd arni ei eisiau yn awr oedd gyts; byddai'r cyfle'n siwr o ddod. Meddyliodd am funud am ymgynghori â'i mam, er mwyn cael cefn, ond yna penderfynodd nad oedd yn iawn i neb arall ddwyn cyfrifoldeb am hyn o gwbl. A phrun bynnag, yr oedd y cyfan mor afreal yr oedd arni ofn i'w mam chwerthin am ei phen.

"I be mae isio gwneud min ar y gyllell 'na bob munud?"

Cododd Heilyn ei ben.

"'Wnewch chi ddweud wrth eich gŵr nad oeddan ni'n ddrwg i gyd?"

Arhosodd Rhian yn stond. Trodd at Heilyn, i'w wynebu wrth iddo fynd ymlaen.

"Ella y gwnaiff o wrando arnoch chi, gwrando'n iawn. 'Wnaiff 'na neb arall. Y cwbl fydd ar bawb arall ei isio fydd eich clywed chi'n cadarnhau'r adroddiadau teledu a'r papurau newydd, a lliwio mwy fyth arnyn nhw. Ond mae'ch gŵr chi'n siwr o wrando." Daliodd y gyllell i'r golau. "Ella y gwnaiff y Person hefyd."

Yr oedd Rhian yn edrych arno mewn braw.

"'Rydach chi'n swnio fel 'tasach chi'n eu nabod nhw'n

iawn. Sut gwyddoch chi fod 'na neb yn barod i wrando, ac o ran hynny, pam mae o'n beth mor bwysig mor sydyn?"

Yr oedd Heilyn yn dechrau gwrido.

"'Dydw i ddim yn eu nabod nhw," meddai, braidd yn ffrwcslyd.

"Tybed?" Yn sydyn, yr oedd Rhian yn amau. Aeth yn benderfynol. "'Rydach chi'n ffrwcslyd iawn. Mae 'na rywbeth, on'd oes?"

"Nac oes siwr."

"Nac oes 'dw i'n siwr. Pam na ddylech chi nabod un ohonyn nhw? Mae'n amlwg na chawsoch chi'ch magu ymhell iawn i ffwrdd. Pam Robin a'r Person? Ydi o ddim yr un mor bwysig i'r plismon 'na sydd ar y ffôn allu gwrando hefyd?"

Ysgydwodd Heilyn ei ben.

"Dim gobaith."

"Atebwch 'y nghwestiwn i 'ta."

"Be?"

"Mi wyddoch yn iawn."

"'Does 'na ddim cysylltiad rhyngo i a neb yn y lle 'ma. A phrun bynnag, 'dydach chi ddim mewn llawer o le i ofyn cwestiynau."

Trodd Rhian yn watwarus ato.

"Wel am fabi clwt."

Chwarddodd Heilyn.

"Mae'n ddrwg gen i. 'Roeddwn i'n gofyn am honna. Trio bod yn fos mawr."

"Heb sôn am osgoi cwestiynau."

Edrychodd y ddau ar ei gilydd.

"Wel?"

"O'r gorau. 'Rydw i'n nabod y Person, Ambrose Morgan."

"Nid Robin?"

"Na, nid Robin."

Tybiodd Heilyn iddo glywed ochenaid o ryddhad.

"Ydi'r Person yn eich nabod chi?"

Petrusodd Heilyn. Yr oedd yn gwrido eto.

"Ella. Ella 'i fod o. Ella 'i fod o'n cofio."

"Mi fydd yn falch iawn."

Gadawodd Heilyn y sylw hwnnw heb ei ateb.

"Sut oeddech chi'n ei nabod o?"

"'Dydi o ddim gwahaniaeth."

"Byw yn yr un lle oeddech chi?"

"Heb fod ymhell. Hidiwch befo."

"Be sydd? Mae 'na ryw olwg bell arnoch chi ers ben bore. Ydach chi'n perthyn?"

Rhoes Heilyn y gyllell fara yn ôl yn y cwpwrdd y tu ôl iddo, a chadw'r galen yng nghefn y cwpwrdd.

"Perthyn dim," meddai'n syml.

"Be 'di'ch gêm chi, 'ta?"

"Y?"

"'Wela i ddim ei bod hi'n mynd i wneud cymaint â hynny o wahaniaeth a ydi Robin a Mr. Morgan yn fodlon cymryd eu perswadio bod du yn wyn ai peidio."

"Nac ydi. Ella'ch bod chi'n iawn."

Yr oedd Heilyn yn teimlo'n ffŵl am iddo ofyn y cwestiwn o gwbl, cwestiwn plentyn yn chwilio am sicrwydd. Iddo ef, am ychydig, bu'n gwestiwn pwysig, oherwydd ni fyddai'n gweld rhyddid eto. I Rhian, a oedd mewn caethiwed gyda'i theulu yn ei chartref, nid oedd ystyr i'w gwestiwn. Dylai fod wedi sylweddoli hynny cyn ei ofyn.

"Rhian."

"Be rŵan? Isio mwy o fwytha?"

"Mae'ch tafod chi'n waeth na'r gyllell fara 'na."

"Mae'n dda i chi 'i rhoi hi'n ôl yn y cwpwrdd 'na, cyn y byddwch chi wedi ei rhwbio hi o fodolaeth."

"Hoffech chi siarad hefo'ch gŵr?"

Aeth yr ystafell yn ddistaw, ddistaw. O'r gegin fyw daeth llais Rhonwen yn galw ar ei nain. Aeth y Person a'r tabledi a phopeth arall o feddwl Rhian wrth iddi sefyll ar ganol y llawr yn edrych yn gecrwth ar Heilyn.

"Be 'dach chi'n ei feddwl?" gofynnodd yn floesg.

"Pan fydd Carl a Marian yn cysgu, mi fedrwn eich deffro chi, i chi gael mynd i siarad ar y ffôn hefo fo. Mi fedrwn ddweud wrth y plismyn am ei nôl o yn gyntaf."

Yr oedd Rhian yn dod ati'i hun.

"'Tasach chi wirioneddol isio fy helpu i, Heilyn, mi agorech y drws cefn 'na gefn dydd golau."

"Meddyliwch dros y peth. Peidiwch â gadael i'r lleill wybod, ne' mi ddrysith bob dim. Peidiwch â mwydro'ch pen i drio darganfod be 'di 'nghymelliada i chwaith,—'dydyn nhw ddim yn rhai drwg, nac yn rhai gofyn am fwytha." Gwenai wrtho'i hun, wrth gofio geiriau Rhian. "Nac yn werth i chi boeni amdanyn nhw."

Trodd Rhian yn ôl oddi wrtho, rhag iddo weld y dagrau a ddechreuai lifo'n ddireol i lawr ei gruddiau.

III

"Carl?"

"Be?"

"Ydi pob dim yn iawn yna?"

Yr oedd y saib a ddilynodd ei gwestiwn yn ddigon i'r Dirprwy Brif Gwnstabl benderfynu bod Carl yn ei fradychu ei hun.

"Pam ydach chi'n gofyn?"

Yr oedd y llais yn dechrau mynd yn ansicr. Am y tro cyntaf mewn tridiau, cododd y Dirprwy'r mymryn lleiaf ar ei obeithion.

"Dim ond rhyw feddwl, Carl. Mae dau ddiwrnod a mwy yn dipyn o amser i naw o bobl fod mewn un tŷ gweddol fychan, yn enwedig a'r amgylchiadau fel y maen nhw. Mae tensiynau'n siwr o ddechrau dod i'r wyneb."

"Mi wyddoch be i'w wneud, felly."

"Haws dweud na gwneud, Carl."

"Ystrydeb arall?"

"Ddigon posib." Yr oedd yn rhyfedd gymaint o wahaniaeth yr oedd mymryn o hyder yn ei wneud. "Ffaith, serch hynny."

"Mae 'na un o'r bobl 'ma'n mynd i gael ei saethu heddiw."

"Nac oes, Carl."

"Gwrandwch, wnewch chi?"

"Gwranda di, Carl. Un glec bwled, a mi fydd yr S.A.S. yna cyn i chi na neb arall droi. Mi fydd wedi canu arna i i drio'u cadw nhw draw. Mi fyddwch yn gyrff cyn eu gweld nhw'n dod. Mi wyddost hynny. Nid bygwth ydw i, Carl."

Bu saib arall.

"Meddwl dros y peth, Carl."

"Yr hyn yr ydach chi'n ei ddweud wrtha i ydi nad oes 'na unrhyw drefniant wedi cael ei wneud i'n cael ni oddi yma, yn ôl y telerau a gawsoch chi."

"Pwy cymrith chi, Carl?"

"Y?"

"Pwy mewn difri calon? Mae pob gwlad yn Ewrob wedi dweud na chaiff unrhyw long awyr a fydd yn eich cludo chi ryddid i hedfan dros ei thiriogaeth hi."

"Tybed?"

Nid oedd cymaint â hynny o ddirmyg yng nghwestiwn Carl. Cyn bo hir, meddyliodd y Dirprwy, mi fydd yn llyncu celwyddau golau'n ogystal.

"Wir i ti, Carl. Maen nhw i gyd . . . aros am funud . . ."

Yr oedd y Dirprwy'n cael neges ar bapur.

"Be sy'n bod?"

Yr oedd y llais yn gyffrous.

"Dim byd, Carl, dim ond neges fach. Aros i mi ei darllen hi." Rhoes y Dirprwy ei law dros y ffôn. "Mae o'n dechrau dofi," meddai wrth y Prif Arolygydd yn ei ymyl. "Dim ond pwyll rŵan." Darllenodd y neges. "O."

"Ella y byddai'n well peidio â dweud wrtho fo."

"Twt. Mae ganddo fo deledu a radio. 'Waeth iddo fo glywed rŵan ddim. Carl?"

"Be sy'n bod?"

Yr oedd y llais yn mynd yn ddiamynedd.

"Pwy saethodd is-reolwr y banc, Carl?"

"'Roedd o'n gofyn amdani, yr hen ffŵl busneslyd."

"Nid dyna'r peth. Pwy saethodd o?"

"Fel 'tasach chi ddim yn gwybod yn barod."

"Hidia befo. 'Rydach chi i gyd yn yr un cwch, i gyd yn gyfrifol. Mae arna i ofn ei bod hi'n duo bob munud, Carl."

"Y? Be 'dach chi'n ei feddwl?"

Yr oedd y llais yn wyllt.

"Mae 'na gyhuddiad newydd arall yn eich erbyn chi."

"Be 'di'r ots gen i am eich cyhuddiadau chi? Pa wahaniaeth wnân nhw i mi?"

"Fel mynnot ti. Mae'r is-reolwr newydd farw. Dwed wrth dy gariad, wnei di? Gwraig ifanc oedd ganddo fo, Carl, tua'r un oed â hi. A thri o blant bach. Ond 'dydi hynny ddim yn bwysig, nac ydi, Carl?"

"Arno fo 'roedd y bai . . ."

Gwrandawodd y Dirprwy arno'n dechrau ei amddiffyn ei hun, a gadawodd iddo ddal ati. Dyna'r union beth y dymunai ei glywed ganddo. Ddeuddydd ynghynt byddai Carl wedi chwerthin.

IV

Am ei bod yn brynhawn Sadwrn poeth, yr oedd golwg guchiog ar y siopwr. Yr oedd y ffordd i'r traeth yn dal wedi'i chau, a'r ffordd dros dro drwy'r fferm yn agored i'r trigolion yn unig. Yr oedd yn colli diwrnod da o fusnes. Dechreuai newydd-deb yr holl beth gilio erbyn hyn, a chiliai'r sioc i'w ganlyn, ac o dipyn i beth deuai teimladau eraill, a blaenoriaethau eraill, i'r amlwg. Ei unig gwsmer ers amser cinio oedd yr hen Berson, wedi croesi'r ffordd i brynu cnegwarth ar gyfer dryw, ac yn cymeryd ei amser i wneud hynny.

"Mi ddaw hyn ag enw drwg i'r lle 'ma," chwyrnodd y siopwr wrth i'r hen Berson synnu uwchben y cownter, ac un paced parod o gig moch o'i flaen.

"Sut?"

"Mi ddylen nhw fod wedi clirio'r tŷ 'na bellach. Tindroi fel hyn yn dda i ddim i neb. Mi fedr y lle 'ma wneud yn iawn heb y math yna o gyhoeddusrwydd."

"Ia."

Cytuno tawel, diargyhoeddiad. Ffordd yr hen Berson o anghymeradwyo.

"Mae'r lle 'ma'n dibynnu ar bobol ddiarth. Ar be fasan ni'n byw oni bai amdanyn nhw? Mi fedr hyn wagio'r lle 'ma am flynyddoedd. Pawb ofn dod yma."

"Mae 'na deulu bach cyfan . . ."

"Y?"

"Mi wna i ar y cig moch 'ma. 'Fedra i ddim cofio am ddim arall . . . rŵan."

Talodd yr hen Berson, a'i ddwylo'n crynu am yr arian. Aeth allan o'r siop yn drist, drist.

"Esgusodwch fi."

Cerddai dyn dieithr tuag ato. Tybiai'r hen Berson mai heddwas ydoedd. Ymbaratôdd.

"O'r Wasg. Yr Express."

"O." Yr oedd yr hen Berson yn ffwdanus. "Ond 'roeddwn i'n meddwl . . ."

". . . fod y rhan hon o'r pentref wedi'i chau rhag pawb ond y bobl sy'n byw yma?" Yr oedd golwg hunanfodlon ar y gohebydd. "Mae ffyrdd, wyddoch chi."

"Ella nad ydi croesi cae yn gymaint â hynny o wrhydri."

Ni siaradai'r hen Berson yn gas, ond yr oedd ei eiriau'n ddigon i ddod â dicter sydyn i lygaid y gohebydd am ennyd. Ond rhoes ei broffesiynoldeb ar waith.

"Mi hoffwn i ofyn un peth neu ddau i chi, fel Ficer y lle 'ma." Yr oedd yn swnio braidd yn ddirmygus wrth ddweud hynny, fel pe na bai'r lle i fyny â'r gofynion. "Beth ydi'ch teimladau chi, syr, ynglŷn â'r helynt yma? A fyddech chi'n rhoi neges i'r terfysgwyr, neu i'r gwystlon, yn—yn rhinwedd eich swydd, felly?"

Ni roddai Ambrose Morgan yr argraff ei fod am aros i siarad nac i wneud datganiad. Fe'i gosododd ei hun, o hen arfer, fel pe bai ar gychwyn.

"'Rydw i'n gweddïo," meddai'n syml, "y bydd y bobl sy'n dal y teulu annwyl yna mewn cymaint arswyd yn gweld eu camgymeriad ac yn sylweddoli anghristiondeb eu gweithred, ac yn eu gollwng yn rhydd yn ddianaf yn fuan iawn."

Penderfynodd y Person y byddai hynny o eiriau'n ddigon, ac aeth ymlaen, gan fwmian cyfarchiad o ffarwél i'r gohebydd.

"Elli di ddim gwneud yn well na hynna, y diawl?"

Ni fwriadai'r gohebydd i'r Person ei glywed, ond fe glywodd Ambrose Morgan. Nid arhosodd.

"Na fedraf," meddai, heb boeni a oedd y gohebydd yn ei glywed ai peidio, "'fedrai i ddim. 'Fedri ditha ddim chwaith, gyfaill."

Ni chlywodd y gohebydd. Ni fyddai wedi deall, prun bynnag. Aeth i'r siop. Yr oedd y siopwr wrth y drws, wedi bod yn gwrando.

"'Rydw i'n gwerthu llawer o'ch papur chi,—yn yr ha', pan fydd 'na gyfle i'w werthu o."

Nodiodd y gohebydd yn gymeradwyol.

"Mae'ch Ficer chi am weddïo."

"Hy! Dyna'r unig beth y medr o'i wneud. Hynny, a phregethu politics."

"O, felly?"

"Dyna y maen nhw i gyd yn ei wneud, 'te? Blydi iaith hyn a blydi iaith llall. Mae o a'i deip yn ormod o gachgwn i wneud dim byd ond siarad. 'Dawn i ddim i'w hen eglwys o . . ."

Yr oedd y siopwr yn siwr mai dyna'r hyn yr oedd ar y dyn dieithr eisiau ei glywed. Yr oedd sôn hyd y pentref fod ambell arwydd o dyndra'n ei amlygu'i hun rhwng y trigolion a chynrychiolwyr y Wasg, ac nad oedd presenoldeb cynifer o blismyn ac o filwyr yn gwneud fawr ddim ond ychwanegu at yr annedwyddwch. Nid argraff felly o'r pentref y dylai pobl y Wasg a'r Cyfryngau ei gael o gwbl; ni fyddai hynny o unrhyw fudd i neb. Rhoes ei wên orau.

"A be ga' i 'i wneud i chi, syr?"

Nid y siopwr oedd yr unig un a diddordeb ganddo yn nyn yr Express. Pan gyrhaeddodd yr hen Berson lidiart y Rheithordy, yr oedd gŵr ifanc yn dod i'w gyfarfod.

"'Welsoch chi o?"

"Gweld pwy, Dewi?"

"Yr hen ddyn 'na."

"Y dyn papur newydd?"

"Dyna be oedd o? Mi gaiff o bapur." Yr oedd wyneb y gŵr ifanc yn goch gwyllt. "Mi gerddodd yn syth ar draws y cae gwair, drwy 'i ganol o. Yr hen go-o-ythral iddo fo." Gwridodd yn waeth wrth sylweddoli mor agos y bu hi arno, a daeth fflach o ddireidi i lygaid y Person. "I be mae isio cymaint ohonyn nhw, meddwch chi?" Yr oedd yn amlwg ar fab y fferm nad oedd yn disgwyl am ateb i'w gwestiwn.

"Yn y siop y mae o, Dewi."

"O, felly? Tebyg at ei debyg, mi wranta."

Nid oedd Ambrose Morgan am gydfarnu.

"Dal yr un fath y mae pethau i lawr yna?"

"Ia." Sadiodd Dewi wrth glywed y Person yn sôn am y pentref, a meiriolodd yn sydyn. Arhosodd i bwyso ar wal y Rheithordy. "Mae 'na baratoi. Mae 'na baratoadau mawr yn cael eu gwneud. Maen nhw wedi gwneud llwybr ar draws y cae rŵan fel y medran nhw fynd fel y mynnon nhw i'r drws nesaf heb i neb eu gweld nhw o dŷ Robin. Am ei ruthro fo y maen nhw, i chi . . . mi fûm i'n edrych am Robin bore. Mi ges i dipyn o drafferth i berswadio'r plismyn i adael i mi gael ei weld o, ond mi lwyddis i yn y diwedd."

Arhosodd Dewi, fel pe bai arno ofn mynd ymlaen. Bron nad oedd yn edifar ganddo ei fod wedi dod ar frys gwyllt ar ôl dyn dwl a oedd yn difetha gwair. Pan gofiai am bicil Robin, yr oedd holl gaeau gwair y wlad yn ddibwys. Buasai Robin ac ef yn weision priodas i'w gilydd.

"Y peth cyntaf yr ydw i'n ei weld drwy'r ffenest bob bore, Mr. Morgan," meddai'n ofnus, "ydi'r tŷ 'na. 'Rydw i'n edrych ac yn edrych arno fo, yn trio dyfeisio ffyrdd o gael Rhian a'r plant a'i mam allan yn ddiogel. Mae 'nhu mewn i'n sgrechian arna i i wneud rhywbeth i helpu, rhywbeth heblaw edrych, ond 'fedra i ddim. 'Fedra i ddim codi un bys bach i'w helpu nhw."

Edrychodd Dewi draw. Mynnai lwmp ei dagu.

"Sut oedd Robin heddiw?"

"Yr un fath. Yn fwy anobeithiol os rhywbeth. Ond mi ddychrynis i pan welis i Mathew Roberts. Dduw mawr, mae 'na rywbeth wedi gafael ynddo fo. Be fedrwn ni ei wneud, Mr. Morgan?"

"Maen nhw'n dweud i mi mai hwyaf yn y byd y byddan nhw yn y tŷ, mwyaf yn y byd o obaith sydd 'na i'r holl beth orffen yn dawel." Yr oedd rhyw olwg bell yn llygaid yr hen Berson, golwg bell a phoenus. "Er 'wn i ddim sut y maen nhw'n gallu penderfynu hynny chwaith . . . Ond mae arna i ofn, sut bynnag y try petha . . . mae arna i ofn. Hyd yn oed os bydd Rhian a'r teulu'n iawn, mi eill pethau fod yn ddrwg ac annymunol yr un fath . . . ond ella mai fi sy'n meddwl . . . ella 'mod i'n . . . 'wn i ddim, wir."

Edrychai Dewi mewn penbleth arno. Yr oedd yr hen Berson fel pe'n dechrau ffwndro.

"'Dydi o ddim gwahaniaeth am y lleill, nac ydi?" gofynnodd. "Mae'r rheini i gyd yn gofyn am beth bynnag a ddaw iddyn nhw, on'd ydyn?"

"Mae'n anodd, fachgen . . ."

"Anodd? 'Dydi hi ddim yn anodd i mi. Yr Arglwydd mawr, Person, fedrwch chi ddim cymryd arnoch gyfiawnhau bodolaeth pobl fel y rheina, heb sôn am eu gweithredoedd nhw. 'Tasan nhw'n cael eu gollwng i'r awyr iach rŵan, mi fyddai pobl y pentre 'ma'n eu llarpio nhw'n fyw. Mi wyddoch hynny."

"Mae adwaith y tyrfaoedd wedi bod yn hawdd i'w broffwydo erioed, Dewi. Ac yn hawdd i chwarae arno fo."

Yr oedd Dewi'n rhythu'n anghrediniol arno.

"'Rydach chi'n eu cyfiawnhau nhw!"

"Dyna'r peth olaf a wna i, Dewi bach, y peth olaf un."

"Mi fyddwn i'n meddwl, wir Dduw. 'Roedd Robin yn eich brolio chi bore 'ma."

Daeth y boen yn ôl i lygaid y Person.

"'Dydan ni ddim yma i gael ein brolio, Dewi."

Ni fedrai Dewi feddwl am ateb. Yr oedd awel led-gynnes yn dechrau codi o'r môr, ac yn chwarae â'i wyneb. Pe bai'r byd heb fod newydd ddrysu, byddai wedi cael mynd â'i wraig a'i fab bychan i chwarae ar y traeth am y prynhawn. Pe bai'r byd heb fod newydd ddrysu, ni fyddai'n sefyll ar ochr y bobl i wal y fynwent yn dal pen rheswm â'r Person a'i priododd, ac y teimlai'n sydyn ei fod yn dechrau ei adnabod.

"Mae 'na rywun wedi'ch brifo chi ryw dro, on'd oes, Mr. Morgan?"

Edrychodd yr hen Berson i fyw ei lygaid am funud, cyn gwenu'n drist.

"Mae'r hen fyd 'ma'n gallu bod yn ddi-ddal ac yn annirnadwy, Dewi. 'Rwyt ti'n ddigon call, wedi dod adra i ffermio hefo dy dad ac i fagu dy deulu yn dy gynefin. Ella nad ydan ni'n gwerthfawrogi digon ar bethau fel 'na'n aml. Ella ein bod ni wedi mynd i boeni gormod am drimins, ac i'w chwyddo nhw y tu hwnt i bob rheswm, a'u gadael iddyn nhw wneud i ni golli gafael ar y pethau go iawn, y pethau sy'n cyfrif. Ond mae'n anodd fachgen, mae'n anodd."

Yr oedd yr hen Berson wedi troi mymryn ar ei ben i syllu i gyfeiriad y llwybr ym mhen draw'r fynwent, a'r rhan fechan o'r garreg dywyll a welid o'r lôn.

"Gobeithia'r gorau, Dewi, gobeithia'r gorau. Yn y diwedd mae'n rhaid i ddaioni drechu."

Agorodd yr hen Berson y llidiart.

"Mae gynnoch chi fwy o ffydd na mi," meddai Dewi wrth symud o'r wal, "mwy o ffydd na neb arall yn y pentre 'ma. Ar ôl yr hen ddyn papur newydd 'na y deuthum i yma; erbyn hyn mae rhedeg ar ôl hwnnw'n edrych yn beth plentynnaidd i'w wneud. Er mae arna i flys aros amdano fo i roi hanes ei nain iddo fo. Be 'di'r ots ganddo fo am Rhian a Robin? 'Welodd o 'rioed mohonyn nhw. Y cwbl y mae o a'r lleill 'na 'i isio ydi drama. Yr adar corff uffar."

"'Rwyt ti'n iawn, mae'n siwr, Dewi," atebodd Ambrose Morgan, "er nad wyt ti fawr elwach o'i ddweud o. Gobeithia'r gorau, Dewi."

Gwyliodd Dewi ef yn cerdded yn araf bryderus ar hyd y llwybr concrid i'w dŷ. Mae'r hen ŵr yn dechrau torri, meddyliodd. Trodd, a cherddodd yn betrusgar tua'r siop.

V

Byddai'n well pe bai'n niwl, neu'n stido bwrw, neu'n ganol gaeaf. Ni fyddai ei sylw'n cael ei fynnu mor llwyr wedyn. Fel hyn, yr oedd yn amhosib. Methai Heilyn yn lân â thynnu ei lygaid o'r tyllau bach yn y llenni ar y ffenest ben grisiau.

Newydd godi yr oedd, wedi prynhawn o gwsg anesmwyth yng ngwely Rhian a'i mam. Yr oedd wedi mynd i'r gegin i gael tamaid i'w fwyta, ac wedi dod yn ei ôl i ben y grisiau am fod pethau'n o dynn i lawr. Yr oedd Marian yn flin a bygythiol, a Charl fel pe'n dechrau pwdu, gan wylltio fel plentyn am y peth lleiaf. Clywsai Heilyn yn rhywle bod pob arweinydd mawr yr un fath, unwaith y byddai'n dechrau peidio â chael ei ffordd ei hunan. Y sylw i gyd neu sorri'n bwt.

Camgymeriad fu iddo edrych drwy'r ffenest o gwbl. Ar yr haul yr oedd y bai i gyd. Prydferthwch creulon hwnnw'n paratoi i fachlud a'i hudodd, ac a bentyrrodd atgofion fel cawodydd didrugaredd am ei ben. Arwydd bod pethau ar-i-fyny fu machlud braf iddo erioed, o'r dyddiau hynny pan oedd min nosau dechrau'r haf yn hudo rhywun yn felys i bob rhyfeddod a oedd gan draeth di-dwristiaid i'w gynnig, pan oedd gwaith ysgol ac arholiadau haf yn bethau i'w hanwybyddu'n herfeiddiol. Pan oedd machlud haul yn egwyl rhwng gwneud bomiau i eraill, iddo ef yr oedd yn beth cyfrin, bron yn gysegredig. Ar fachlud haul byddai'r byd yn gwneud synnwyr.

O'i flaen, yr oedd arwyddion bod y plismyn a'r milwyr yn brysurach, ac yn barotach i'w dangos eu hunain. Yr oeddynt yn amherthnasol. Yn y pellter, ar y môr, yr oedd cwch bychan yn croesi'r bae, gan ddynesu'n raddol at y lan yr un pryd. I Heilyn, yr oedd y cwch yn cyfrif, yr oedd yn gallu bod ynddo'n gwrando ar glecian eiddil y dŵr yn erbyn ei ochrau yn cystadlu'n bitw â phytian difyr yr injan. Efallai fod macrell gynta'r tymor wedi llonyddu'n geg a llygad agored ar y sgotals. Efallai fod haldiad ohonynt wedi bwrw'u cen ymhobman, ar ddillad ac ar ddwylo. Gwyliodd y cwch yn diflannu wrth iddo gyrraedd llwybr y machlud, a daliodd i edrych er mwyn ei weld yn dod ohono yr ochr arall. Cyn hir, daeth smotyn du i'r golwg, a chyn pen dim yr oedd wedi tyfu'n gwch drachefn. Yna, ar amrantiad, gwyddai Heilyn beth oedd yn bod arno ef ei hun. Yr oedd yr hunan-dwyll drosodd. Yr oedd arno eisiau byw.

Yn sydyn, yr oedd mewn panig. Yr oedd arno ofn i Marian sylwi, ac ofn yr helynt a'r storm a fyddai'n derfynol wrth i'r Mudiad adweithio gyda hynny o gryfder a oedd ganddo ar ôl ei yn erbyn. Nid oedd y Mudiad yn werth marw drosto; nid oedd dim yn werth marw drosto. Pe bai'n cael ei ffordd ei hun, ac yn cael awdurdod o unrhyw fath, byddai Mudiad Carl a Marian, fel pawb a phopeth arall, yn defnyddio'i awdurdod i'w warchod ei hun o flaen dim arall, i'w warchod ei hun, a diystyru pawb arall. Yr un dulliau a fyddai gan Carl a Marian i gynnal eu Chwyldro ag a oedd ganddynt i'w chreu. Nid oedd wadu ar hynny mwyach.

Nid oedd y Mudiad yn werth marw drosto. Dim ond ffyliaid a fyddai'n marw dros bobl neu dros werthoedd pobl. Cofiai iddo ffraeo ynghylch hynny hefyd gyda'i dad, ffrae hir, wirion, gydag ef ei hun yn gwawdio bob yn ail â gweiddi, a'i dad yn gwylltio'n ddistaw ac yn dangos ei siom yn uwch. Ef, gydag awdurdod terfynol, yn rhoi'r blydi lob ylwch-chi-fi hwnnw o Nasareth yr oedd ei dad yn brywela cymaint yn ei gylch yn ei le, a'i dad yn edrych i bobman mewn cynddaredd ac anobaith. Erbyn heddiw yr oedd yn edifar ganddo, yr oedd yn edifar ganddo o eigion ei galon. Yr oedd arno eisiau siarad â'i dad, siarad gydag ef fel na siaradodd erioed o'r blaen, a dweud wrtho am y cwch bach, ac am y machlud, ac am Rhian a'i phlant. Yr oedd arno eisiau dweud wrtho mai ef, ei dad, oedd yn iawn. Yr oedd arno eisiau dweud wrtho fod arno ef ei hun eisiau byw.

Yr oedd sŵn ar y grisiau y tu ôl iddo. Trodd, a golwg wyllt yn ei lygaid.

"Be sy'n bod Heilyn?"

"Y?"

"Be sy'n bod?"

Yr oedd Sean wrth ei ochr yn sydyn, ac yn rhoi ei lygaid yn y llenni. Ni wyddai Heilyn beth i'w ddweud. Syllodd Sean drwy'r llenni am ychydig. Yna, trodd yn ôl i wynebu Heilyn. Gwridai Heilyn.

"Ydi'r lle 'ma ddim yn dechrau tarfu ar dy nerfau di, ydi o?" gofynnodd Sean yn dawel.

"Na. Nac ydi." Siaradai Heilyn yn gyflym, yn rhy gyflym. "Na na."

''Mi fyddai dweud 'na' unwaith wedi bod yn ddigon,'' meddai Sean, yn dawel o hyd. ''Be sy'n bod, was?''

Ceisiodd Heilyn swnio'n ddidaro.

''Fawr o ddim, achan.'' Ceisiodd chwerthin. ''Rhywbeth bach rhyngo i a'r haul 'na.''

Trodd Sean yn ôl i syllu drwy'r llenni.

'''Dydw inna ddim isio marw chwaith, Heilyn.''

''Am be . . .''

Trodd Sean yn ei ôl.

'''Does 'na ddim o'i le yn hynny, achan. Dim ond byd ddim yn gall sy'n galw pobl isio byw yn gachgwn.''

'''Dawn ni ddim o 'ma, Sean. Mae'n rhy hwyr.''

''Mae pawb yn methu weithiau. 'Dydi ddim yn rhy hwyr i ti fynd i astudio Cymdeithaseg yn Walton.''

Ysgydwai Heilyn ei ben.

'''Dydi'r dewis hwnnw ddim yn bod, Sean. 'Roedd hi'n rhy hwyr i hynny pan aethon ni i mewn i'r Mudiad gyntaf un. Mi ddylen fod wedi gweld . . .''

'' . . . nad ydi'r Mudiad yn dda i ddim.''

''Nid hynny, Sean. 'Roedd y syniad yn iawn. Ond 'roedd 'na rywbeth o'i le yn 'i weithrediad o. Byw ar wendidau'r Drefn oedden ni,—byw ar ysbeilio'r Drefn. Nid er mwyn ei dirmygu hi yr oedd Marian yn cymryd ei chynnal gan y Drefn, ond am na fedrai hi fyw hebddi. 'Tasa Cymdeithas wedi chwalu, mi fyddai'r Mudiad wedi chwalu hefyd. 'Dydi o'n ddim ond Mudiad anarchiaeth arall yn y pen draw, wedi ymgolli gymaint mewn cynlluniau i ddinistrio'r Drefn nes ei fod o wedi mynd yn ddibynnol arni hi. Mi fyddai Mudiad go iawn wedi gallu gwneud y pethau yr oedden ni i fod i'w gwneud, a chadw o fewn hyd braich.''

''Pam na ddwedwn ni hyn wrthyn nhw?''

''Wrth Carl a Marian?''

''Mae'n ddrwg gen i,'' meddai Sean, ''mae'n rhaid 'mod i'n dechrau drysu.'' Petrusodd. '''Does 'na ond un peth arall ar ôl.'' Trodd at y llenni drachefn. ''Eu saethu nhw.''

Nid atebodd Heilyn. Pan drodd Sean o'r ffenest i'w wynebu, yr oedd Heilyn yn rhythu arno, a'i geg yn crynu.

''Saethu Carl a Marian?''

''Os ydyn nhw gymaint â hynny ar gyfeiliorn . . .''

''Na,'' torrodd Heilyn ar ei draws, '''wnaiff hynny ddim gweithio chwaith. 'Wnaiff hynny ddim gweithio. Maen nhw'n agosach i'w lle na . . . a phrun bynnag, 'rydan ni'n rhy glòs.''

''Mi saethet y ddau i amddiffyn Rhian a'r plant 'ma, Heilyn.''

Am yr eildro yn yr un munud yr oedd Heilyn yn fud. Gwenodd Sean yn sydyn.

''Hidia befo,'' meddai. ''Paid â phoeni. Mi fedra i ddarllen dy wyneb di'n well na neb arall yn y tŷ 'ma. 'Dwyt ti ddim yn datgelu llawer, dim ond digon i mi wybod be sydd ar dy feddwl di. Prun bynnag, 'fydden ni ddim yn sôn am hyn wrth ein gilydd 'blaw ein bod ni'n deall meddyliau'n gilydd yn iawn.''

''Fyddai saethu Carl a Marian ddim yn gweithio, Sean.''

''Na fyddai, Heilyn. 'Rwyt ti'n iawn. 'Weithia fo ddim.''

''A 'dydi'r plismyn ddim yn mynd i ildio.''

''Yr un fodfedd.''

''Does 'na un dim amdani felly, nac oes? Dim ond ei aros o. Gweld yr haul yn machlud ddaru mi. Dyna be oedd. Hwnnw wnaeth i mi ddechrau meddwl.''

''Does 'na ddim o'i le mewn meddwl, nac oes?''

Aeth Sean i lawr y grisiau. Syllodd Heilyn ar ei ôl, cyn troi at y llenni. Yr oedd syniadau annifyr yn dechrau cyniwair blith draphlith yn ei ben, a gwyddai nad oedd le iddynt.

Yr oedd yr haul wedi dechrau boddi. Yn ei fyw ni allai gadw'i lygaid oddi arno. Clywsai am bobl yn cael eu dal gan y lleuad, pobl a oedd yn destun gwatwar cymdeithas am eu bod felly. Testun beth oedd syllu ar yr haul, tybed? Testun gwrthuni? Pe bai'n mynd allan o'r tŷ ac i'r pentref byddai'n cael ei golbio, ei ddyrnu a'i gicio, i farwolaeth. Yn un o drefi Israel yr oedd dau neu dri o Arabiaid a laddasai rai o'r trigolion wedi cael eu dal gan y dyrfa, a'u lladd, a'u llosgi'n lludw. Yr oedd casineb felly'n codi ofn ar rywun. Yr oedd gwybod bod pobl gyffredin yn ysu am gael gwneud yr un peth iddo ef y munud hwnnw'n codi arswyd arno.

Yr oedd sŵn eto ar y grisiau. Yr oedd Rhian yn dod i fyny, gan gario Deian yn ei breichiau. Yr oedd y babi'n cysgu'n braf. O'u hôl deuai Carl, yn eu gwylio.

''Ydi pob dim yn iawn, Heilyn?''

''Mae 'na fwy o brysurdeb.'' Rhyfeddai Heilyn ei fod yn gallu siarad mor naturiol gyda Carl, mor fuan ar ôl ei drafod gyda Sean. ''Mae 'na fwy o symud yn eu mysg nhw.''

"Dangos eu hunain y maen nhw."

"Ia, ella."

"Cadw'u hunain rhag rhynnu."

"Rhynnu? A'r machlud mor . . . Ia, rhynnu ella. Be sydd am ddigwydd, Carl?"

"'Fydd 'na ddim ildio, Heilyn."

"Y drwg ydi nad ydyn nhwythau am ildio chwaith."

"Mi gawn ni weld."

"Mi ddaru ni lanast, Carl."

"Do, braidd. Hidia befo, mi ddown ohoni."

"Mi wyddost ar be'r oedd y bai, gwyddost?"

"Bai?"

"Arnon ni ein hunain. 'Roeddan ni'n dwyn eu harian nhw er mwyn dal i fyw yr un fath â nhw. 'Doeddan ni'n creu dim ein hunain. Mi fyddai'r Mudiad yn well 'taem ni wedi bod ar wahân, yn tyfu'n bwyd ein hunain, yn cadw'n hunain yn annibynnol arnyn nhw."

Ysgydwai Carl ei ben.

"Na, Heilyn." Edrychodd yn syth i'r llofft gefn. "I'w troi nhw, rhaid i ti fod yn eu canol nhw, oddi mewn iddyn nhw. Nid Mudiad fyddai gen ti, ond siambr sorri. Dal di i feddwl, yr un fath. Ella y cei di syniad. 'Rydw i'n dechrau mynd yn hesb. Paid â siarad gormod hefo hon."

Aeth Carl i lawr. Edrychodd Heilyn ar Rhian yn rhoi Deian yn ei grud, ac yn troi i dacluso'i gwely ei hun. Daeth sŵn anniddig o'r crud, ac aeth hithau'n ôl ato, gan blygu i gysuro'r babi. Yna, gwyddai Heilyn fod ganddo un dyletswydd uwch popeth arall. Y cyfan a oedd yn cyfrif bellach oedd gofalu, beth bynnag a fyddai'n digwydd, nad oedd Rhian na'i mam, na'r un o'r plant, i ddioddef unrhyw niwed. Nid oedd dim arall o bwys.

6

I

"Dyma chi, Robin."

Estynnodd y Dirprwy Brif Gwnstabl gadair, ac eisteddodd Robin arni. Yr oedd ei ddwylo'n crynu y mymryn lleiaf. O'i flaen, yr oedd bwrdd a thri ffôn arno. Drwy'r ffenest, yn y gwaelod, gwelai oleuadau ei gartref yn aneglur, ac ychydig o oleuadau o'i amgylch. Nid oeddynt wedi gosod llifoleuadau arno am fod y terfysgwyr wedi bygwth eu saethu. Edrychodd ar olau ffenest y parlwr. Yr oedd Rhian yno, yn barod i siarad gydag ef ar y ffôn.

"O'r gorau." Eisteddodd y Dirprwy wrth ei ochr. "Pan ddyweda i wrthoch chi, codwch y ffôn gwyrdd. Mi siarada i hefo fo i ddechrau. Cofiwch rŵan, beth bynnag fydd eich teimladau chi, peidiwch â dweud dim os bydda i'n siarad, a pheidiwch â siarad hefo'r terfysgwr 'na os na ofynnith o yn un swydd am gael siarad hefo chi. 'Dydw i ddim yn meddwl y gwnaiff o."

"Y Cymro ydi o?"

"Ia. 'Wn i ddim be ydi ei fwriad o, ond mae'n amlwg nad ydi Carl na Marian yn gwybod dim am y peth. 'Fedr hynny fod yn ddim ond arwydd da. Rŵan 'ta, Robin, mae'n rhaid i mi'ch atgoffa chi eto i beidio â dweud dim i styrbio'r dyn 'na mewn unrhyw fodd. Cofiwch hefyd fod 'na lond y neuadd 'ma'n gwrando. Nid sgwrs rhwng eich gwraig a chi fydd hi." Gwenodd yn galonogol arno. "Barod?"

Daeth ochenaid.

"Ydw. 'Rydw i'n barod."

"Dyna chi 'ta. Mi arhoswn ni iddo fo godi'r ffôn."

"Ydach chi'ch hun yma drwy'r amser?"

"Bron iawn, Robin. Mae 'na wely yn y stafell fach 'na. 'Dydi'r ffôn ddim wedi bod ar iws rhwng tuag un ar ddeg y nos ac wyth y bore tan heno. Dim ond Carl fydd yn ffonio, a mae o'n cysgu drwy'r nos. Mi fyddaf innau'n cysgu yr un adeg ag o."

"Mae'r ffôn wedi ei godi yn y tŷ, Syr."

"O'r gorau. Barod, Robin? Reit, codwch y ffôn. Peidiwch â dweud dim nes y bydda i'n rhoi arwydd."

"Be 'di 'i enw fo?" sibrydodd Robin.

"'Wn i ddim eto. O'r gorau. I ffwrdd â ni."

Cododd y Dirprwy ei ffôn.

"Ia?"

"Ydi gŵr Rhian yna?"

Yr oedd y llais yn hollol wahanol i'r hyn a ddisgwyliai Robin, a theimlodd ddieithrwch ansicr yr holl beth yn ei gynhyrfu o'r newydd, a'i luchio oddi ar ei echel yn lân. Disgwyliasai glywed llais cras yn arthio'n orchmyngar, ond yr oedd y llais a glywodd yn dawel a di-lol, bron yn gyfeillgar. Mwy o sioc fyth iddo oedd clywed enw Rhian yn cael ei ynganu gan y dyn.

"Ydi, mae o yma," atebodd y Dirprwy.

"Mae o'n deall nad oes 'na neb o'r Wasg, nac o'r tu allan, i gael gwybod ei fod o wedi cael siarad hefo hi?"

"Ydi."

"'Wela i ddim bai arno fo os dechreuith o weiddi," meddai'r llais drachefn, a synnai Robin mor hunanfeddiannol ydoedd, "ond mae'n well iddo fo beidio. 'Wnaiff hynny ddim ond styrbio Rhian, ac ella wneud iddi hithau weiddi hefyd, a deffro pawb. Mi fyddai popeth drosodd wedyn."

"'Wnaiff Robin ddim gwylltio."

"O'r gorau 'ta. Dyma Rhian."

Rhoes y Dirprwy arwydd i Robin. Gafaelai Robin â'i ddwy law yn y ffôn.

"Robin?"

Yr oedd y llais bron yn sibrwd crynedig.

"Rhian? Rhian, wyt ti'n iawn?"

Gwrandawodd yn ddychrynedig ar ei wraig yn ceisio'i ateb, ac yn methu. Gwrandawodd arni'n dechrau wylo'n ddistaw ingol i'r ffôn. Yna daeth y llais arall i'w glust.

"Peidiwch â phoeni. Mi fydd hi'n iawn. Rhowch funud neu ddau iddi."

Yn sydyn yr oedd wyneb y Dirprwy Brif Gwnstabl yn ei wyneb ef, a'i fys yn rhybuddiol ar ei geg. Nodiodd Robin, a cheisiodd wthio dagrau'n ôl.

"Robin?"

Yr oedd y llais yn galw'i enw, yn ffyddiog. Edrychodd Robin yn frawychus ar y Dirprwy. Nodiodd hwnnw.

"Ia?"

"Mae Rhian a'r plant yn iawn. A Mrs Roberts."

Edrychodd Robin ar y Dirprwy drachefn. Nodiodd yntau unwaith yn rhagor.

"Ylwch—ylwch . . ."

Methodd Robin. Mewn tridiau di-gwsg, ni ddychmygodd o gwbl y byddai'n siarad â'r un ohonyn nhw. Methu wnâi pawb. Ni fedrai neb dynol baratoi ar gyfer peth fel hyn. Ond yr oedd y llais i'w glywed eto.

"'Does dim i boeni yn ei gylch o. Coeliwch fi."

Yr oedd llond neuadd yn gwrando'n astud, yn gwrando ar y cyfan ac yn coelio dim. Yr oedd y llais fel petai'n sylweddoli hynny, oherwydd ni cheisiodd bwysleisio ychwaneg ar ei sicrhad. Yna newidiodd y llais.

"Robin?"

"Rhian? Wyt ti'n iawn?"

"Ydw, Robin, mae pawb ohonom ni'n iawn, hyd yn hyn."

"Rhian, yli, 'rydw i wedi trio pob ffordd hefo'r plismyn 'ma i'ch cael chi'n rhydd . . ."

Teimlodd Robin law gadarn yn gafael yn ei fraich i'w dawelu. Yr oedd y Dirprwy'n ysgwyd ei ben yn rhybuddiol.

"Mi wn i, Robin."

Yr oedd llais Rhian yn gadarnach. Yr oedd Robin ar goll yn llwyr.

"Robin, ydi Taid yn iawn?"

"Taid?" Yr oedd Robin yn sydyn yn ffrwcslyd. Yr oedd y Dirprwy wedi gafael yn ei fraich drachefn, ac yn nodio'n ffyrnig. "Ydi, mae Taid yn iawn."

"Robin, wyt ti'n siwr? Wyt ti'n dweud y gwir?"

"Ydw, Rhian. Rhian, paid â phoeni amdanon ni. 'Rydan ni'n iawn. Yli, Rhian, paid â gwneud dim i beryglu'r un ohonoch chi." Yn sydyn, ni wyddai Robin a oedd yn ei hadnabod ai peidio. "Paid â gadael . . . Rhian . . ."

"Mae 'na dri ohonyn nhw'n well na'r ddau arall, Robin. Ne' maen nhw'n cymryd arnyn eu bod nhw. O leiaf 'dydyn nhw ddim yn chwifio'u gynnau uwch ein pennau ni bob munud . . . Mae o'n dweud wrtha i am beidio â'u trafod nhw, Robin."

Ac yna gwyddai Robin fod ar ei wraig lai o ofn nag ef. O rywle daeth fflach iddo y byddai popeth yn iawn. Ond yna yr oedd un o'r syniadau y bu'n eu paratoi drwy'r gyda'r nos yn llenwi ei feddwl.

"Rhian, gofyn iddo fo a ga' i fynd yna yn eich lle chi. Gofyn iddo fo a gymrith o Dewi a fi. Mi ddeuai Dewi . . ."

Yr oedd y llaw am ei fraich eto, a'r pen yn ysgwyd.

"Na wnaiff, Robin. Mae o'n ysgwyd ei ben."

"Rhian . . ."

"Paid â phoeni, pwt. 'Rydan ni'n iawn."

Yna gwyddai fod Rhian yn wylo eto, a daeth y llais arall i'w glust.

"Ella y byddai'n well i ni fynd rŵan, rhag ofn i un o'r lleill ddeffro. Mi fyddan nhw'n iawn."

Aeth ffôn y tŷ i lawr. Rhoes Robin y ffôn gwyrdd i'r Dirprwy, a rhoes ei benelin ar y bwrdd a phwyso'i ben yn ei law.

"'Doedd hi'n fawr o sgwrs, nac oedd?"

"'Doedd 'na fawr i'w ddisgwyl, Robin."

"O leiaf mi gefais glywed ei llais hi."

"Do."

"Mae hynny'n well na . . ."

"'Wnaeth o les i chi?"

"I mi?" Edrychodd Robin yn syn am ennyd. "Do," meddai'n betrus mewn eiliad neu ddwy, "do, mi ddaru. 'Rydw i'n well ar ôl —ar ôl ei chlywed hi."

"Da iawn. A Robin, dwedwch hynna wrth eich tad-yng-nghyfraith. A mi fedrwch ddechrau codi'ch calon. Dim gormod. Peidiwch â meddwl ein bod ni wedi ennill, eto. Mi fedr unrhyw beth ddigwydd o hyd. Ond mae 'na well gobaith rŵan."

"Be fydd eich pobl chi yn y neuadd 'ma'n ei wneud o'r peth?"

Mae gen i syniad go lew, meddyliodd y Dirprwy.

"O," atebodd, "mi ân drwy'r sgwrs drosodd a throsodd. Ond, fel 'rydach chi'n dweud, 'does 'na fawr iddyn nhw i'w drin. Ella y dôn nhw o hyd i rywbeth, ac ella na wnân nhw ddim."

"'Does gynnoch chi fawr o feddwl ohonyn nhw, nac oes?"

"Bobol!" Gwenai'r Dirprwy yn gynnil. "Be sy'n gwneud i chi feddwl y fath beth?"

II

Yr oedd tipyn mwy nag arfer yn yr eglwys. Edrychai'r hen Berson o amgylch y seddau'n drist. Nid oedd yn synnu gweld mai dyrnaid prin oedd yno gyda golwg rywbeth yn debyg i addolgar ar eu hwynebau. Yr oedd y plismyn wedi gadael i bawb a oedd yn dymuno mynd i'r eglwys fynd drwy'r fferm y bore hwnnw, ac yr oedd y Wasg, yn enwedig, wedi manteisio ar hynny. O'i flaen, yr oedd llawer wyneb dieithr, wynebau chwilfrydig, busneslyd. Yr oeddynt yn mynd i gael ail.

Gwrthodasai ganiatáu i'r dynion teledu ddod â'u camerâu i'r gwasanaeth. Yr oedd wedi dweud wrthynt hefyd fod y gwasanaeth Saesneg wedi bod ers dwyawr; nid oedd am newid y drefn er mwyn y rhai hyn. Nid oedd yr un ohonynt wedi dod yno i unrhyw bwrpas amgen na busnesa, prun bynnag. Nid bendith i gyd oedd i'r plismyn agor y ffordd drwy'r fferm er mwyn i bawb gael arfer ei ryddid i addoli yn ôl ei ddewis. Paratôdd i ddechrau'r gwasanaeth, gan geisio anghofio bod dwy o seddau poenus o wag yng nghanol yr eglwys.

Yr oedd ei bregeth, pan ddaeth, yn gadarn a dwys. Siaradai'n syml a phwyllog, ond gydag argyhoeddiad diysgog. Yma a thraw o ben draw'r eglwys clywai sisial cyfieithwyr. Yr oedd yr wynebau dieithr yn dangos yn ddigon eglur nad oeddynt yn or-hoff o'i neges.

Rhoes ei bregeth i gyd i'r terfysgwyr a'r gwystlon. Cyn iddo siarad llawer, daliwyd ei sylw gan un wyneb dieithr yn syth o'i flaen yn syllu arno'n drahaus. Pregethodd am ychydig i'r wyneb. Dywedodd nad oedd ddiben condemnio cyn ceisio deall, a throes y traha'n ddirmyg. Dywedodd fod ceisio deall yn aml yn anodd, weithiau'n boenus, weithiau'n ymddangos yn annerbyniol. Dywedodd fod condemnio bob amser yn hawdd, a phob amser yn dderbyniol, a hyd yn oed yn boblogaidd am ei fod yn bodloni chwantau anghynnes dyn. Gwelodd y dirmyg yn yr wyneb yn troi'n wfft. Teimlai ias anghyfeillgar ac anghymeradwyol yn cerdded yr eglwys. Nid oedd wahaniaeth ganddo. Nid oedd bwrpas mewn glastwreiddio pregeth i blesio anghredinwyr. Yr oedd ei erfyniad i'r terfysgwyr yn llawn angerdd, a diffuantrwydd ei lais yn mynnu sylw, er y gwyddai fod barn ddi-droi'n-ôl eisoes wedi ei ffurfio amdano gyda rhan gyntaf ei bregeth. Nid hynny a'i poenai, ond ei fod yn ymatal rhag dweud y cwbl. Teimlai ei fod rywfodd yn bradychu ei gynulleidfa reolaidd. Byddai eu hangen arno pe deuai'r storm.

Erfyniodd ar i'r terfysgwyr ollwng y teulu'n rhydd. Gofynnodd iddynt gofio'u plentyndod eu hunain, gofynnodd iddynt gofio'u bod wedi cael eu magu yng nghysgod eglwys neu gapel, bob un ohonynt. Ni allai gredu nad oeddynt. Gofynnodd iddynt sylweddoli nad trwy boenydio un teulu diniwed yr oedd i neb droi cymdeithas na chyrraedd nod. "Beth bynnag yw ei wendidau, pa rymoedd bynnag sy'n ei gamddefnyddio a'i sarnu, un bywyd sydd gennym," meddai, gan deimlo'n fwyfwy mai siarad â gwagedd yr oedd, ac nid â phobl. "Un waith yr ydym yn cael y rhodd honno, un cynnig sydd gennym ni arni. Ein dyletswydd felly yw parchu, nid yn unig ein bywyd ni'n hunain, ond bywydau pawb arall." 'Rydw i'n trio, O Dduw, meddai'n ddistaw bach, 'tawn i fymryn haws.

Yna, i orffen, rhoes ei gynnig ef ei hun. Dywedodd wrth ei gynulleidfa syfrdan ei fod am ofyn i'r plismyn drefnu gyda'r terfysgwyr i gyfnewid eu gwystlon amdano ef ei hun. Yr oedd am ychwanegu mwy pan deimlodd ei fod wedi cael hen ddigon. Gorffennodd yn swta. Gwyddai y byddai llawer tro ar fyd cyn y byddai'n arwain gwasanaeth wedyn.

III

Bu geiriau Robin yn dyrnu drwy ben Rhian ar hyd y bore, ond teimlai eu heffaith yn gwanhau fel y cynyddai'r prysurdeb, a'r arthio, yn y tŷ. Pe bai Robin yno, ni fyddai wedi ei siarsio i beidio â gwneud dim a fyddai'n peryglu yr un ohonynt. Oherwydd pe bai Robin yno, byddai'n gwneud rhywbeth ei hun. Am hynny, penderfynodd hithau mai ei chynllun hi, ac nid siars Robin, a fyddai'n cario'r dydd. Yn y man, cafodd reswm arall.

Yr oedd wrthi'n paratoi cinio Sul, orau y medrai, ac yr oedd yn gyfle di-ail, gan fod digon o lestri a sosbenni hyd y lle, a phawb yn y tŷ yn effro, ac yn mynd a dod o'r gegin fach bob munud. Buasai'n gwylio Marian drwy'r bore. Nid oedd honno wedi bwyta nac yfed dim ers iddi gael ei brecwast. Cyn hir, byddai arni eisiau diod, yn ddiamau; yr oedd arthio a chega'n waith sychedig. Ac yna daethai'r newyddion ar y radio. Y peth cyntaf un a glywodd oedd enw'r Person.

Daeth dau adwaith i hynny. Adwaith Heilyn oedd yr hynotaf, ei bendantrwydd ef, pendantrwydd a oedd yn fwy brawychus na dim arall, wrth siarsio'r pedwar arall nad oeddent i ystyried cynnig y Person i'w roi ei hun yn lle'r gwystlon ar unrhyw gyfrif. Gyda'i eiriau, cynyddodd ei hofn a'i hanobaith hithau, a chynyddodd yr ansicrwydd dychrynllyd.

Adwaith Marian oedd y creulonaf. Yr oedd hi wedi gweiddi chwerthin, rhuo chwerthin dros y tŷ, nes dychryn Rhonwen i grio. Hen chwerthin gwneud, cras, annynol. Gwnaeth hithau benderfyniad, ar amrantiad. Ni fedrai Robin ddeall, heb iddo fod yno'n gwrando ar ddiawledigrwydd cariad arweinydd mawr y Mudiad.

Marc oedd yn ei gwylio, yn eistedd yn dawedog ar stôl, a'i ben yn pwyso ar y wal y tu cefn iddo. Yr oedd hi wedi agor y cwpwrdd uchaf, ddwywaith, ond yr oedd ef yn ei gwylio'n gwneud hynny bob tro, ac nid estynnodd hi ddim ohono. Dechreuodd ofni na ddeuai'r cyfle o gwbl, oherwydd yr oedd yn rhaid gwneud yn syth, cyn y byddai adlais y chwerthin wedi mynd o'i chlustiau.

Daeth y cyfle. Cododd Marc, ac aeth o'r gegin fach, gan weiddi ar Heilyn i ddod yno yn ei le tra byddai ef yn mynd i'r toiled. Fel ag yr oedd yn mynd drwy'r drws yr oedd y botel o'r cwpwrdd uchaf yn cael ei gwagio i fŵg Mistar Urdd Rhonwen. Yr oedd y botel yn ei hôl yn y cwpwrdd y munud hwnnw, a phaced o dabledi lleddfu poen yn cael ei wagio i'r mŵg. Cymerai arni mai rhywbeth arall oedd yn y gwpan; ni fedrai Robin ddeall, heb fod yno. Nid powdr lladd yr oedd yn ei baratoi. Pe bai Robin yno, byddai wedi gwneud hyn ers deuddydd, byddai ef wedi ei wneud y munud y daethent i'r tŷ. Yr oedd y tegell yn hir yn berwi, yn rhy hir. Yr oedd ei hwyneb yn mynd i'w bradychu.

"Iawn, Rhian?"

"Y?"

"'Rydach chi'n edrych yn boeth iawn."

"O. Y stêm. Y stêm 'ma o'r teciall. Mi fydd Robin yn dweud wrtha i o hyd am droi ei big o y ffordd arall."

"'Dydi llosgi ddim yn beth call iawn i'w wneud."

Eisteddodd Heilyn ar y stôl, a cheisiodd Rhian fygu ei

chryndod. Penderfynodd nad oedd yn ddoeth gwneud dim mwy yn y dirgel, a thywalltodd ychydig o ddŵr berwedig i'r mẁg. Estynnodd fforc, a churodd y gymysgedd yn swnllyd fel petai'n curo wyau. Ni chymerai Heilyn sylw yn y byd.

Diod cwrins duon oedd orau. Gan hwnnw'r oedd y blas cryfaf. Rhoes ddogn helaeth ohono yn y mẁg, a dŵr oer o'r tap am ei ben. Gadawodd le i roi ychydig o ddŵr poeth yn ychwaneg rhag ofn iddo oeri cyn i honno ddod i'r gegin fach i'w yfed o ran sbeit.

A phan glywodd eu sŵn yn dynesu, llais honno oedd y cyntaf i'w glywed yn glir. Rhoes ei bys yn y mẁg yn orffwyll. Yr oedd ar y diod angen mwy o wres. Tywalltodd ychwaneg o ddŵr o'r tegell iddo, a rhoi un tro olaf iddo â'r fforc cyn ei roi mewn lle y gobeithiai ei fod yn lle didaro ar y stof wrth ei hochr, yn union fel pe bai wedi ei roi yno am eiliad tra oedd yn chwilio am rywbeth arall. Lle i beidio â chodi amheuon yn neb. Lle i honno gael gafael ynddo, a'i yfed i'r gwaelod un. Yna daethant i'r gegin, gan ddal i siarad. Bu bron iddi â rhoi sgrech. Yr oedd y mẁg wedi mynd.

Yr oedd fel oes. Yr oedd y peth yn para am byth, a hithau'n sefyll o flaen y tegell, a phob gewyn o'i heiddo wedi fferru.

"Ych a fi! Pych! Mae'n well gen i o'n oer."

Caeodd Rhian ei llygaid. Llais Sean ydoedd.

Wrth gwrs ei bod yn eu casáu i gyd, bob un ohonynt. Yr un peth oedd ci a'i gynffon. Prun bynnag, hi oedd yn wirion, yn credu y gallai mymryn o dabledi diniwed ladd neb mor iach a chryf ag un o'r pump yna. Eto, yr oedd cymysgedd go lew wedi mynd i'r mẁg,—arno ef oedd y bai, nid arni hi. Os oedd o'n gleniach na neb ond Heilyn, terfysgwr oedd o wedi'r cyfan. Yr oedd yn well ganddo Marian a Charl na hi a'i theulu. Llathen o'r un brethyn oeddynt i gyd. Ond yr hen hogan 'na oedd i fod i'w chael hi, honno a'i cheg. Yr oedd yn rhy hwyr yn awr.

"'Rydach chi'n dawel iawn, Rhian."

Yr oedd pawb ond Heilyn wedi mynd.

"Ydw i?"

"Ydach chi ddim yn difaru'ch bod chi wedi bod yn siarad hefo Robin, ydach chi?"

"Isio mwy o longyfarchion ydach chi?"

"Dyna welliant."

Edrychodd arno. Yr oedd yn gwenu arni.

"'Roeddwn i'n dechrau poeni fod 'na rywbeth yn bod arnoch chi."

"Nac oes."

Nid arnaf fi, meddyliai. Eto.

IV

O'r pellteroedd gwastad deuai sŵn cloch eglwys drwy'r awyr lonydd. Wrth graffu, gwelai Jim ei thŵr yng nghanol clwstwr o goed. Gwelai hefyd dai, a dwy briffordd. Nid pentref ar lan afon oedd arno'i angen, ond tref, tref anferth i ymgolli ynddi.

Cododd ei droed dde swiglyd o'r dŵr. Yr oedd yn well, ryw fath o well, ar ôl ei golchi, ond ni fedrai feddwl am gyffwrdd â'r swigen anferth ar ochr ei fawd. Rhoes ei droed yn ei hôl yn y dŵr, a phlygodd i olchi ei wyneb. Tybiai mai diffyg eillio oedd yn gyfrifol am y cosi o gwmpas ei ên a'i fochau, ac nid chwain. Er nad oedd, erbyn hyn, lawer o wahaniaeth y naill ffordd na'r llall. Yr oedd Jim mewn cyflwr truenus.

Breuddwyd ffŵl fu'r syniad o ddwyn car a'i gwneud hi am y ddinas agosaf. Breuddwyd ffŵl fu popeth, popeth nad oedd yn hunllef. Bu'n byw ers deuddydd ar datws cynnar amrwd a dŵr. Wrth grafangu dros wrych uchel y bore cynt, daethai ar draws nyth pioden, a chwech o wyau llwydwyrdd ynddo. Nid oedd y smotiau duon arnynt yn arafu dim ar y dŵr o'i ddannedd, a pharatôdd am wledd. Agorodd un o'r wyau. Yr oedd cyw ar hanner ei ffurfio ynddo. Pe bai ganddo rywbeth i'w chwydu byddai wedi gwneud. Malodd y gweddill o'r wyau yn ei gynddaredd, a chiciodd y nyth i ddistryw.

Yr oedd pobl ym mhobman lle nad oeddynt i fod. Nid oedd wiw iddo feddwl am fynd ar gyfyl ffordd o unrhyw fath, gan fod rhywun yn mynd heibio bob munud. Ac nid oedd y lle'n brin o blismyn. Yr oedd y rheini'n bla, gyda'u ceir a'u faniau a'u beiciau modur. A'u gwydrau. Yr oedd un o bob dau blismon yn sownd wrth sbienddrych. Fore Gwener, yn y goedwig, tybiasai mai ef oedd wedi ennill. Allan o'i guddfan, yn y byd go iawn, yr oedd popeth gryn dipyn yn wahanol.

Ond yr oedd yn symud. Drwy gadw yng nghysgod coed,

neu gyrcydu gyda gwrychoedd, llwyddai i gadw ar fynd. Yr oedd yn osgoi pob ffermdy, hyd yn oed y rhai a oedd yn edrych yn wag. Yr oedd gormod yn y fantol i geisio bod yn glyfar, oherwydd, wrth symud, yn hwyr neu'n hwyrach yr oedd yn rhaid iddo ddod i dref neu ddinas, a diogelwch.

Ond araf oedd ei daith. Gosodai nod iddo'i hun, efallai goedlan, efallai waelod bryncyn, i gyrraedd ato mewn awr. Ond rhwng ei draed amharod, a'r angen mynych am ymguddio rhag dynion, âi'r awr yn oriau, a'i ddinas noddfa'n fwy anghyraeddadwy, a'i ysbryd yntau'n is ac yn is. Bron na fyddai'n rhyddhad iddo gael ei ddal.

Ar ochr bryncyn yr oedd, yng nghysgod mieri a choed drain, yn ceisio boddi'i flinder mewn nant fechan lân a lifai i'r afon yn y gwastadedd o'i flaen. Cydochrai un o'r priffyrdd â'r afon, ac yr oedd y traffig arni'n ddi-baid. Yr oedd arno flys mynd i'r ffordd fawr, a dechrau bodio, gan gymryd ei siawns. Felly, fe âi ar ei union i dref neu ar ei union i garchar. Fel yr oedd, nid oedd yn mynd i unman. Yr oedd llai o blismyn i'w gweld ar y briffordd y bore hwnnw nag a fu. Yr oedd yn werth ystyried y peth.

Cododd ei draed o'r nant. Ar ôl bod cyhyd yn y dŵr, edrychent yn annaturiol o wyn, bron fel traed corff. Meddyliodd am draed y Padraig hwnnw y saethodd Sean ef, a cheisiodd ei daflu o'i feddwl yn syth. Ni ddeuai dim da o feddwl am y Mudiad hwnnw, na'i aelodau. Peth i'w angh-ofio oedd hwnnw bellach, pethau i'w hanghofio oeddynt i gyd. Yr oeddynt yn rhy beryg i ddim arall; gwyn fyd na fuasent erioed wedi bod. Gwyn fyd na fyddai ef yn awr, ar fore Sul, yn eistedd yn ei fflat wedi sbel ddirmygus o edrych drwy'r ffenest ar drueni'r dosbarth canol cyfoglyd yn mynd yn drahaus i'w heglwysi. Gwyn fyd na fyddai'n eistedd yn ei fflat yn darllen y papurau Sul, gan wylltio'n gandryll am eu safbwyntiau cyfalafol di-droi diddeall, a'u golygyddion ofn drwy'u tinau rhag tramgwyddo'u hysbysebwyr. Gwyn fyd na fyddai drachefn, ar amrantiad, yn gomiwnydd o athro diogel.

Ceisiodd roi ei sanau'n ôl heb iddynt gyffwrdd â'i draed. Yr oedd y crafiad lleiaf o neilon yn erbyn y swigod yn codi poen annioddefol, poen sydyn, greulon. Cyn hir byddai'n rhaid iddo gerdded arnynt, unwaith eto. Pe gallai gyrraedd y ffordd, gallai aros i fodio. Ni fyddai hynny'n brifo'i draed.

Rhoes ei esgidiau'n eu holau am ei draed. Esgidiau ysgafn

oeddynt, esgidiau blino traed a chodi swigod. Esgidiau ffansi. Gyda'u bod am ei draed, yn gwasgu arno unwaith yn rhagor, daeth y gwir yn ôl fel cawod drosto. Nid oedd ganddo obaith mul o fynd i'r ffordd fawr i ffawd-heglu heb gael ei adnabod, a'i ddal, yr oedd rheswm yn dweud. A phrun bynnag, yr oedd afon lydan rhyngddo a'r ffordd; byddai rhywun yn siwr o'i weld yn ei chroesi. A phwy a roddai reid i neb a'i draed yn socian? Yr oedd yr esgidiau atgas yn dod ag ef at ei goed yn ddidostur.

Pan gododd ar ei draed i gychwyn ar ei daith ddigyfeiriad, cynyddodd ei anobaith yn syth. Nid oedd wedi sylweddoli mor elyniaethus ddigysgod oedd y tir yr oedd i'w gerdded, ac wrth i'r swigod ddechrau llosgi'n ddidostur unwaith eto, fel pe na baent wedi cael dŵr y nant i'w lleddfu o gwbl, daeth y syniad iddo o droi'n ôl, a rhoi ei ben yn y nant, i'w diweddu hi. Dychrynodd. Ceisiodd blygu bysedd ei draed yn ei esgidiau i warchod y swigod, a'u hatal rhag crafu yn erbyn y gwadnau. Cerddodd yn gloff a digalon o'i loches. Ymhen ychydig, ymhell o'r tu ôl iddo, daeth fflach fel y disgleiriai'r haul ar rywbeth yn cael ei godi'n sydyn. Ni welodd Jim mo hynny.

Rhyngddo a'r pentref yr oedd ffermdy helaeth, a phlant yn reidio merlod mewn cae gerllaw. Yr oedd gweld y plant yn codi mwy o ofn arno na chlywed yr heddlu'n chwilio amdano yn y goedwig honno ddeuddydd ynghynt. Yr oedd yn rhaid iddo fynd tuag at y ffermdy neu at yr afon, neu droi'n ôl. Aeth am yr afon, gan geisio cysgod y gwrychoedd isel, taclus. Darfyddai ei obaith gyda phob llathen. Yn sydyn, ni fedrai fynd gam. Yr oedd arno ormod o ofn. Gwyddai na fedrai wneud dim ond mynd yn ôl i'r llwyni drain, i lochesu yno, i ori ar ei newyn, drwy'r dydd, nes deuai'r nos. Byddai hynny gynddrwg â cherdded. Oedodd. Petrusodd. Chwarddodd y plant. Trodd yn ôl, a fferrodd. Lai na chwarter milltir i ffwrdd yr oedd dynion yn rhedeg tuag ato.

Rhoes waedd annaearol o ofn, a throdd tua'r afon. Dechreuodd redeg, a'i draed trwsgl yn bygwth ei daflu ar ei hyd i'r ddaear, a'i lygaid brawychus yn chwilio'n orffwyll am guddfannau y gwyddai nad oeddynt. Gwelodd y plant yn brysio oddi ar eu merlod ac yn rhedeg i waelod y cae i weld antur. Mwyach, ni phoenai ei swigod ef.

Am ychydig, ymunodd cwningen yn y ras. I Jim, yr oedd

fel pe bai'r holl fyd yn rhedeg. Wedi eiliad neu ddwy o gyd-redeg, plannodd y gwningen hi ar draws y cae, gan adael Jim ar ei ben ei hun yn erbyn y byd. Cyn pen dim yr oedd ar lan yr afon. Arhosodd am ennyd, a throi. Yr oeddynt yn dal i ddod, yn dal i'w erlid. O rywle deuai sŵn cŵn. O rywle deuai sŵn seiren. Yr oedd yn cau amdano. Aeth i'r afon. Cyn pen dim yr oedd y dŵr at ei geseiliau, a gwaethygai'r panig o'i fewn wrth iddo geisio'n ofer ruthro drwyddo. Yna cafodd gam gwag, a diflannodd dan y dŵr. Daeth i'r wyneb yn wyllt, a dechreuodd nofio, gan guro'r dŵr yn ffyrnig anghelfydd â'i freichiau, a'i draed o'r tu ôl iddo'n cicio trochionnau'n swnllyd i bobman.

Cyrhaeddodd y lan yr ochr arall ar ormod o frys, a thrawodd bellen ei ben-glin yn erbyn carreg ar y dorlan. Baglodd ar ei hyd o'r afon, a rowlio ar y gro ar y lan gan afael yn ei goes o dan ei ben-glin â'i ddwy law. Nid oedd ganddo amser i'w fwytho'i hun, a chododd. Dechreuodd redeg i lawr y lan, ond yr oedd y tir o'i flaen yn agored, heb ddim ond ffensi rhwng un cae a'r llall. Daeth i borfa, a'r dŵr yn clecian yn ei esgidiau wrth iddo luchio'i ynni i gyd i'w redeg, ac yn ei arafu er ei waethaf, fel yr arafai ei ddillad socian ef. Clywai sŵn moduron ar y ffordd uwchlaw. Clywai sŵn gweiddi o'i ôl. Ym mhobman o'i amgylch duai'r byd.

O'r diwedd, daeth at wal gerrig. Yr oedd yn uchel, a'i phen bron o'i gyrraedd. Ar unrhyw adeg arall, ni fyddai wedi gallu ei dringo; ni fyddai wedi meddwl am wneud. Ond llwyddodd i neidio, a chael gafael, a dal arno. Llwyddodd i'w godi'i hun dros y wal, a disgyn i'r ochr arall. Hanner canllath o'i flaen yr oedd yr eglwys, a dechreuodd redeg ati drwy'r fynwent, ond arhosodd yn stond pan glywodd sŵn yr organ. Nid oedd loches yno.

Yng ngwaelod y fynwent yr oedd cistfeini, rai ohonynt yn ddigon blêr. Gwelodd ynddynt guddfan, a rhedodd atynt, gan neidio dros feddau a rhwng cerrig nes cyrraedd at y gyntaf. Gafaelodd ynddi, a cheisiodd ei chodi â'i holl nerth. Ni symudai'r garreg. Ond gwelodd nad oedd y cynllun am weithio, prun bynnag. Yr oedd pob ymdrech o'i eiddo'n gadael digon o ddŵr o'i ddillad ar ôl ar y garreg i'w fradychu i bawb ond y dall. Brysiodd o un gistfaen i'r llall, gan chwilio'n wyllt â'i lygaid, a chan ddynesu'n raddol at yr eglwys. Yna gwelodd gistfaen a thwll yn ei hochr. Honno oedd ei unig obaith.

"Aros!"

Yr oedd y gorchymyn yn fras, yn floedd. Neidiodd Jim gan ei sydynrwydd, a throdd. Safai'r dyn ar ganol y llwybr gydag ochr yr eglwys, yn dal pistol arswydus o lonydd yn ei ddwy law. Yna'n ddisymwth yr oedd y fynwent yn llawn o blismyn, a Jim yn gweld dim, ond un dyn mawr o'i flaen, a gwn wedi'i anelu at ei ben. Tybiodd iddo glywed sŵn llechwraidd o'i ôl, ac yna, cyn iddo allu troi, yr oedd yn cael ei godi i fyny'n glir a'i ollwng yn ddiseremoni ar gistfaen. Aeth yn ddiymadferth. Dechreuodd y dŵr o'i wallt gymysgu â'r dagrau o'i lygaid.

Ar ôl ei fodio'n drwyadl, codwyd ef yn egr, a theimlodd ddwylo cryfion yn gafael ym mhob braich iddo, ac yn ei wthio ymlaen yn ddidrugaredd. A thrwy gydol yr adeg ni welai ddim ond llwybr graeanog yn gwibio heibio o dan ei draed fel yr hyrddid ef ar ei hyd. Ni chodai ei ben i edrych ar ddim arall; am a wyddai ef, ni fedrai, ac ni faliai. Cafodd gip ar ddau borth a choncrid a phafin, ac yna yr oedd yn eistedd ar ganol sedd ôl car, a dyn bob ochr iddo. Y tu allan i'r car, yr oedd tyrfa'n prysur ymgasglu, ond yr oeddynt wedi colli'r ddrama. Yr oedd Jim yn sgubo heibio iddynt.

"Mi gaiff ddillad glân yn gyntaf."

Dyna'r unig beth a ddywedwyd. Gadawyd Jim i wrando ar sŵn aflafar seiren y car. Cyn pen dim yr oedd wedi aros eto, ac yntau'n cael ei lusgo o'r car ac i mewn i rywle.

Yr oedd y dwylo arno'n ddi-baid. Yr oedd y cyffion wedi eu tynnu oddi ar ei arddyrnau, a'i ddillad yn cael eu tynnu oddi amdano'n ffyrnig. Ac nid oedd neb yn siarad, nes ei fod yn noeth gorcyn ar ganol rhyw ystafell. Yna yr oedd lliain yn cael ei daflu ato.

"Sycha dy hunan. A dy wallt."

Yr oedd y gorchmynion yn swta fygythiol. Rhwbiodd Jim ei hun, a'i ddwylo'n neidio ar y lliain.

"Pryd cefaist ti fwyd?"

Daeth rhyw ebychiadau annealladwy o'r lliain.

"Peidiwch â'i fwydo fo. 'Wnaiff o ddim ond ei chwydu o."

Cuddiodd Jim ei wyneb yn y lliain, a phwyso'i ben yn drwm arno.

Cyn hir, tynnodd y lliain. Cyfrodd wyth o ddynion yn

edrych arno, fel pe na wyddent beth i'w wneud nesaf, ond yn gwybod yn iawn beth yr hoffent ei wneud. Aeth i edrych ar y llawr.

Agorwyd y drws, a daeth dau ddyn i mewn. Distawodd y dynion eraill ar unwaith. Daeth y ddau ddyn at Jim, a sefyll o'i flaen.

"A dyma fo, ia? Wel, wel. Mynd i'r bath, 'ta wedi bod?"

Aeth golygon Jim i'r llawr drachefn.

"A methu dreifio'r Audi wnest ti, ia? Wedi arfer hefo beic, debyg?"

"Defaid. Ar y lôn. Defaid. Defaid ar . . ."

"Felly'n wir?" Yr oedd y dyn yn chwerthin yn braf. "Chdi wyt ti, felly?"

Cymerodd yn hir i Jim ddeall.

"'Dydan ni ddim wedi'i rybuddio fo, Syr."

Rhywun o'r cefn oedd yn siarad, Arolygydd mewn lifrai.

"Twt! Mi gaiff gwyno wrth ei dwrna. Rhowch ddillad iddo fo. Mi awn ni â fo rŵan hyn. Un car y tu blaen, ac un y tu ôl, iddo fo gael sioe iawn, reid i'w chofio. Mi gei di aros yn hir cyn y cei di un ar ei hôl hi, brawd . . . wel yr hen fochyn!"

Heb yn wybod iddo, yr oedd Jim wedi piso. Yr oedd geiriau'r dyn o'i flaen yn selio'i dynged mor derfynol, mor drwyadl ddi-droi'n-ôl, nes ei fod yn colli pob rheolaeth arno'i hun, ar ei nerfau, ar ei gorff.

"'Fyddai hi ddim yn well i ni roi clwt iddo fo hefyd?"

Mor syml yr oeddynt yn ei ddifrïo, yn ei iselhau. Yr oeddynt wedi ei droi'n lwmp o ofn heb gyffwrdd bys ynddo. Mewn ychydig funudau, gyda thynnu dillad ac ychydig eiriau syml, yr oeddynt wedi mynd â phob mymryn o urddas oddi arno, pob pwt o ddyndod. Nid oedd ond fel cadach llawr. Yr oedd hyd yn oed wedi colli'r awydd, a'r gallu, i fod yn hunandosturiol. Nid oedd yn cyfrif.

Rhoddwyd rhyw ddilladach iddo i'w gwisgo, ac esgidiau meddal ddau faint yn rhy fawr iddo'u rhoi am ei draed. Rhoddwyd blanced annifyr dros ei ben, a chyffion am ei ddwylo, ac aed ag ef allan. Clywai lawer o siarad a gweiddi fel y croesai'r trothwy i'r pafin. Rhoddwyd ef mewn car, a dyn o boptu iddo, a chlywodd y drysau'n cau, a'r car yn cychwyn yn syth.

"Tynnwch y blanced oddi arno fo. Gwna'n fawr o'r olygfa, 'ngwas i."

Tynnwyd y blanced. Cafodd Jim gip ar eglwys ar y chwith iddo. Yna gwelodd ffermdy, a'r afon, a'r nant fechan yn dod iddi. Yn y pellter gwelodd lwyni drain. Edrychent yn bitw. Gyrrai car o'i flaen a golau glas yn troi ar ei ben. Nid oedd y golau'n golygu dim iddo. Eisteddai'r dyn a roesai'r gorchmynion yn yr ystafell yn y sedd flaen, gan siarad yn brysur gyda'r gyrrwr, ac wrth ei ochr ef ei hun, eisteddai'r dyn a fu'n ei watwar ac yn cynnig clwt iddo.

"Wel." Yr oedd y dyn yn y sedd flaen yn troi ac yn rhwbio'i ddwylo. "A 'dydi'n democratiaeth ni ddim yn plesio, nac ydi? Ddim digon da, ia? Isio newid y drefn. Chwyldroadwr mawr. Am ei gwneud hi fel Rwsia yma, ia?"

"Be ddigwyddai iddo fo 'tasa fo yn Rwsia rŵan?" Yr oedd y llais wrth ei ochr yn dal yn watwarus. "Be wnâi'r K.G.B. hefo fo?"

"Ia, mae gan y rheini ffyrdd neis iawn hefo pobl fel chdi. 'Dydyn nhw ddim yn or-hoff o lofruddion."

"Llofruddion?"

Teimlai Jim ei lais yn dod o rywle, yn grynedig. Trodd y dyn yn sgwâr ato, yn fileinig.

"Ia. Llofruddion. Rhai yr un fath â chdi."

"'Dydw i ddim . . ."

"Pwy ddaru 'ta?" Yr oedd y dyn yn gweiddi dros y car, a'i wyneb yn dod yn nes ac yn nes at Jim. "Trotsci?"

"Nid fi! Nid fi!" Yr oedd un o'r dynion wedi cael gafael cranc yng nghlun Jim, ac yn dechrau gwasgu. "Sean ddaru! Sean. Nid fi. Sean saethodd o."

"Paid â malu . . ."

"Ia wir, ia wir yr! Sean ddaru!" Yr oedd ei lais yn dechrau codi, ac yn bygwth mynd yn sgrech. "Dim ond ffonio i ddweud ble'r oedd y corff wnes i."

"Ffonio pwy?"

Yr oeddynt yn gweiddi arno, ac yn ei wasgu. Yr oedd yn rhaid iddo weiddi'n ôl.

"Ffonio'r papur newydd! Peidiwch! Sean ddaru saethu'r dyn hwnnw, y Padraig hwnnw, nid fi."

"Wel myn diawl! Wel myn diawl!"

Aeth y dynion yn ddistaw am ennyd, a thynnwyd y llaw oddi ar ei glun. Yna dechreuasant chwerthin, chwerthin yn haerllug aflafar, chwerthin yn aflywodraethus. Dechreuodd

Jim wylo. Nid oeddynt am goelio dim. Yr oeddynt yn chwerthin am ei ben am ei fod yn dweud y gwir.

Estynnodd y dyn yn y tu blaen feicroffon, a dechreuodd siarad yn fuddugoliaethus iddo. Yna trodd at Jim.

"'Doeddan ni ddim yn sôn am Padraig, was."

Dechreuodd pawb chwerthin eto. Yna difrifolasant, ac wrth i'r dyn droi at Jim, gwelodd Jim olwg ddieflig yn dod i'w lygaid.

"Mi wyddost am bwy yr ydan ni'n sôn. 'Roedd o ar fin ymddeol, wedi rhoi ei oes i'w waith. A mi laddist ti o. Wyt ti'n meddwl ein bod ni'n poeni un baw blac am dy blydi Padraig di? Mi wyddost am bwy yr ydan ni'n sôn."

"Na wn i."

Yr oedd y gafael cranc yn saethu drwy'i goes drachefn. Rhoes sgrech ddychrynllyd.

"Na wn i!"

"Mi aethost drosto fo hefo dy gar. 'Wnest ti ddim aros iddo fo groesi i'r pafin."

"Na! Na! Y plismon hwnnw. Mi gododd. Mi gwelis i o'n codi. 'Ddaru o ddim . . ."

"Mi gododd a mi ddisgynnodd. Mi laddist ti o!"

Daeth penelin i bwll ei stumog, a phlygodd Jim, a dechrau igian. Trodd y dyn yn ôl at ei feicroffon.

"Mae'r dyn 'na ddaru nhw'i saethu yn y banc wedi marw hefyd. Dyna i ti dri, felly. Mae'r rheini i gyd arnat ti. Mi luchiwn ni fwy arnat ti cyn gorffen hefo chdi. Mi gei di weld."

Siaradodd y dyn yn fyr i'w feicroffon drachefn, cyn tewi.

Buont yn ddistaw am hir, heb neb yn cymeryd sylw ohono. Yr oeddynt fel petaent wedi colli diddordeb ynddo. Yr oedd y boen yn hir yn mynd o'i stumog; gwyddent sut i frifo. Ac yr oedd y dychryndod o gael ei ddal yn dechrau cilio, ac ofn mwy parhaol a phendant yn dod yn ei le. Yr oedd wedi lladd plismon, ac wedi cael ei ddal. Gwyddai sut dderbyniad a oedd yn ei aros. Yr oedd pob argyhoeddiad, pob egwyddor a fu ganddo erioed wedi mynd, wedi diflannu. Nid oedd dim ar ôl ond un corffyn bach truenus o ddiamddiffyn yng nghanol heddlu dialgar.

"Mi fuost yn y coed acw."

Daeth llais y dyn i'w glustiau eto. Nid oedd mor filain ag

y bu. Dechreuodd Jim godi ei galon. Efallai, os cydweithredai . . .

"Do."

Am a wyddai ef. Coed oedd coed.

"Mi fuom yn chwilio drwyddi, a thithau ynddi, yntê?"

"Ia."

"Sut llwyddist ti i'n hosgoi ni?"

"Wel, ym, y . . ."

"Mi fyddi wedi dweud cyn nos."

Diflannodd gobaith Jim drachefn. Nid oedd y dyn, er ei lais clên, yn mynd i adael iddo ateb ei gwestiynau ei hun. Ac nid bygythiad oedd ei sylw diwethaf, ond ffaith oer. Yr oedd ei leinio'n rhan o'u Dengair Deddf.

"Ble mae'r lleill?"

"Meindia dy fusnes. Weli di'r lôn fach acw? Ar honna y malist ti dy gar."

"Mi ddweda i wrthoch chi ble mae perchnogion y ceir ddaru ni eu dwyn . . ."

"'Achubith hynny mo dy groen di, clap. 'Rydan ni wedi dod o hyd iddyn nhw heb dy help di."

"Ydi'r lleill wedi cael eu dal?"

"Meindia dy fusnes."

"Ylwch, mi gydweithreda i . . ."

"Gwnei, 'ngwas i, mi gydweithredi di."

Cyn hir, yn rhy fuan, darfu'r wlad, y caeau a'r coed a'r cloddiau. Yn eu lle daeth tai a gerddi, cytiau a stordai. Yr oedd Jim yn dod i'w ddinas, gyda gosgordd yn udganu o'i flaen, a phawb yn gwneud lle iddynt, gan syllu'n chwilfrydig ar eu holau.

"Dyma chdi'n cael dy sylw. Gofyn i'r rhain a ydyn nhw isio dy chwyldro di. Gofyn i'r rhain be maen nhw'n ei feddwl o dy gynlluniau di ar eu cyfer nhw. Gofyn iddyn nhw be maen nhw'n ei feddwl o arwr mawr sy'n llofruddio plismon hefo car."

Nid atebodd Jim. Trodd y dyn i edrych arno, ac edrychodd Jim i lawr. Trodd y dyn yn ôl gan edrych yn hyll o'i flaen.

Pan ddarfu'r seirennau, torrodd Jim i grio. Yr oedd wedi cyrraedd, ac yr oedd ar ben arno. Yr oedd arno eisiau marw, eisiau osgoi'r cwestiynau, osgoi'r bobl. Yr oeddynt yn agor drysau'r car.

"Mi gawn ni sgwrs fach rŵan."

Tynnwyd Jim o'r car. Yr oedd mewn iard gaeëdig, o flaen drws, a phlismyn ym mhobman yn edrych yn fileinig arno. Aethpwyd ag ef drwy'r drws, a thrwy ystafell lawn plismyn, ac at ddrws arall. Agorwyd y drws, a'i wthio drwyddo. Yr oedd mewn cyntedd hir di-ffenest, a drysau ar hyd-ddo. Tynnwyd ef ar hyd y cyntedd at un o'r drysau. Agorwyd y drws, a gwelodd ystafell fechan foel o'i flaen. Yr oedd ar groesi'r trothwy pan gafodd hyrddiad o'i ôl gyda'r fath nerth nes ei fod yn codi'n glir oddi ar y llawr. Disgynnodd, gan daro'i gorff yn egr yn erbyn pared pellaf yr ystafell. Arhosodd felly, a'i lygaid yn mynd yn fawr o arswyd. Yr oeddynt yn cerdded tuag ato, a'u dyrnau ynghau.

"A dyma chdi. Chdi laddodd Mitch."

Cododd Jim ei ddwylo a'i gyffion i'w wyneb, i'w amddiffyn ei hun, a chaewyd y drws ar ei sgrechiadau.

V

Yr oedd yr allweddi a gawsant o bocedi Jim wedi rhoi mynediad digon hwylus iddynt i'r fflat. Drwy'r ffenest fudr, astudiai'r Prif Arolygydd yr hysbysfwrdd dros y ffordd, a'i droed ar y sil.

"Mae 'na faint a fynnir o bethau i'r hogia fforensig chwarae â nhw," meddai i'w radio cyn hir, "ond 'does 'na fawr ddim o bwys. 'Does 'na ddim yn y fan yma i awgrymu bod 'na neb arall, os nad oes 'na rywbeth yn y fflat i lawr y grisiau. Mae hwnnw dan-glo. Be wna i â hwnnw?"

Cyfrodd yr haenau paent ar y sil tra'n disgwyl am ateb, ac fel y dechreuai'r llais glecian dros ei radio daeth sŵn arall. Oddi tano, o rywle, deuai gweiddi.

Ymesgusododd i'w radio, a'i diffodd. Aeth y plismyn yn y fflat i gyd yn ddistaw wrth iddynt wrando ar ddyn yn gweiddi ac yn rhegi'i hochr hi. Pwyntiodd y Prif Arolygydd at dri o'r dynion, ac aeth y pedwar ohonynt o'r fflat, ac i lawr y grisiau'n gyflym, a rhedeg ar hyd cyntedd yng ngwaelod y grisiau at ddrws panelog. Dyrnodd y Prif Arolygydd ar y drws. Ni phallodd y gweiddi y tu ôl iddo.

Dyrnodd y drws eilwaith.

"Agorwch!"

Daeth bloedd o ateb digyswllt. Ysgydwodd y Prif Arolygydd ddwrn y drws yn ffyrnig.

"Agorwch!"

Parhaodd y gweiddi. Symudodd y Prif Arolygydd o'r neilltu, a rhuthrodd dau o'r plismyn heibio iddo. Darfu'r gweiddi. Disgynnodd y drws yn glep ar lawr wrth i'w golion gael eu rhwygo o'r cilbost. Rhedodd y Prif Arolygydd dros y drws a heibio i'r plismyn, ac i gegin fyw flêr. O flaen grât a thân nwy ynddi, safai dyn a siwmper werdd dyllog amdano, a sbectol wedi dechrau melynu hanner y ffordd i lawr ei drwyn. Edrychai'n hurt ar yr ymwelwr.

"O, ia?" meddai'n ofyngar.

Edrychodd y Prif Arolygydd mewn penbleth. Nid oedd neb yn yr ystafell i'r dyn ffraeo ag ef.

"Ble mae'r llall?" gofynnodd yn fygythiol.

"Llall?"

"'Roeddech chi'n ffraeo. Hefo pwy?"

"Y?"

Aeth y Prif Arolygydd at y dyn, a'i ysgwyd.

"Hei! Be 'dach chi'n ei wneud?"

"Ylwch, os ydach chi'n meddwl bod gen i amser a 'mynedd i falu awyr hefo chi . . . hefo pwy oeddech chi'n ffraeo?"

"'Ddaeth 'na neb allan drwy'r cefn, syr."

Yr oedd un o'r plismyn wedi dod at y Prif Arolygydd.

"Chwiliwch y lle 'ma, 'ta."

"Ylwch . . ."

"Caewch eich ceg." Gwthiodd y Prif Arolygydd y dyn yn ôl i gadair. "Pwy oedd yma i chi weiddi arno fo?"

"'Does 'na neb arall yma, Syr." Yr oedd y plismon wrth ei ochr eto. "Neb o gwbl."

"Dduw mawr. Cerwch â fo i mewn, 'ta. I ffwr' â fo."

Gafaelwyd yn y dyn dychrynedig a'i dynnu i fyny o'i gadair. Tynnodd yn eu herbyn yn wyllt, a dechrau protestio'i anneallltwriaeth. Plygodd dan ddyrnod, plygu i'r llawr, a griddfanodd un waith. Llusgwyd ef allan. Edrychodd y Prif Arolygydd yn sur ar ei ôl.

"Chwiliwch bob man yn y gwaelod 'ma hefyd. Chwiliwch am olion bysedd y criw 'na yn y stafelloedd gwaelod 'ma. Mi ddyry hynny gysylltiad i ni, am y tro. 'Dydw i ddim yn hoffi golwg y diawl yna."

VI

Nid oeddynt wedi gorfod chwilio llawer am fan gwan. Yr oeddynt yn taflu cwestiynau ato cyn iddo gael cyfle i'w hystyried, heb sôn am eu hateb, ac os nad oedd rhywbeth yn plesio, yr oeddynt yn dechrau chwarae gyda'r swigod ar ei draed, eu gwasgu, neu eu crafu. Gwaeddid y cwestiynau o bob cyfeiriad, neu weithiau fe'u sibrydid yn ei glustiau, a'u hwynebau'n dod i gyffwrdd bron â'i lygaid hanner caeëdig. Tybiai Jim mai wyneb rhywun arall a oedd ganddo.

Yr oeddynt yn gofyn yr un cwestiwn dro ar ôl tro, drosodd a throsodd, yna'n taflu cwestiwn arall yn ddiymdroi, ac yn dod yn ôl at y cwestiwn cyntaf, neu at un arall, ac yn taeru bod ei atebion yn wahanol bob tro, ac yntau'n gwybod nad oeddynt. Yr oedd degau o enwau yn cael eu sgrechian i'w glustiau, enwau pobl na chlywsai erioed amdanynt, oddigerth un neu ddau. Byddent yn ei daeru fod ganddo gysylltiad â phob un ohonynt. Ond deuent yn ôl at y Mudiad bob tro, at y Mudiad a'i ddibenion, a'i aelodau. Ac at y swigod.

Yr oedd lleisiau dieithr bob hyn a hyn, fel petaent yn gweithio sifftiau.

"Enwa nhw."

"Carl."

"Ia."

"Marian."

"Ia."

"Heilyn."

"Be?"

Sgrech.

"Heilyn!"

Gwasgiad. Bloedd.

"Un ferch sydd yno!"

"Mi wn i. Peidiwch . . ."

Crafiad. Sgrech.

"'Dydi Eileen ddim yn enw call iawn ar ddyn, nac ydi?" Dyrnod i ganol y stumog. "Y? Wyt ti'n cael hwyl am ein pennau ni ne' rywbeth? Wyt ti?"

Sgrech.

"Nac ydw! Nid Eileen ydi o! Heilyn. 'Wn i ddim sut mae 'i sillafu o. Enw Cymraeg ydi o."

"Enw Cymraeg, ia?"

Sgrech.
"Ia!"
Nid nepell, yn yr un adeilad, yr oedd yn dawelach.
"Ydi'r dyn 'na wedi meddwi?"
"Pwy?"
"Hwnna ddaethoch chi ag o o'r tŷ 'na. Y dyn 'na hefo jersi werdd."
"Nac ydi, am wn i. Pam? Dechrau gweiddi eto y mae o?"
"Hollol groes. Mae o'n gorwedd yn llonydd heb ddweud dim wrth neb. 'Dydi o ddim yn cymryd sylw o neb."
"O?"
"Mae'r Super wedi gyrru am y doctor."
"Doctor?"
"Rhag ofn, medda fo. 'Chafodd o ddim cweir, naddo?"
"Twt!"
"Ydi Jim yn siarad?"
"Fel melin bupur."
Cyn hir yr oedd mwy o gyffro. Yr oedd y meddyg wedi cyrraedd, ac wedi cymeryd un olwg ar y dyn yn y siwmper werdd. Yna yr oedd ar ei liniau wrth ei ochr, yn ei archwilio'n ddyfal.
Yn y man, cododd.
"Ffoniwch am ambiwlans. Mae hwn wedi cael trawiad ar ei galon. Mae 'na rywbeth arall hefyd. 'Gafodd o gweir, Inspector?"
"Doctor?"
"Mae ei 'sennau o'n wan, yn dangos pechodau."
"Mi ddaw'r ambiwlans yn y munud, Doctor. 'Dydw i ddim yn meddwl ei fod o wedi cael cweir."
Mewn pum munud, yr oedd y dyn yng ngofal yr ambiwlans, a'r peiriant calon ynddi'n cael ei roi i weithio arno.
"A mi ddalioch y dyn 'na?"
"Do, Doctor."
"Da iawn."
"Mi laddodd hwnnw heddwas, Doctor. O'r stesion yma."
"Isio i mi gymryd golwg arno fo ydach chi?"
"Wel . . ."
"Mi fedrwch ddweud fod hwnnw wedi strancio wrth gael ei ddal, 'medrwch? Prun bynnag, 'phoenith 'na neb am hwnnw. Ble mae o?"

"Y ffordd hon. Ei wyneb o, Doctor . . ."

"Doctor ydw i, nid Barnwr. Faint ydi 'i oed o?"

"Deuddeg ar hugain, medda fo."

"Ydi 'i gyfansoddiad o'n gryf?"

"Mae golwg felly arno fo."

"Mi ddeil hwnnw storm, felly. Dowch i mi gael ei weld o."

Yr oedd y dyn yn eistedd ar gadair. Yr oedd yn amlwg mai newydd gael ei roi arni yr oedd. Archwiliodd y meddyg ei wyneb.

"Mae'n well i hon gael pwythau. Mae'r llall yn iawn, ond mi fydd golwg arni am dipyn, am rai dyddiau. Mae 'na arwyddion ei fod o'n dechrau dioddef o ddiffyg maeth, diffyg bwyd. Mi eill hynny fynd yn beryglus os na chaiff o rywbeth i'w fwyta yn o fuan." Cododd ei fag, a mynd at y drws, gan amneidio ar yr Arolygydd. "Mi fyddwn i'n dweud eich bod chi wedi dychryn digon arno fo, Inspector."

"Ia. Diolch, Doctor."

"Popeth yn iawn."

Aeth yr Arolygydd yn ôl i'r ystafell. Yr oedd dau dditectif uwchben y dyn yn y gadair.

"'Glywist ti be ddwedodd o? 'Rwyt ti am gael pwythau."

"On'd ydi'n braf arno fo?"

"'Rwyt ti am gael bwyd hefyd."

"'Chaet ti ddim bwyd yn Rwsia."

"Mi fedr Comiwnyddion dewr wneud heb fwyd."

"'Dydi Chwyldroadwyr go iawn ddim yn bwyta bwyd cyfalafwyr ac imperialwyr, debyg iawn."

"Mi fyddai'n well iddo fo gael bwyd, hefyd."

"Tamaid bach?"

"Mi wn i. Os atebith o un neu ddau o gwestiynau eto, mi rown ni fwyd iddo fo."

"A phwythau."

"Ble dechreuwn ni?"

"'Does 'na ond un lle i ddechrau."

"Nac oes, siwr. Dim ond un. Jim bach, dwed i mi . . ."

Swatiodd yn ôl yn ei gadair.

VII

"Wel, Carl?"

"Be sydd?"

"Mae Jim wedi 'i ddal."

"Da iawn."

"Da iawn? Carl, 'dydw i ddim yn meddwl dy fod yn nabod Jim, ne' fyddet ti ddim yn dweud peth fel 'na."

"'Rydw i'n nabod Jim, ac mae'n dda iawn gen i glywed ei fod o wedi cael ei ddal."

"Ond y siarad, Carl. Mae o'n siarad. Mae o wedi dweud ei galon wrthyn nhw."

Disgwyliai'r Dirprwy Brif Gwnstabl glywed Carl yn petruso, fel yr oedd yn ei wneud yn amlach ac yn amlach gyda phob sgwrs dros y ffôn. Ond nid oedd Carl yn ansicr o gwbl.

"'Dydi ei galon o ddim yn dal llawer."

"Y?"

"'Rydach chi'n Ddirprwy Brif Gwnstabl. Felly mae 'na lawer o gyfrinachau yn eich meddiant chi, llawer mwy na ŵyr y plismyn odanoch chi. Mae hynny'n wir, on'd ydi?"

"Ydi, Carl."

"'Fyddai warden traffig sydd wedi bod hefo chi am bythefnos ddim yn gwybod llawer am eich gwaith chi, na fyddai?"

"Na fyddai."

"'Dydi Jim ddim yn gwybod llawer am y Mudiad, chwaith."

"Nac ydi, ella." Yr oedd cymhariaeth Carl wedi tynnu'r Dirprwy oddi ar ei echel braidd. "Ond mae o'n dweud pethau, yr un fath, Carl, yn dweud llawer. I be oedd isio saethu Padraig?"

Daeth y petruso. Gwenodd y Dirprwy wrtho'i hun.

"Padraig?"

"Y Gwyddel hwnnw, Carl. Mi aeth Sean a Marc a Jim â fo am dro, a'i saethu o."

"O, hwnnw? Rhywbeth rhwng Sean a fo oedd hynny. Peidiwch â gofyn i mi. Ond pa wahaniaeth ydi o i chi? Peidiwch â dweud bod yr heddlu'n poeni am grwyn pobl fel Padraig."

"Llofruddiaeth ydi llofruddiaeth, Carl. 'Does 'na ddim

gwahaniaeth rhwng llofruddio dyn da a llofruddio dyn drwg, yn ein golwg ni.''

''Nac oes 'na?'' Yr oedd chwerthin cras sydyn Carl yn clecian dros y ffôn. ''Nac oes 'na'n wir?''

''Bydd yn sarcastig ar bob cyfri, Carl, os wyt ti isio. Ond mae saethu Padraig yn gwneud gwahaniaeth, Carl. Mae o'n gwneud gwahaniaeth i chi.''

''Sut felly?''

''Wel, erbyn hyn, mae 'na dri chyhuddiad o lofruddio yn eich erbyn chi. Mae tri yn llawer, Carl, yn ormod. 'Rwyt ti'n gweld, mwya'n y byd o gyhuddiadau fel 'na sy'n eich erbyn chi, anodda'n y byd fydd perswadio'r Swyddfa Gartref i ganiatáu i chi fynd i'r awyren 'na . . .''

Torrwyd ar ei draws yn wyllt a ffyrnig.

''Peidiwch â thrio hynna. Nid hefo plant yr ydach chi'n delio. Os medroch chi wneud be fynnoch chi i Jim, peidiwch â meddwl y gallwch chi'n trin ni felly. Babi ydi Jim. Gwyliwch hi. Yn eich dwylo chi y mae bywydau'r bobl sy'n cael eu cadw yn y tŷ 'ma. Peidiwch â bod yn rhy glyfar, rhag ofn y bydd un ohonyn nhw'n cael ei saethu. 'Does 'na ddim wedi newid, a'r un ydi'r gofynion, a'r amodau.''

''Yli, Carl, gwrando. 'Rwyt ti wedi cael hen ddigon o amser i feddwl bellach. Mi wyddost yn union fel y mae hi. 'Wyt ti ddim yn meddwl ei bod hi'n bryd i chi bellach fynd at eich gilydd, a threfnu i ddod allan yn dawel?''

''Caewch eich ceg, wnewch chi?'' Yr oedd Carl yn bloeddio, yn dechrau colli arno'i hun. ''Rydw i wedi cael llond bol arnoch chi. Llond bol ar eich celwyddau chi. Mi gewch chi weld!'' gwaeddodd, a rhoi ei ffôn i lawr yn syth.

Rhoes y Dirprwy ei ffôn yn ei ôl. Agorwyd y drws, a daeth y Prif Gwnstabl i mewn. Eisteddodd wrth ochr y Dirprwy. Edrychai'r Dirprwy i lawr at y tŷ.

''O, diar,'' meddai'n dawel, ''gobeithio na ddaru mi ddim ei gor-wneud hi.''

''Ydi, mae Carl yn newid, Dic.''

'''Dydw i ddim yn hoffi'r peth. Mae o'n dechrau mynd i banig. Mae hynny'n beth newydd iddo fo, ac yn codi ofn arno fo, ac yn ei wneud o'n fwy peryg, ac mae pob dim yn . . . damia!''

''Mi eill fynd i sterics.''

''Fi fu'n rhy glyfar . . .''

"Be wnawn ni?"

"Mi fedrwn drio cael y llall 'na—Heilyn—ar y ffôn, a chwarae dipyn ar hwnnw. Neu ella'r Gwyddel 'na, Sean."

"'Wn i ddim. Mi fedrai'r rheini fod yn fwy penderfynol na Charl."

"Be 'di cysylltiad yr Heilyn 'ma â'r Person, tybed?"

Busnesodd y Prif Gwnstabl yn y pad nodiadau a oedd yn gam ar y bwrdd. Tynnodd ef ato, a'i sythu.

"'Wn i ddim," meddai, wrth ddarllen, "mwy na ŵyr y Person, medda fo."

"Medda fo?"

"Mi holwyd o gynnau. Un go ryfedd ydi'r Person."

"'Fydd o ddim yn unig, felly."

Gwthiodd y Prif Gwnstabl y pad nodiadau i ganol y bwrdd.

"Wyt ti ffansi trio'r Heilyn 'ma?"

"Os ca' i afael arno fo. 'Fydd 'na ddim i'w golli."

"Os cei di afael arno fo."

"Mi ddaw eto. Mae o wedi rebela unwaith. Mae blas mwy ar lwyddiant, bob amser. Mi ddaw."

"Gobeithio." Cododd y Prif Gwnstabl i fynd. "Os wyt ti'n meddwl y daw 'na fudd o'r peth. Oes gen ti fwy o ffydd rŵan nag oedd gen ti echdoe?"

"Oes."

"Mae hynny'n rhywbeth. Mae hi allan braidd tua'r fferm 'na. Mae 'na rai o'r Wasg wedi bod yn mynd drwy'r caeau i gael gwell golwg ar y tŷ, ac mae'r ffermwr wedi bygwth gwn arnyn nhw. Mi fyddwn i'n meddwl fod 'na ddigon o ynnau yn y tŷ 'na, heb sôn am eu cael nhw hyd y caeau 'ma hefyd."

"Pa ffermwr ydi o? Hwnnw sy'n ffrindiau hefo Robin?"

"Ia. Mae 'na deimladau cryfion, felly. Mae'n beryg i bethau fynd dros ben llestri."

VIII

Nid oedd eu cinio Sul yn wledd, ond yr oedd yn ddigon derbyniol. Dau gyw iâr ar sil ffenest y parlwr, wedi'u trin, a'r corblu arnynt yn datgelu mai lleol oeddynt. Yn eu hymyl ar y sil yr oedd moron a chabatsen, a phaced o stwffin ffatri.

Yr oedd yr arogleuon a ddeuai o'r popty'n ddigon anghyf-addas â'r awyrgylch yn y tŷ.

Yr oedd Carl a Marian yn dal i fynnu mai'r plant oedd i fwyta'n gyntaf, i brofi'r bwyd cyn i neb arall fentro arno, nid yn unig i wneud yn siwr eu hunain, ond hefyd i atgoffa'r camerâu a'r meicroffonau cuddiedig mai'r un oedd y wyliadwriaeth. Ffieiddiai Rhian a'i mam y fath syniad, a mynnent fwyta gyda'r plant. Yn y dechrau, yr oedd Marian wedi eu gwahardd rhag gwneud hynny, rhag ofn na fyddai ganddi wystlon ar ôl i warchod ei chroen â hwynt. Ond buan y sylweddolodd nad oedd eu cynllun gwreiddiol yn un mor dda â hynny, prun bynnag. Nid wrth ei luchio ar hyd bwrdd neu ei stwffio i fyny llawes yr oedd darganfod a oedd gwenwyn mewn bwyd ai peidio.

Pan ar ganol bwyta rhoes Sean ei blât o'r neilltu. Ni fyddai Heilyn wedi sylwi oni bai am yr ofn sydyn a diamheuol a ddaeth i lygaid Rhian. Yr oedd ef wedi bod yn anniddig a drwgdybus ers meitin, oherwydd yr oedd Rhian wedi newid, wedi mynd yn dawelach, a gwelwach, ers awr neu ddwy cyn cinio. Edrychodd ar Sean. Yr oedd golwg anghyffyrddus arno, yn edrych yn ddiflas ar y bwrdd o'i flaen.

"Be sy'n bod, Sean?"

"Fy stumog i. Damia hi. Mae'n union fel 'tawn i wedi bwyta lludw."

Aeth cyllyll a ffyrc pawb i lawr.

"Nid y bwyd ydi o," meddai Sean. "'Roedd o yna cyn i mi ddechrau bwyta."

Dechreuai'r amheuon gorddi ym mhen Heilyn. Yr oedd yn adnabod digon ar Sean i wybod nad un i lyfu mwythau mohono. Edrychodd ar Rhian. Yr oedd hi'n syllu'n hurt ar ei phlât. Edrychodd yn ôl ar Sean. Cododd.

"Mi a' i i wneud powdr i ti."

Aeth drwodd i'r gegin fach. Gwyddai fod powdr stumog yn y cwpwrdd uwchben y tegell, ynghyd â photeli o dabledi a blwch plasteri a rholiau o rwymyn. Buasai Marian ac yntau drwyddynt y noson y daethent i'r tŷ. Agorodd y cwpwrdd, ac estynnodd y powdr. Rhoes ddŵr mewn gwydryn, a mynd â'r cwbl yn ôl i'r gegin fyw. Daliai Sean i syllu'n farwaidd ar y bwrdd, a'i law ar ei stumog.

"Nerfau."

Cododd Sean ei lygaid yn araf, ac edrychodd ar Marian. Yr oedd ei hwyneb mor oer â'i llais.

"Paid â rwdlan."

"'Dydi hi ddim yn rhaid iddyn nhw effeithio arnat ti'n syth," meddai Marian, "mi fedr nerfau gymryd eu hamser cyn dechrau arnat ti, weithiau oriau, weithiau wythnosau."

"Twt!"

Yr oedd yn amlwg ar Sean nad oedd ganddo amynedd i wrando arni.

"Yfa hwn."

Yr oedd Heilyn wedi paratoi'r powdr. Yfodd Sean ef ar ei dalcen.

"Mi wellith toc," meddai Heilyn.

"'Rydw i'n teimlo'n rhyfedd," meddai Sean, gan godi.

"'Oes arnat ti isio chwydu? Ella yr altrith hynny dy stumog di."

"Nac oes. 'Rydw i am fynd i orwedd."

Aeth Sean drwy'r drws, ac i'r llofft. Rhoes Heilyn y caead yn ôl ar y powdr, ac aeth ag ef yn ôl i'r cwpwrdd. Trawodd ei law yn un o'r poteli tabledi, a'i throi. Cododd Heilyn y botel i'w rhoi yn ôl. Er syndod iddo, yr oedd yn wag. Daeth yr amheuon yn ôl iddo, ac aeth drwy'r poteli eraill. Daeth golwg wyllt i'w lygaid wrth iddo ddarganfod fod pob un ohonynt yn wag. Rhuthrodd o'r gegin fach, heb gau drws y cwpwrdd. Yr oedd yn mynd i roi gwaedd pan gyfarfu ei lygaid am ennyd â llygaid Rhian. Yna, ni welai ddim ond dau blentyn yn bwyta, a'u mam rhyngddynt yn syllu'n ddiobaith ar y llenni caeëdig o'i blaen, a'i dagrau'n llenwi ei llygaid. Arhosodd yn stond yn y drws. Yna trodd, a rhedodd i fyny'r grisiau. Erbyn iddo gyrraedd y llofft yr oedd Sean yn dechrau griddfan.

"'Wyt ti wedi llyncu tabledi, Sean?"

"Naddo."

"Dim un?"

"Dim un."

Pwysai Sean ar ei stumog, fel y cynyddai'r boen o'i fewn.

"'Yfist ti rywbeth?"

"Y?"

"Sean, ddaru i ti yfed rhywbeth?"

Yr oedd Heilyn wedi eistedd ar y gwely, a cheisiai godi Sean ar ei eistedd.

"Naddo. Am wn i. Do."

"Do?"

"Diod o rywbeth. Cwrins duon, a hwnnw'n gynnes. Mae'n well gen i o'n oer."

"Ble'r oedd o?"

"Y?"

"Tyrd, Sean, wir Dduw. Ble'r oedd y ddiod?"

"Ar—ar ben y stof. 'Roedd Rhian newydd ei wneud o."

"I bwy? I bwy, Sean?"

"Be 'di'r ots? Eiddo un . . . I—i Rhonwen, mae'n siwr. 'Roedd 'na ddigon ar ôl yn y botel."

Yna gwyddai Heilyn y cyfan.

"Sean, 'rwyt ti wedi yfed hanner cwpanaid o dabledi. 'Roedd 'na dabledi yn y gwpan, Sean, wedi'u toddi. 'Roedd 'na hanner dwsin o boteli yn y gegin fach, a thabledi ynddyn nhw. Maen nhw i gyd yn wag rŵan."

Unig ymateb Sean oedd gorwedd yn ôl ar ei ochr, a griddfan.

"Mae'n rhaid i ti gael clirio dy stumog, Sean."

Neidiodd Heilyn oddi ar y gwely, a rhedodd i lawr y grisiau at y lleill. Yr oedd Rhian wedi mynd i'r gegin fach, a safai yno o flaen y cwpwrdd agored. Gwyliai Marc hi.

"'Be gwnaech chi'r fath beth, hogan?"

Nid atebodd Rhian.

"Sut ydach chi'n disgwyl i mi achub eich cam chi bob munud, a chitha . . . pam Sean, Rhian? Pam Sean?"

"Be sy'n bod?" holodd Marc.

"Mae Sean wedi cael gwenwyn."

Rhuthrodd Marc ato.

"Be?" gwaeddodd.

"Mae'n rhaid i ni gael gwagio'i stumog o. Rŵan hyn." Rhedodd Heilyn i'r gegin fyw. Yr oedd Carl a Marian, wedi clywed gweiddi Marc, wedi codi, ac yn dod at y drws.

"Mae'n rhaid cael doctor at Sean," gwaeddodd Heilyn yn wyllt, "dos ar y ffôn 'na, Carl. Rŵan hyn."

"Pam?" arthiodd Marian.

"Mae o wedi yfed diod a'i lond o o dabledi. Mae'n rhaid gwagio'i stumog o."

Daeth sgrech o'r gegin fach. Yna daeth Marc drwodd, a Rhian o'i flaen. Gafaelai Marc yn ei gwallt ag un llaw, gan dynnu ei phen yn ôl, ac yr oedd wedi troi ei braich i fyny'i chefn â'i law arall. Pan ddaeth i'r ystafell rhoes hergwd iddi nes ei bod yn disgyn ar ei hyd ar lawr. Dechreuodd y plant wylo'n uchel.

"Mae hon wedi gwenwyno Sean," gwaeddodd Marc, gan neidio ar ei hôl. Gafaelodd yn ei gwallt, a chodi ei phen. Rhoes gefn llaw iddi ar draws ei hwyneb. Sgrechiodd Rhian eilwaith. "I be gwenwyna ti Sean, y sopen? Y slwt?"

Yr oedd llais Marc yn codi'n waedd orffwyll.

"I be gwenwyna ti Sean?"

"Nid i Sean oedd o!" sgrechiodd Rhian wrth i law Marc ei thrawo drachefn. "Nid i Sean oedd o! I honna!"

Neidiodd Heilyn rhwng Marian a Rhian fel y tynnai Marian ei gwn.

"Saf o'r ffordd, Heilyn!" gwaeddodd Marian.

"Paid, Marian."

"Dos o'r ffordd!"

Pwyntiai Marian ei gwn at Heilyn. Gwaeddodd Heilyn yn ei hwyneb.

"Oes arnat ti isio i'r milwyr 'na ein lladd ni i gyd?"

"'Waeth gen i . . ."

"Paid!"

"Symud o'r ffordd!"

Ac yna canodd y ffôn. Distawodd pawb yn sydyn, fel plant wedi'u dal yn ffraeo. Nid oedd angen sicrwydd mwy pendant arnynt fod pob gair clywadwy o'u heiddo'n cael ei wrando'n astud arno oddi allan, gan y dieithriaid. Yr oedd hynny'n ddigon i'w sobreiddio, am ennyd. A bu'r ennyd yn ddigon.

Yr oedd Carl wedi bod yn dal ei wn yn wyneb Jane Roberts. Ar ôl gwrando am eiliad ar y distawrwydd, trodd.

"Dos i weld Sean, Marian," meddai.

"Aros i mi saethu hon," gwaeddodd Marian.

"Marian. Dos i weld Sean. Mi gei di hon eto. Rho funud neu ddau iddi ddifaru. Heilyn, dos i chwilio am rywbeth i glymu'r rhain. Mae'r chwarae drosodd. Cod ar dy draed," meddai wrth Rhian.

Gydag un olwg atgas ar Rhian, aeth Marian o'r ystafell. Croesodd Carl at Rhian, a rhoes gic iddi.

"Cod, meddaf fi!"

"Ia, cicia hi, y cachgi!"

Yr oedd Jane Roberts ar ei thraed. Trodd Carl yn wyllt ati.

"Dim o dy eiriau dewr di. Eistedd!"

Eisteddodd Jane Roberts heb feddwl, o glywed

ffyrnigrwydd newydd y llais. Yna, gan ei theimlo'i hun yn fabi, dechreuodd godi yn ei hôl.

"Eistedd!"

Eisteddodd Jane Roberts. Cododd Rhian, i gael hergwd sydyn i gadair gan Marc. Daliai'r ffôn i ganu.

"Carl, mae'n rhaid cael doctor yma." Yr oedd llais Heilyn yn dechrau dangos panig. "'Does 'na ddim amser i ffraeo. Ateb y ffôn 'na, Carl, bendith Duw i ti. Ateb o. Dwed wrthyn nhw bod rhaid cael doctor yma."

Edrychodd Carl arno, cyn ateb yn araf.

"'Fydd 'na ddim doctor, Heilyn."

Trodd Heilyn ato'n ffyrnig.

"Be ddwedist ti?"

"Heilyn, paid â dy dwyllo dy hun. 'Rwyt ti'n gwybod cystal â minnau. 'Fydd 'na ddim doctor."

"Ond Carl . . ."

"Be wnaiff o, Heilyn? Be fedr doctor ei wneud? Dim ond mewn ysbyty y medran nhw wagio stumogau, Heilyn, mi wyddost hynny."

Trodd Heilyn at Rhian.

"Ydi o wedi llyncu'r tabledi i gyd? O bob un botel?"

Nid atebodd Rhian.

"Atebwch, wnewch chi?" gwaeddodd Heilyn dros y lle. "Oes 'na dabledi ar ôl?"

"Nac oes."

Yr oedd Rhian yn sibrwd. Yr oedd yn gweld mai gelyn oedd Heilyn hefyd.

"Aethon nhw i gyd i'r ddiod?"

"Do."

Trodd Heilyn yn ôl at Carl.

"Yli, Carl, nid sâl ydi Sean. Mae 'na ddigon i'w ladd o. Mi farwith, Carl."

Yr oedd Carl yn ysgwyd ei ben, ac yn edrych yn syth i lygaid Heilyn.

"Mae'n rhy hwyr, felly, Heilyn. Mae'n rhy hwyr, felly."

"Nac ydi, Carl." Yr oedd Heilyn yn gwelwi gan ddychryn. "Carl, mae'n rhaid iddo fo . . ."

"Be wnân nhw hefo fo, Heilyn? O, mi wagian nhw 'i stumog o. Mi wnân bob dim yn eu gallu i'w gael o'n ôl i'w dwylo'n fyw ac yn iach. Maen nhw'n siwr o'i fendio fo, Heilyn. Be wnân nhw wedyn?"

''Y?''

''Be wnân nhw iddo fo ar ôl ei fendio fo? Be maen nhw'n ei wneud i Jim rŵan? Ateb y ffôn 'na, a gofyn iddyn nhw a gei di siarad hefo Jim i ofyn iddo fo ai byw ai marw y mae o'n ei ddymuno i fod rŵan hyn. Paid â rhoi Sean iddyn nhw hefyd, Heilyn. Gad iddo fo gael llonydd i farw, os dyna sy'n mynd i ddigwydd iddo fo. Os nad wyt ti'n 'y nghoelio i, Heilyn, dos i fyny i ofyn iddo fo.'' Trodd Carl, a cherddodd at y drws. ''Clyma'r ddwy ddynes 'ma. Gwylia di nhw tra bydd Heilyn yn chwilio am rywbeth i'w clymu nhw, Marc.''

Aeth i'r parlwr, a chododd y ffôn.

''Be sy'n bod, Carl?'' gofynnodd y llais yn amheus.

''Pawb â'i fusnes ei hun, 'te.''

''Yli, Carl.'' Yr oedd y llais yn sydyn awdurdodol. ''Fuo hi ond y dim i'r milwyr gael eu gyrru i mewn rŵan. Ond y dim. Be sy'n digwydd yna?''

''Be 'di'r ots gen i am eich milwyr chi?'' Yr oedd Carl yn gweiddi. Yna yr oedd yn gandryll, ac yn ysgwyd y ffôn â'i ddwy law ac yn ysgyrnygu iddo. Ar y sgrinau yn y neuadd ynghanol y pentref ymddangosai ei gampau'n annelwig, a brawychus. Rhythai wynebau pryderus arnynt. Ni wyddai Carl fod ganddo'r fath gynulleidfa.

''O'r gorau, Carl.'' Yr oedd y llais yn dawel. ''Rŵan 'ta, be sydd o'i le? Pwy sy'n sâl?''

''Fel 'tasach chi ddim yn gwybod . . .''

''Pwy sy'n sâl, Carl?''

''Mae Sean wedi cael gwenwyn.''

''Mae'n rhaid ei gael o i ysbyty, Carl.''

''Dim peryg.''

''Carl, paid â bod yn wirion. Be 'tasa fo'n . . . faint o wenwyn gafodd o, Carl? Sut wenwyn oedd o?''

''Tabledi.''

''Tabledi be, Carl?''

''Be wn i?'' Yr oedd Carl yn gweiddi eto. ''Be 'di'r ots?''

'''Fedri di ddim ei adael o yna, Carl. Mae'n rhaid gwagio'i stumog o'n syth, ne' mi fedr farw. 'Does arnat ti ddim isio marwolaeth dy ffrind di hefyd ar dy feddwl di, nac oes?''

''Mi wyddoch chi gystal â minnau na ddaw Sean ddim allan.''

''Tyrd ti â fo allan, Carl.''

Aeth Carl yn ddistaw. Yna siaradodd yn floesg.

"Dos i'r diawl."

Rhoes y ffôn i lawr, a'i dyrnu ar ei phen. Croesodd y parlwr i'r ffenest. Agorodd fymryn ar y llenni, a chaeodd ei ddwrn yn herfeiddiol yn y ffenest. Caeodd y llenni yn eu holau. Aeth i eistedd yn ddiymadferth. Clywodd sŵn rhywun yn dod i lawr y grisiau, sŵn Marian. Daeth ei gariad ato i'r parlwr.

"Mae Sean yn mynd i farw."

Syllai Carl yn syth o'i flaen.

"Mi gaiff y diawliaid dalu am hyn. Sut medrodd yr hogan 'na roi'r tabledi yn ei ddiod o?"

"I mi yr oedd y ddiod. Mi gawn wybod rŵan hyn. Tyrd."

Aethant drwodd. Gwylltiodd Marian yn syth.

"Pam nad ydi'r ddwy yma wedi'u clymu?"

"Be 'di'r ots bellach?" Yr oedd Heilyn yn syllu drwy'r llenni, a'i lais yn dawel ddi-liw. "Pa wahaniaeth wnaiff o?"

"Pa wahaniaeth?" Aeth Marian ato, a'i cheg yn dynn. "Am fod Carl wedi dweud wrthat ti am wneud, dyna i ti un rheswm. Ac mae hwnnw'n ddigon, i ti."

"Felly'n wir?"

"Ia! Felly'n wir!"

Yr oedd Marian yn gweiddi. Yr oedd Heilyn yn cuddio'i gynnwrf yn y llenni.

"'Rydan ni wedi gwrando digon arnat ti, hefo dy gynllunia crand i adael y rhain yn rhydd, heb eu clymu. A be ddigwyddodd? Mi wenwynodd hon Sean o dan eich trwynau chi."

"Ein trwynau ni?"

"Paid â bod mor glyfar! Pwy oedd yn gwylio hon pan yfodd Sean y ddiod 'na?"

"I be ddiawl mae isio gwybod hynny?" gofynnodd Marc. "Pa haws ydach chi rŵan?" gwaeddodd.

"A phwy roddodd y syniad yn ei phen hi i wneud hynny?" gofynnodd Heilyn yn galed. "Pwy oedd yn glyfar i gyd yn dwyn diod plant bach yn ei gŵydd hi, ac yn ei yfed o heb ddweud dim? Wrth dy weld di'n gwneud dy gampau y cafodd hi'r syniad," meddai wrth Marian, a'i lais o'r diwedd yn dechrau bradychu ei gynnwrf. "Dyna pam y rhoes hi'r gwpan lle medrai rhywun gael gafael arni."

"'Tasa hi wedi cael ei chlymu a'i chadw ar y gadair 'na ers

nos Iau, 'fyddai hi ddim wedi gallu estyn y gwpan o gwbl,'' gwaeddodd Marian yn ei wyneb.

Gwrandawai'r ddwy ddynes a'r plant yn frawychus arnynt yn edliw pethau i'w gilydd yn gibddall, fel plant. Disgwylient unrhyw funud weld rhywun yn cael ei drawo. Yna daeth llais Marian yn glir dros leisiau pawb arall.

''Dim ond dy fod di wedi ffansïo'r blydi hogan 'na!''

Aeth yr ystafell yn ddistaw, ddistaw. Dychrynodd Rhian drwyddi. Cafodd gip ar ei mam yn edrych yn ddiddeall arni. Edrychodd ar y pedwar wrth y ffenest. Dim ond wyneb gwelw Heilyn a welai. Yna yr oedd ef yn siarad.

'''Wyddwn i ddim dy fod yn coleddu hen eiddigeddau fel 'na, y bydden nhw'n gweddu'n well i genod ysgol,'' meddai'n sur wrth Marian. ''Ond dyna be sydd arnat ti. Yn y bôn 'rwyt ti'n eiddigeddus o'r hogan 'ma a'i phlant. Am hynny, 'rwyt ti'n dychmygu pob math o bethau ynglŷn â hi.''

''O. Felly'n wir?'' Yr oedd llais Marian yn oer, beryglus.

''Ia, Marian, felly. Os wyt ti'n meddwl 'mod i wedi ffansïo Rhian am 'mod i'n siarad mwy na neb arall hefo hi er pan ydan ni yma, yna mae hi'n o druenus arnat ti. 'Does gen ti fawr o glem. Pa haws wyt ti o gael dy Fudiad a dy syniadau mawr os nad wyt ti am siarad hefo pobl? Y gwir amdani ydi nad oes gen ti ddim byd i'w gynnig iddyn nhw, 'te?''

''Cau dy geg. Be wyddost ti?''

'''Rwyt ti wrth dy fodd yn rhoi hanes ei nain i'r gwareiddiad dau gar a ffrij 'ma. 'Does 'na ddim o'i le yn hynny, na fawr o gamp chwaith. Ond 'chlywis i 'rioed mohonot ti'n cynnig dim byd mwy parhaol a chall yn ei le o. Be ydi dy werthoedd di? Sbeit?''

'''Wnei di gau dy geg?''

''Gwnaf, Marian, 'waeth i mi ei chau hi ddim.'' Trodd Heilyn yn ôl i'r llenni, a rhoi cip drwyddynt. Trodd at Carl. ''A 'dydi Sean ddim am gael ei symud, felly?''

''Mi wyddost . . .''

'''Rydw i am fynd at Sean, 'ta.''

'''Chlywaist ti mo Carl?'' hisiodd Marian. ''Clyma'r merched 'ma.''

''Clyma nhw dy hun.''

Gwthiodd Heilyn Marian o'i ffordd, a chlywodd hi'n ei regi. Aeth at y drws. Gwaeddodd hithau ar ei ôl.

"Mi fedrwn dy glymu ditha hefo nhw hefyd, was. Paid â mynd yn ormod o lanc."

Anwybyddodd Heilyn hi. Tra buont yn ffraeo, yr oedd un o'u cyfeillion, y callaf a'r cleniaf ohonynt, yn marw. Efallai fod Sean yn gwrando arnynt yn anghofio amdano mewn ffordd mor ddi-hid, wedi llwyr anghofio amdano cyn iddo farw. Yr oedd ar Heilyn gywilydd mawr.

Clywodd sŵn ar y grisiau y tu ôl iddo. Nid edrychodd.

"'Wêl Sean mo Erin eto, Marc."

Nid atebodd Marc.

Daethant at y gwely. Gorweddai Sean ar wastad ei gefn, a'i lygaid ynghau. Daliai i riddfan yn isel. Ysgydwai ei ben o ochr i ochr yn araf, i gyfeiliant ei riddfannau, a symudai ei law yn beiriannol ar hyd ei gorff.

"Ydi o'n ymwybodol?" gofynnodd Marc yn araf.

"Am wn i. Sean?" Eisteddodd Heilyn ar y gwely, a rhoes ei law ar dalcen Sean. Agorodd y llygaid yn araf. "Sean?"

Trodd y llygaid, fel pe bai ganddynt ddigon o amser. Arosasant am hir ar wyneb Heilyn, cyn dechrau symud wedyn i aros ar wyneb Marc. Daeth Marc at ochr y gwely.

"'Does 'na ddim i'w boeni amdano fo rŵan, Marc. 'Rydw i'n hen ŵr ers meitin."

Ni ddywedodd Marc ddim. Llyncodd ei boer, yn glywadwy.

"Fi syrthiodd i'r trap, hogia."

"Ia, Sean. Ond i Marian y'i bwriadwyd o. 'Doedd hi ddim am i ti ei lyncu o."

Yr oedd llais Heilyn yn grynedig. Yr oedd Sean fel petai'n ystyried y geiriau am hir.

"'Tawn i wedi priodi, mi fyddwn i isio i 'ngwraig i wneud yr un fath ag y gwnaeth Rhian."

"Ia, Sean?"

"Ganddi hi yr oedd y gyts yn y diwedd."

"Ella nad oedd 'na lawer ynddo fo, Sean," meddai Marc yn ffrwcslyd, "ella na fyddi di'n sâl iawn."

Aeth ei lais yn ddim. Aeth yn ddistawrwydd.

"'Wela i ddim bai arni hi."

"Be, Sean?"

"'Dydw i ddim yn ddig wrthi hi. 'Wnei di ddweud wrthi hi, Heilyn?"

"Gwnaf, Sean."

"Paid â gadael i Marian ddial arni hi."

Arhosodd Sean i riddfan. Caeodd ei lygaid, ac estynnodd ei law a gafael yn dynn yn llaw Marc.

"Mae hi ar ben, Marc."

Methai Marc ag atal ei ochneidiau. Rhedai'r dagrau i lawr ei fochau.

"'Rydw i'n mynd i farw."

"Wyt, Sean."

"Heddiw."

"Ia, Sean."

"'Fydd o'n boenus? Heilyn? 'Fydd o'n boenus?"

"Na fydd, Sean." Ni wyddai Heilyn sut i ddweud wrtho nad ceisio codi'i galon yr oedd. "'Fydd o ddim. Mi fyddi'n mynd i gysgu toc. Mi fydd y boen wedi mynd wedyn."

"A mi farwa i yn 'y nghwsg."

"Gwnei, Sean."

"Heb wybod."

"Ia."

"Mi fyddai'n well gen i wybod."

Nid atebodd Heilyn. Gwasgodd Marc law Sean.

"Wyt ti isio rhywbeth, Sean?"

Ni ddaeth ateb. Yr oedd Sean yn dechrau cysgu. Edrychodd Heilyn a Marc ar ei gilydd. Wylai Marc.

"Oes."

Yr oedd llais Sean yn sibrwd. Plygodd Heilyn ato.

"Be, Sean?"

"Isio'r Tad. Y Tad Joseph . . . neu rywun . . . neu Thomas."

Teimlodd Heilyn y boen yn ei daro yn ei galon. Edrychodd ar Marc. Yr oedd Marc wedi plygu ei ben, ac yn pwyso'i dalcen ar law Sean. Trodd Heilyn, i guddio'i gywilydd. Gwelai watwareg greulon Marian a chrechwen sarhaus Carl yn rhagfur yn erbyn cael unrhyw offeiriad i ddod at Sean. Nid oedd arno eisiau i Sean wybod. Nid oedd arno eisiau i Sean ddarganfod ei fod mor drwyadl ddiwerth, gan bobl ei Fudiad, fel bod yr hawliau digwestiwn hynny a ganiateid yn reddfol hyd yn oed i wehilion daear yn mynd i gael eu gwahardd iddo ef. Yr oedd Sean yn erfyn am offeiriad ac nid oedd fynediad i'r un. Nid oedd caniatáu urddas i farwolaeth yn rhaglen Mudiad Carl a Marian.

Ond nid oedd Sean am ddarganfod. Pan drodd Heilyn yn

ôl i edrych arno, yr oedd Sean wedi dechrau mynd i drwmgwsg.

"Marc?"

"Be?"

"'Fedrwn ni ddim cael offeiriad yma."

"Na fedrwn, Heilyn."

"Mae gan Sean hawl i farw heb sbeit Carl a Marian."

"'Dwyt ti ddim yn eu hoffi nhw, nac wyt, Heilyn?"

"Nid dyna ddwedis i. 'Ddwedis i mo hynny."

"'Rwyt ti'n eu casáu nhw, on'd wyt?"

"Marc."

"Be?"

"Rhaid peidio â dial ar Rhian."

"Mi fydd yn anodd, Heilyn."

"Mae Sean wedi dweud, Marc."

"Ydi." Sychodd Marc ei lygaid yn ei lawes. "Mae Sean wedi dweud."

Cododd Heilyn, ac aeth at y drws yn ddistaw. Trodd yn y drws, i edrych ar y gwely. Yr oedd trwmgwsg Sean yn glywadwy. Eisteddai Marc o hyd wrth y gwely, yn crynu'n ddistaw ddireol, a'i ben yn pwyso ar dair llaw.

7

I

Yr oedd y llys disgwylgar yn llawn. Eisteddai'r Ynad Cyflogedig y tu ôl i'w feicroffon. O'i flaen, wedi'u gwasgu'n dynn at ei gilydd, eisteddai rheseidiau o ohebwyr eiddgar, o lawer gwlad. Ar wahân i swyddogion y llys, a'r heddlu, hwy oedd yr unig rai a gafodd ddod yno.

Nodiodd Clerc y llys, a chodwyd ffôn gan heddwas a eisteddai ar ben y grisiau a ddeuai o'r celloedd islaw. Distawodd y llys ar unwaith, a chyn bo hir clywyd sŵn o'r grisiau. Daeth tri phen i'r golwg, ddau ohonynt yn daclus. Daethpwyd â Jim o flaen ei well rhwng dau dditectif, ynghlwm mewn cyffion.

Pan ddaeth i'r golwg yn iawn, daeth murmur sydyn dros y llys. Nid oherwydd y dillad blêr a oedd yn rhy fawr iddo, nac oherwydd ei wallt blerach, a oedd â golwg seimllyd arno. Edrychai pawb, mewn syndod a pheth ansicrwydd, ar wyneb Jim.

Yr oedd ei lygad chwith ar goll mewn chwydd dugoch. Yr oedd ei wyneb wrth ochr y llygad ac odani'n un clais anferth, amryliw. Yr oedd clais arall uwchben ei lygad dde, a oedd yn syllu'n ddwl ddisymud o'i blaen, a pheth chwydd yn ei weflau hefyd. Rhoes yr Ynad anadliad hir wrth i'r tri droi ato yn y doc, a rhoes ebychiad tawel, gan ofalu nad oedd neb yn ei glywed.

Ni ddywedwyd llawer. Munud a hanner a barodd y cyfan. Cyhoeddwyd ei enw, a chyhuddwyd ef o lofruddio'r Cwnstabl Brian Mitchell, pan oedd ar ddyletswydd, am hanner awr wedi naw o'r gloch ar fore'r degfed dydd o'r mis. Gofynnodd yr erlynydd, twrnai bychan nad edrychai ar ddim ond ar ei nodiadau o'i flaen, ac a blygai i siarad i'r meicroffon mewn llais unffurf, anniddorol, am i'r llys gadw'r cyhuddiedig yn y ddalfa, gan ychwanegu y byddai cyhuddiadau difrifol eraill yn cael eu gosod arno. Cododd dyn arall i ofyn, yn ddigon di-hid, am gymorth cyfreithiol iddo. Nodiodd yr Ynad, a phlygu at ei feicroffon.

Gofynnodd i Jim a oedd arno eisiau dweud rhywbeth. Daeth rhyw fwmblian o'i enau. Edrychodd yr Ynad yn ddiamynedd arno, a dweud wrtho'n swta am siarad i'r meicroffon. Cododd un ditectif y meicroffon a'i roi o flaen ceg Jim. Clywodd Jim ryw lais yn llenwi'r llys, yn rhyfedd. Sylweddolodd mai ei lais ef ei hun ydoedd, yn dweud rhywbeth am gael ei gadw yng ngharchar yn hytrach nag yng nghelloedd yr heddlu. Ond wedyn yr oedd yn mynd i fwmblian drachefn.

"Ond 'dydi o ddim ots," meddai'n ddistaw druenus i'r meicroffon, gan ysgwyd ei ben yn ffwndrus.

Cadwodd yr Ynad ef i ofal yr heddlu am wythnos, gan ychwanegu gorchymyn fod archwiliad meddygol i gael ei wneud o'i wyneb. Aethant ag ef o'r doc, ac i lawr y grisiau. Ar ganol y grisiau, o olwg y llys, arosasant, a datgysylltu'r cyffion.

"'Rwyt ti'n rhydd rŵan, Jim."

Y munud nesaf yr oedd yn hyrddio'n bendramwnwgl i lawr y grisiau.

Hanner llusgwyd ef yn ôl ar hyd cynteddoedd hirion, ag oglau paent arnynt. Adlewyrchai'r bylbiau trydan yn oer a digysur o'r waliau sglein, i godi'r felan ar ddyn, yn fwriadol greulon. O'r diwedd, taflwyd ef i ystafell, lle'r oedd dynion i'w dderbyn.

"Wyddoch chi be? 'Dydi o ddim yn hoffi'i le yma."

"Brenin annwyl!"

"Isio mynd i garchar."

"Wel wel!"

"Mae warders yn ffeind."

"Dim ffeindiach na ni."

"O, mi setlith i lawr. Rhowch ddiwrnod neu ddau iddo fo."

"Wel, Jim bach, 'does 'na neb isio dy weld di eto, am wythnos. Wythnos gyfa. Dim ond rhyw dwrna bach, a 'dydi'r rheini ddim yn cyfri. Mi fedr 'na lawer ddigwydd mewn wythnos. On'd ydi hi'n dda arnat ti fod gen ti ddigon o blismyn i ofalu amdanat ti?"

"'Ŵyr o mo'i eni."

"'Ŵyr o ddim. Wel, Jim, mae'n amser seiat holi unwaith eto. Rŵan 'ta, y tro yma, mi ddechreuwn ni yn y dechrau un."

II

Daeth Heilyn o'r llofft yn araf. Arhosodd wrth y ffenest ben grisiau i edrych drwy'r llenni. Edrychodd yn hir ar y gorwel, gan fynd drosti yn ei ddychymyg nes cyrraedd glannau'r Ynys Werdd, a'r brifddinas gartrefol na bu ynddi ond unwaith. Darluniodd ei ddychymyg stryd yn y ddinas, a thŷ yn y stryd. Yn y tŷ yr oedd gŵr a gwraig, yn dechrau mynd yn oedrannus cyn eu hamser. Gwelodd blismon pryderus yn tarfu, unwaith yn rhagor, ar eu bywydau, ac yn rhoi ysgytwad ingol iddynt gyda'i neges athrist. Gwyddai mai felly'n union y byddai. Wylai ei galon oblegid pâr priod syml nas gwelsai erioed.

Daeth ei feddwl yn ôl i'w ochr ef i'r gorwel. Yr oedd y môr yn llwyd a thonnog, a gwag. Deuai gwynt o'r de-orllewin gan yrru'r tonnau ar hytraws. O'r de-orllewin hefyd prysurai cymylau boliog tuag ato. Trodd o'r llenni, a mynd i lawr y grisiau.

Yr oedd pawb ond Marc yn y gegin fyw, yn edrych yn gas y naill ar y llall, a Marian fel petai'n herio Rhian neu ei mam i wneud rhywbeth na fyddai'n plesio. Nid oedd ei gwn wedi bod o'i llaw ers yr adeg yr aeth Sean yn wael. Yr oedd clymu Rhian a'i mam wedi'i brofi'i hun yn fethiant, oherwydd gofynion Deian, yn bennaf, ond ni châi'r un o'r ddwy symud o'u cadeiriau ond pan oedd hynny'n hollol angenrheidiol. Yr oedd popeth wedi newid yn llwyr.

Aeth Heilyn i mewn.

"Mae Sean wedi marw."

Tynnodd Jane Roberts ei gwynt ati, a sythodd yn ei chadair. Plygodd Rhian ei phen, i wylo. Aeth wyneb Marian yn sur. Nid adweithiodd Carl o gwbl.

"Mi ddaliodd bron i ddiwrnod," ychwanegodd Heilyn. "Mi fyddai doctor wedi gallu 'i achub o."

Ar ôl hynny yr adweithiodd Carl.

"Be ddiawl?" holodd yn wyllt. "Edliw wyt ti? Wyt ti am roi'r bai arna i, wyt ti?"

"'Dydw i ond yn dweud, Carl. 'Tasa fo wedi cael cymaint o ddos fel na fyddai 'na obaith iddo fo, mi fyddai o wedi marw ynghynt o lawer,—neithiwr, neu hyd yn oed pnawn ddoe."

"Wel, dyna ti 'ta, Heilyn," meddai Marian yn bwyllog,

''mae Sean wedi marw. Mae hon wedi'i lofruddio fo, a llygad am lygad fydd hi yma tra byddwn ni yn y tŷ 'ma. Mae'n rhaid i un o'r rhain farw rŵan, i ddial. Ac i ddysgu gwers i'r plismyn 'na. Mi saethwn ni un o'r rhain rŵan. Heilyn, dewis di pa un.''

Mi fydd hon wedi marw cyn callith hi, meddyliodd Heilyn. Yr oedd Marian yn dal i chwarae Mudiad. O hyd yr un fath. Bob tro y byddai hi'n cael ffrae â rhywun arall o'r Mudiad, heblaw Carl, byddai, cyn hir, mor sicr â dim, yn ceisio profi'r un a ffraeodd gyda hi, drwy wneud iddo fod eisiau cadarnhau ei ffyddlondeb a'i deyrngarwch, a'i fywyd, i'r Mudiad. Nid oedd Heilyn am gymeryd arno ei fod am gydymddwyn â hi, er y gwyddai'n eithaf nad y cais arferol am sicrwydd oedd ganddi y tro hwn.

''Gwaedda ar Marc, a gofyn iddo fo be ddwedodd Sean pnawn ddoe,'' meddai'n dawel.

Symudodd Marian ato, nes bod ei hwyneb yn cyffwrdd bron â'i wyneb ef. Poerai ei geiriau.

''Mi ddywedodd Sean, Gristion bach teilwng, am i ni beidio â dial ar y sarffes yma.''

Am y tro cyntaf ers ei blentyndod, teimlodd Heilyn boen dagrau. Yr oedd mor ddieithr iddo fel y bu bron iddo adael iddynt ymddangos. Ond fe'u cadwodd i ffwrdd, ac edrychodd yn syth i lygaid Marian.

'''Does gen ti ddim byd, nac oes, Marian?''

Yna gwyddai ei fod wedi ei brifo, peth na ddigwyddasai erioed cyn hynny, ac yr oedd yn brofiad dieithr. Gwyddai yr un munud fod pob cyfeillgarwch a dealltwriaeth, pob cyd-ddyhead a fu rhyngddynt, wedi darfod.

'''Rwyt ti'n mynd i saethu un o'r rhain, Heilyn.''

Yr oedd hi wedi troi'r stori. Nid oedd arno angen prawf arall.

''Nac ydw, Marian, 'dydw i ddim.''

'''Rwyt ti'n mynd i saethu un o'r rhain, Heilyn.''

Yr oedd ei llais yn gasach, a dechreuai golli rheolaeth arno. Daliodd Heilyn yn dawel.

'''Does 'na neb yn mynd i saethu'r un ohonyn nhw, Marian. Nid i hynny y daethon ni yma. Ydi dy Fudiad di wedi ei ostwng i hynny?''

''Cau dy geg!'' Ni cheisiai Marian guddio'i chasineb. ''Be wyddost ti am na Mudiad na dim? Y babi diawl. Aros i ni gael ein traed oddi yma, mêt. Mi gawn ni weld amdanat ti yr adeg honno.''

Carl ydi'r dyn gwan, meddyliodd Heilyn. Ond ni ddywedodd hynny. Ni ddywedodd chwaith na fyddai Marian mewn llawer o le i weld nac i wneud dim amdano ef pan fyddent yn gadael y tŷ. Os oedd Marian yn gallu credu'n wahanol, ni fedrai ef weld unrhyw ddiben mewn dweud dim wrthi.

Nid bod angen. Yr oedd Marian wedi troi at y gwystlon.

''Am fod Sean wedi cael ei ladd, mi fydd un ohonoch chi'n cael ei saethu . . .''

'''Rwyt ti wedi bygwth mor aml,'' torrodd Heilyn ar ei thraws, ''nes bod dy lais ffilmiau cowbois di wedi mynd yn dôn gron. Mi gaiff y plant bach 'ma gêm 'Marian yn saethu' a barith iddyn nhw am flynyddoedd.''

Meddyliodd Heilyn y byddai Carl a Marian yn ei larpio, ond cyn iddynt gael gwneud dim yn eu cynddaredd newydd, yr oedd y drws wedi agor, a Marc yn sefyll yno, ei lygaid yn goch, a'i holl osgo'n dangos llwyredd ei alar. Ni chymerodd sylw o Heilyn, na Carl, na Marian; ni sylwodd, neu ni ddangosodd ei fod yn sylwi ar y tyndra rhyngddynt. Cerddodd yn syth at Rhian.

''Mae Sean wedi marw.''

Yr oedd ei lais yn wag, ddi-liw. Edrychai ar Rhian, ac ar Deian wrth ei hochr. Gwyddai Rhian drwy reddf fod perygl newydd, a gafaelodd yn warchodol yn ei phlentyn. Trodd Marc i bwyso ar y grât, ond trodd yn ôl yn sydyn, a chipio Deian oddi ar Rhian, gan ei blycian yn ffyrnig o'i gafael. Fel y tynnai ei wn o'i boced, rhuthrodd Carl a Marian y tu ôl i Rhian a'i mam, a gafael ynddynt o amgylch eu gyddfau o'r cefn, a dal eu gynnau wrth eu pennau. Safai Heilyn yn ei unfan wedi'i barlysu. Gwelodd yr olwg orfoleddus yn llygaid Marian. Yr oedd arno eisiau tynnu ei wn o'i boced, a'i saethu, ond gwyddai na allai. Trodd ei olygon yn ei arswyd i ymbil ar Marc. Ni welai Marc mohono.

Dim ond un waedd fechan a roes Deian wrth gael ei dynnu oddi wrth ei fam. Am mai Marc a'i cododd, yr oedd popeth yn iawn, er mai Sean oedd y gorau o'r bobl newydd. Ymgrafangodd ar fraich Marc i'w wneud ei hun yn fwy cyffyrddus a diogel. Dechreuodd fynd ar ôl y gwn, ond ailfeddyliodd, a rhoes ei fawd yn ei geg.

Edrychodd Marc yn hurt arno. Ysgydwodd ef i'w gael i grio, ond y cwbl a wnaeth y babi oedd chwerthin drwy ei fawd. Daeth penbleth i lygaid Marc wrth iddo edrych arno'n ymfoddhau yn ei fawd ac yn y sylw. Daeth hisian o'r dde iddo.

"Saetha fo, Marc. Saetha fo."

Cododd Marc ei ben, a gwelodd wyneb sglyfaethus Marian. Edrychodd eilwaith ar y babi, a rhoes y gwn yn ei boced. Rhoes Marian ebychiad o ddirmyg a siom, a gwnaeth Jane Roberts sŵn tagu wrth i gynddaredd Marian fynd i'w braich. Sodrodd Marc Deian ar y soffa.

"Mi cewch o," meddai wrth Rhian. "Magwch o, i chi gofio bob tro y byddwch chi'n edrych arno fo ac yn meddwl amdano fo mai chi laddodd Sean. A phob tro y byddwch chi'n cofio hynny, mi gewch chi gofio hefyd fod Sean wedi dweud wrthon ni neithiwr am i ni beidio â dial arnoch chi. 'Dydach chi ddim yn nabod ei dad a'i fam o, nac ydach?"

Edrychodd y ddau i lygaid ei gilydd, a dechreuodd Rhian wylo. Trodd ei llygaid draw, a thynnodd Deian ati. Yna daeth bloedd sydyn wrth i Marian droi ei gwn oddi wrth Jane Roberts at Rhian neu Deian, ni wyddai neb pwy. Cyn iddi allu cyflawni ei bwriad yr oedd Carl wedi cipio'r gwn oddi arni.

"Nid rŵan, Marian."

"Be haru ti?" poerodd hithau. "'Roeddet ti am adael i Marc ei saethu o."

"Nid rŵan, Marian."

Cipiodd Marian ei gwn yn ôl oddi ar Carl, a stwffiodd ef yn wyllt i'w phoced. Trawodd wyneb Jane Roberts yn ffyrnig gyda chefn ei llaw i fwrw'i llid ar honno, cyn troi oddi wrthi'n sorllyd. Arhosodd Jane Roberts yn llonydd, a gwelwodd.

"Dalltwch chi hyn," meddai Carl yn oer, "beth bynnag a ddigwydd, beth bynnag fydd y trefniant terfynol rhyngon ni a'r plismyn 'na, mi fyddwn ni'n dial arnoch chi am ladd Sean cyn i ni fynd oddi yma. Ond nid rŵan ydi'r adeg. Ond mae hi'n dod i chi, cyn sicred â bod Sean yn gorwedd yn farw yn y llofft 'na. Mi fydd 'na un ohonoch chi'n marw cyn i ni fynd i ffwrdd."

Yna dechreuodd Jane Roberts wylo, wylo'n ddilywodraeth.

"O dyma ni eto," gwatwarodd Carl, "dynes ddewr yn methu â dygymod â pheidio â bod. 'Does dim angen i chi strancio, ddynes. Y cwbl fydd yn digwydd ydi na fydd 'na ddim chi, na fyddwch chi ddim. Dim mewn nefoedd nac uffern, dim ond dim.''

''Gad iddi, Carl,'' meddai Heilyn.

''Pam?'' arthiodd Marian arno. ''Wyt tithau'r un fath â hi?''

''Mae ganddi hi gystal hawl â thitha i fyw.'' Trodd at Carl. ''Pregeth orwych,'' meddai'n sur. ''Be ydan ni'n mynd i'w wneud hefo Sean?''

Trodd Carl ato'n wyllt.

''Be wyt ti'n ei feddwl? Yli, os oes gen ti un o dy syniada eto . . .''

''Mae Sean wedi marw,'' meddai Heilyn, gan geisio peidio â gwylltio, ''felly mae'n rhaid i ni wneud rhywbeth â'i gorff o.''

''Na fydd.''

''Y?''

'''Rydan ni'n mynd oddi yma. Mi gaiff y plismyn ei gorff o cyn iddo fo ddrewi.''

''Cau dy geg, Carl,'' meddai Marc yn chwyrn.

''O, o'r gorau, 'ta,'' gwaeddodd Carl yn ôl arno. '''Wnaiff o ddim drewi. Mi gawn ni offeiriad yma i'w sancteiddio fo. Mi purith hwnnw fo fel newydd. Lle mae dy synnwyr di, Marc?''

Yr oedd Marc wedi gwelwi.

''Mi ofynnodd Sean am offeiriad,'' meddai, ''ond mi fethon ni.''

Chwarddodd Marian dros y lle.

'''Ddaru o'n wir? Wel, wel!''

Torrodd Carl ar ei thraws.

''Tyrd i'r parlwr. Mae isio i ni feddwl sut i fynd oddi yma cyn nos. Mae'n rhaid i ni drio troi marwolaeth Sean yn fantais i ni.''

Aeth Carl drwy'r drws, a chychwynnodd Marian ar ei ôl. Arhosodd yn ymyl Heilyn.

''Mi wyddost ti be sydd, gwyddost? 'Rydan ni wedi bod yma'n rhy hir, wedi'n cau yn y twll 'ma. Mae o'n siwr o esgor ar ffraeo. Hidia befo. Mae'n well iddo fo fod allan nag i mewn. Mae awyr iach yn ei ladd o.''

''Ydi, Marian?''

Aeth Marian i'r parlwr ar ôl Carl. Mae'n rhy hwyr,

Marian, meddyliodd Heilyn, mae'n rhy hwyr. Gwyddai nad oedd ddiben cymryd arno mwyach.

Symudodd Marc tua'r drws.

"Marc."

"Be?"

"Mi wnest yn iawn."

"Y?"

"Peidio â gwneud dim i'r babi."

Cronnai'r dagrau'n rhyfeddol o sydyn yn llygaid Marc. Dechreuodd ddweud rhywbeth, ond rhoes y gorau iddi. Dywedodd rywbeth arall, yn ddistaw angerddol.

"'Rydw inna'n eu casáu nhw hefyd, Heilyn."

Aeth o'r ystafell cyn i Heilyn gael cyfle i'w ateb.

Eisteddodd Heilyn. Yr oedd wedi ymlâdd. Yr oedd ofn yn dechrau dod drosto am ei fod yn dechrau cenfigennu wrth Sean. Iddo ef, yr oedd y sioe drosodd, a'r ateb wedi dod. I Heilyn, yr oedd pethau'n gwaethygu, a'i benderfyniad ef i warchod Rhian a'i theulu mor ddiysgog ag erioed. Os nad oedd yn ei dwyllo'i hun. Methu â gwneud dim a wnaeth pan fygythiodd Marc y babi. Nid oedd hynny'n fawr o warchod. Erbyn hyn gwyddai beth a fyddai gofalu na châi'r un o'r pedwar a wylai yn eu cadeiriau o'i flaen eu niweidio'n ei olygu. Nid oedd dulliau ffansi.

Gwelodd newid mawr wedi dod dros Carl. Am y tro cyntaf ers iddo'i adnabod, yr oedd Carl yn gwylltio, yn gwylltio'n gandryll am y peth lleiaf, ac yn gweiddi'n afreolus. Mistar Mostyn yn dechrau peidio â chael ei ffordd ei hun. Yr oedd ei adwaith yn anochel, wrth gwrs. A dyrnai rhywbeth arall drwy ei ben. Yr oedd Marc newydd ddweud ei fod yn casáu Carl a Marian. Os felly, gallai ef ddibynnu arno, dibynnu arno i ofalu nad oedd neb yn y tŷ'n cael niwed. Ac efallai i gynorthwyo i'w gollwng yn rhydd, pe methai popeth arall.

Cododd yn ebrwydd wrth feddwl am y fath syniad. Croesodd i'r ffenest i geisio'i ddileu o'i feddwl. Gwyddai na allai fyth ryddhau'r teulu yng nghefnau Carl a Marian, na gofyn i Marc gynorthwyo. Un peth oedd iddi fynd yn ffliwt rhyngddo ef a'r ddau, peth arall oedd iddo'u gwerthu. Nid honno oedd y ffordd. Aeth yn ôl i'w gadair. Yr oedd yn gymysg oll i gyd.

"Dyna i ni un yn llai."

"Fel mae pethau'n mynd, mi fydd y lleill wedi lladd ei gilydd cyn y bydd raid i ni wneud dim."

Cododd y Prif Gwnstabl, i ystwytho.

"Go brin," meddai. "'Roedd honna'n agos, Dic. Yn rhy agos."

"'Wn i ddim," meddai'r Dirprwy, "'tawn i'n cael yr Heilyn 'na ar y ffôn eto. Mae hwnnw i'w glywed yn callio. Fel y mae Carl yn mynd yn wirionach, mae hwn yn dechrau dod yn fwy a mwy i'r amlwg, ac yn fwy cyfrifol, os medri di ddefnyddio'r fath air am y nialwch. 'Tawn i'n ei gael o ar y ffôn eto . . ."

"'Chei di mohono fo."

"Y?"

"Mi fydd Carl neu Marian yn effro drwy'r adeg o hyn ymlaen i ti. 'Dydyn nhw ddim yn trystio'r ddau arall 'ma mwyach. 'Roedd honna'n ffrae gynna."

"Oedd."

"Yn ormod o ffrae."

"Y?"

"Maen nhw wedi mynd yn rhy beryg erbyn hyn, Dic."

Edrychodd y Dirprwy arno. Yr oedd yn amlwg fod y penderfyniad wedi ei wneud. Trodd yn ôl, a rhoes ei law dros ei wyneb. Yr oedd yn flinedig, a thrist.

"Mae 'ngwaith i wedi bod yn ofer, felly."

"Nac ydi siwr. Chdi sydd wedi'u cadw nhw'n fyw."

"Mi farwith pawb yn y tŷ 'na."

"Mae Carl a Marian wedi mynd yn rhy beryg, Dic. Mae'n rhy hwyr."

"Be 'tasa . . ."

"Mae'n bosib, os aiff hi'n waeth, cyn i ni fod yn barod, y cân nhw weld eu hofrennydd yn glanio. Os byddwn ni angen yr amser, mi wna i hynny."

"A mi weithith?"

"Mi wnaiff."

"Mi wnaiff. Ydi'r cwrt wedi bod?"

Edrychodd y Prif Gwnstabl ar ei oriawr.

"Rŵan mae o."

"Mi wnaeth yn iawn."

"Pwy?"
"Y ffermwr 'na."
"Do, Dic?"

IV

Yr oedd y llys yn orlawn. Eisteddai'r ddau Ynad trwsiadus gan sibrwd wrth ei gilydd ac wrth Glerc y llys a safai odanynt a'i bwys ar y fainc. Edrychai'r ddau'n anniddig ac anfodlon. Eisteddodd y Clerc, a dechreuodd y gweithgareddau.

Agorwyd drws gan heddwas, a cherddodd Dewi Rhys drwyddo i'r llys, a dau heddwas yn ei ddilyn. Gwisgai Dewi siwmper goch a throwsus du, a golwg arnynt fel petai wedi cysgu noson ynddynt. Yr oedd golwg herfeiddiol, benderfynol, arno. Arweiniwyd ef i'r doc gan un o'r heddweision, a safodd hwnnw wedyn y tu ôl iddo. O'i flaen, trodd ei dwrnai ato, a rhoi winc arno.

Nid oedd noson yng nghelloedd yr heddlu yn y dref wedi dychryn dim ar Dewi, nac wedi ei droi i fod yn edifar am yr hyn a wnaeth. I'r gwrthwyneb,—yr oedd yn ddigon parod i fynd allan o'r llys i wneud yr un peth eto.

Y rhyddid i bawb gael mynd i'r eglwys a ddechreuodd yr helynt. Bu i nifer o ddieithriaid yn y pentref fanteisio ar yr hawl i fynd yn ddirwystr i addoli, ac aethant i geisio busnesa mewn mannau a oedd wedi bod yn waharddedig iddynt am dridiau. Gwelsai Dewi'r un dyn ag a welsai y diwrnod cynt yn croesi drwy ei wair. Aeth ar ei ôl, a'i ddal. Bu'r ddau'n edliw pethau i'w gilydd bron hyd at daro nes i heddwas ddod yno i'w gwahanu. Bron nad ochrai hwnnw gyda'r tresmaswr, ac aethai Dewi'n gynddeiriog. Chwe awr yn ddiweddarach yr oedd yr un dyn yn tresmasu eto, yn dalog a thrahaus. Aeth Dewi ar ei ôl, a'i saethu yn ei goesau gyda thwelf-bôr a fu'n eiddo i'w hendaid. Rhuthrwyd â'r dyn i ysbyty i dynnu pelenni o'i gorff, a rhuthrwyd â Dewi mewn fen a deg o blismyn ynddi, i gell. Bron nad oedd un o'r ynadon yn gwenu wrth ei weld.

Cyhoeddwyd ei enw iddo, a rhoddwyd y cyhuddiad gerbron,—saethu, gan achosi niwed corfforol. Daethpwyd â chyhuddiad arall wysg ei ochr i'w ganlyn, sef cyhuddiad o fod â gwn heb drwydded yn ei feddiant. Yr oedd y cyferbyniad rhwng y ddau gyhuddiad yn swnio'n ddigri. Yna yr oedd rhyw ddyn, a golwg lled annifyr arno, yn gofyn i'r Fainc am iddynt gadw'r cyhuddiedig yn y ddalfa. Yr oedd ei dwrnai ef ar ei draed yn syth, yn gwrthwynebu.

Ymgynghorai'r ynadon. Cododd un ei ben.

"Oes 'na resymau, Mr. Humphreys, dros ofyn am gadw'r gŵr yma yn y ddalfa?"

"Wel, ym . . ." Edrychodd y dyn ar ei nodiadau. "Mae'r cyhuddiad yn un—ym—difrifol, Eich Teilyngdod. Hefyd, a hyn sydd bwysicaf, mae'r digwyddiadau yn y pentref yn—ym—wel, nid yw caniatáu mechnïaeth i'r cyhuddiedig—ym—hynny yw, mae'n ddigon peryg yn y pentref 'na fel ag y mae hi, ac mi all gadael iddo gael mechnïaeth lesteirio'r heddlu yn eu gwaith o wneud ymchwiliadau pellach i'r achos . . ."

"Ym mha ffordd, Mr. Humphreys?"

"Wel, syr . . ."

"Oes 'na le i amau ei fod o wedi rhoi enw neu gyfeiriad anghywir i'r heddlu?"

"Nac oes, Eich Teilyngdod . . ."

"Neu le i amau ei fod yn gysylltiedig â rhyw achos arall yn rhywle, a heb ei ddal?"

"Nac oes, Eich . . ."

"Mae'n siwr nad oes gynnoch chi le i amau y byddai o'n rhedeg i ffwrdd os caniateir mechnïaeth iddo fo?"

"Nac oes, syr. Ond mae'r hyn sy'n digwydd yn y pentref 'na ar hyn o bryd yn gofyn . . ."

Yr oedd y Cadeirydd yn ysgwyd ei ben. Gwrandawodd Dewi arno, gyda rhyddhad mawr, yn trefnu telerau mechnïaeth gyda'i dwrnai. Ond yr oedd y dyn arall ar ei draed unwaith yn rhagor.

"Y mae un peth arall, syr," meddai'n ddigon digalon a diysbryd. Yr oedd yn amlwg na hoffai ei gyfarwyddiadau. "Mae cais—ym—'rwy'n gwneud cais i'r llys i orchymyn i'r cyhuddiedig roi olion ei fysedd."

"Beth, Mr. Humphreys?"

"Ym—mae'n arferol, erbyn hyn, Eich Teilyngdod, mewn achosion o derfysgaeth, neu achosion sydd ynghlwm wrth derfysgaeth neu amheuaeth o derfysgaeth . . ."

"Terfysgaeth, Mr. Humphreys?"

Yr oedd yn amlwg fod yr Ynad yn dechrau mwynhau ei

hun. Nid oedd wedi cael lluchio'i bwysau o flaen cynulleidfa mor fawr ers talwm.

"Ydach chi'n awgrymu bod cysylltiad rhwng y dyn hwn a'r bobl sydd yn y tŷ 'na?"

"Na, Eich Teilyngdod, ond yr arferiad bellach yw . . ."

"Llusgo pawb a phopeth i mewn, Mr. Humphreys?"

"Eich . . ."

Nid aeth y Cadeirydd i'r drafferth o ymgynghori â'i gydynad.

"Na, Mr. Humphreys. Nid ydym yn caniatáu eich cais."

Ni wenodd Dewi, ond o'i fewn gorfoleddai. Pan glywodd sôn am yr olion bysedd, yr oedd wedi dychryn; yr oedd rhywbeth a ddechreuodd gyda'r dull hen ffasiwn, digon cymeradwy, o drin tresmaswyr, wedi troi yn rhywbeth newydd, dieithr, braidd yn frawychus. Ar un wedd, yr oedd gofyn am olion bysedd yn rhywbeth digon diniwed, ond yr oedd y ceisio cysylltu un peth â'r llall, a'r awgrymiadau a oedd newydd eu crybwyll, yn ddieflig, ac yn codi ofn arno. Ni bu ganddo air da at ynadon tan y munud hwnnw.

Cododd y llys, a sylweddolodd Dewi ei fod wedi cael llys arbennig iddo'i hun. Y tu ôl i'r twrnai heddlu anffodus safodd Prif Arolygydd cuchiog, a throi'n swta i fynd allan.

"Mi fyddwn wedi gwneud yn well fy hun. Am sioe."

"I be oedd isio olion bysedd?" gofynnodd Dewi i'w dwrnai.

Ysgydwai hwnnw ei ben.

"Sticia i dy ffarmio, Dewi. Mi wnaethom yn hen ddigon da. Mae gen ti ddeufis. Erbyn hynny mi fydd pethau wedi tawelu. Mi anelwn ni am ryddhad amodol."

"I be'r oedd arnyn nhw isio 'nghadw i i mewn 'ta?"

"Maen nhw'n hoff o wneud môr a mynydd o bethau, Dewi."

"'Dydi saethu rhyw . . ."

"Anghofia fo, Dewi."

Aethant allan o'r llys i ganol smwclaw. Yr oedd gwraig Dewi yn disgwyl wrtho. Gafaelodd ynddi'n dynn.

"'Thresmasodd 'na neb ar ei ôl o, Dewi."

"Naddo, siwr. Mae 'na frolio wedi bod ar y twelf-bôr erioed."

"Mi gefais fynd i weld Robin neithiwr."

"Do'n wir?"

"Do. 'Ddaru o ddim chwerthin am dy ben di. Ond mi wenodd. Mae hynny'n rhywbeth."

V

"Mae'n rhaid bod saethu dyn papur newydd yn ei goes yn drosedd mor ddrwg â saethu unrhyw ddyn arall yn ei ben."

Chwarddodd y Cenedlaetholwr.

"Pam?" gofynnodd.

"'Wyddwn i ddim fod gan bapur Llundain gymaint o ddiddordeb mewn pobl sy'n saethu coesau pobl eraill yng nghefn gwlad Cymru. Yli'r ffordd y maen nhw wedi cyplysu'r ddau achos llys 'ma. Bron nad ydi'r Dewi Rhys 'ma'n ddyn gwaeth na hwnna laddodd y plismon 'na. Wyt ti'n ei nabod o?"

"Dewi Rhys?"

"Ia."

"Ydw," meddai'r Cenedlaetholwr yn synfyfyriol, "'rydw i'n ei nabod o. Mae arna i flys mynd ar ei ôl o. Er na fyddwn i ddim haws chwaith. Mae'r busnes olion bysedd 'ma wedi mynd yn beth mor gyffredin erbyn hyn, mae pawb wedi'i dderbyn o. Ond mae hi wedi mynd yn fain ar y pethau Special Branch 'na os ydyn nhw'n gorfod mynd ar ôl pobl fel Dewi Rhys i lenwi'u compiwtar."

"Pris rhyddid, achan. Gofyn i Hiwi Dewi."

"Mae'r peth yn drist."

"Y?"

"Nid eu bod nhw'n defnyddio'r compiwtar 'na, na'r posibilrwydd sydd 'na o'i lenwi o hefo ffeithia hollol anghywir a chamarweiniol, nid hynny sy'n drist. Yr hyn sy'n drist ydi eu bod nhw'n credu ynddo fo, yn byw iddo fo. Yr hyn sy'n drist ydi eu bod nhw'n eu gweld eu hunain mor glyfar, tra bod y compiwtar yn prysur fynd yn fistar corn arnyn nhw."

Daliai'r Sosialydd i astudio'r stori.

"Pwy ydi'r ddau Ynad 'ma, 'ta?"

"'Wn i ddim. Er mi wn i mai ffermwr ydi un ohonyn nhw. 'Roedd gan Dewi start go lew."

Chwarddodd y Sosialydd.

"Mae gynnon ni ddau enw newydd yn ein compiwtar rŵan."

''Tybed? Y ddau ynad 'na?''

''Debyg iawn. Mae 'na ddigon o le ynddo fo, fel 'rwyt ti'n dweud. Hyd yn oed i ynadon. Yn enwedig i ynadon, ella.''

''Ac i be yn y diwedd?''

''Ia.''

''Pam na fedrwn ni wneud rhywbeth?''

''Tria hi, i tithau gael dy enw ynddo fo hefyd.''

Cododd y Cenedlaetholwr, ac aeth i'r ffenest i syllu ar y cychod yn pwffian ac yn grwnian ar hyd afon Tafwys.

'''Roedd hi'n braf ers talwm,'' meddai gan ochneidio. ''Pan oeddwn i'n meddwl yr hoffwn i fod yn Aelod Seneddol, ac yn gwybod na fyddwn i byth yn un, 'roedd popeth mor hawdd. Y cwbl oedd isio'i wneud yr adeg honno oedd credu mai hunanoldeb a thrachwant gwleidyddion oedd yn eu hatal rhag datrys problemau, ac fel y byddai popeth yn wahanol 'tawn i'n cael fy nhraed i'r Senedd.''

''A chyn i ti wybod, mi enillist lecsiwn.''

''A dod yn Aelod Seneddol.''

''A'r cwymp a fu fawr.''

'''Rydw i'n gweithio mewn lle sy'n rheoli'r holl bethau 'ma, meddan nhw. Mi ddylwn allu atal pethau hurt fel y Farchnad Gyffredin yn difa miloedd o dunelli o fwyd yn enw economeg, fel 'tasa'r byd heb weld cegau llwglyd erioed. Ond 'fedra i ddim. 'Fedrwn ni ddim. Digwydd mae o, a phethau eraill, gwaeth. A phob tro y digwydd o, mae 'na eglurhad mawr gwybodus yn cael ei gynnig, gyda'r sicrwydd na ddigwydd camgymeriad felly eto. A mi wyddon ni i sicrwydd y bydd y camgymeriad nesa'n un gwaeth.'' Rhwbiodd y ffenest i glirio ager ei anadl. ''Does 'na ddim byd gwaeth na bod yn annalluog pan na ddylet ti ddim bod. 'Does dim gwaeth na darganfod na fedr y rheolwr reoli dim.''

''Difaru wyt ti?''

''Na. Am wn i. Rhyw deimlad o oferedd sy'n llethol weithiau. Y drwg ydi ei fod o'n dod yn amlach y dyddiau yma. 'Does 'nelo cenedlaetholdeb ddim ag o. 'Fuo 'na oes sy'n ei thwyllo'i hun mor drwyadl o'r blaen?''

''Go brin. Dyna pam mae Hiwi Dew yn atal ei derfysgaeth ar ôl iddo fo ddigwydd.''

''Ys gwn i a fyddan nhw'n rhuthro'r tŷ 'na?''

''Mi fydd o'n siomedig os na fydd raid iddyn nhw.''

Trodd y Cenedlaetholwr yn ebrwydd.

"Wyt ti'n meddwl?"

"Wyt ti byth wedi darganfod sut y mae eu meddyliau nhw'n gweithio?"

Aeth y Cenedlaetholwr yn ôl i eistedd.

"Ia. Druan bach."

VI

Oddi allan, disgynnai'r glaw mân yn gyson, i godi'r felan ar wylwyr, yn blismyn a milwyr. Oddi mewn, yr oedd digon o'r felan eisoes. Yr oedd pawb a phopeth wedi mynd yn chwerw, a'r diflastod newydd o orfod eistedd yn llonydd heb ddim i'w wneud ond edrych ar ei gilydd a chysuro'r plant yn llethu hyd yn oed eu hofn ar Rhian a'i mam. Ac ym mhobman, yr oedd distawrwydd, heb neb yn dweud dim wrth neb, fel pe bai'r lle wedi ei orfodi i fod yn dŷ galar.

Aethai Marian i'w gwely, er nad ydoedd ond wedi bod ar ei thraed am ychydig oriau. Yr oedd wedi bod yn ceisio trafod gyda Carl sut i droi marwolaeth Sean yn fantais iddynt, a cheisio darganfod cynllun newydd i'w cael eu hunain o'r tŷ. Ond ni ddaeth ymwared. Nid oedd cynllun. Yr oedd bygythiad yr heddlu i yrru'r milwyr i'r tŷ y munud y deuai sŵn saethu ohono yn eu cadw rhag cael eu temtio i gam-drin un o'r gwystlon; nid oedd ar Carl, na hithau, eisiau marw. Aeth Marian i'w gwely, am ei bod yn gwybod mai Carl oedd yn iawn ynglŷn â pheidio â saethu neb nes iddi ddod yn orfod arnynt, ac am nad oedd am i Heilyn a Marc fod ar yr un wyliadwariaeth eu hunain eto. Yr oedd Carl wedi cytuno i hynny, hefyd.

Eisteddai Carl ar ei ben ei hun yn y parlwr, yn edrych ar y ffôn. Fe'i teimlai ei hun wedi'i lorio'n lân, ac wedi blino, wedi cael llond ei fol ar y cwbl. Yr oedd ganddo bedwar o wystlon, ac ni fedrai ddefnyddio'r un ohonynt, ond i atal yr heddlu rhag dod i'w nôl. Yr oedd wedi laru clywed yr heddlu'n dweud yr un hen gelwyddau, a'r un hen fygythiadau, ac yr oedd yn cnoi o eisiau smôc. Teimlai bawb a phopeth yn ddieithr, yn elyniaethus iddo. Nid oedd Heilyn na Marc i'w trystio mwyach, ond ni fedrai wneud dim am hynny. Yr oedd yn rhy hwyr bellach, yn rhy hwyr i ddim.

Gafaelodd yn y ffôn, ond nis cododd. Tynnodd ei law

ymaith. Gafaelodd yn y ffôn drachefn, heb ei godi, a chyn hir tynnodd ei law ymaith unwaith yn rhagor. Yr oedd yn gas ganddo edmygu'r heddlu. Yr oeddynt wedi ennill drwy wneud dim ond chwarae, wedi ei droi o fod yn ddyn cadarn i fod yn lwmp rhwystredig ac ansicr, ond drwy hanner addo ac ailfeddwl, ac addo eilwaith, gyda'r awgrym nad oedd ganddynt unrhyw fwriad o gyflawni dim o'u haddewidion yn ddealladwy bob tro. A'r bygythiadau bob hyn a hyn i'w gadw rhag gwneud dim i'r gwystlon. Yr oedd y giwed wedi ei adnabod cyn iddynt glywed ei lais o gwbl, cyn iddynt sleifio'u camerâu a'u meicroffonau cuddiedig drwy'r muriau o gwbl, os bu iddynt wneud hynny. Nid oedd fawr o ots. Gwybuasent o'r dechrau un fod arno ofn marw, ac ar hynny yr oeddynt wedi dyrnu a chwarae bob yn ail, i'w glymu i lawr, i'w ddarnio.

Nid oedd arno ofn marw. Peidio â bod oedd hynny, dyna'r cwbl. Nid newid byd a newid bodolaeth fel yr oedd Sean yn ei ferwi o hyd. 'Fydd yna ddim Carl. Dyna'r cwbl.

Cododd. Hynny o synnwyr a wnâi'r peth, yr oedd yn arswydus i feddwl amdano. Hwy oedd yn iawn; gwyddent ei wendid. Yr oedd arno ofn eu bwledi o eigion ei galon. Eisteddodd. Yr oedd yn rhaid iddo feddwl am rywbeth arall. Cofiodd am Heilyn, a'r merched.

Pan aethai drwodd i'r gegin fyw ychydig ynghynt, ar ôl i Marian fynd i'w gwely, yr oedd y ddwy ddynes a Heilyn yn siarad â'i gilydd yn ddistaw. Pan ddaeth ef i mewn, rhoesant y gorau i siarad yn syth, a gwyddai ei fod wedi tarfu ar rywbeth. Nid oedd Heilyn yn cymeryd sylw ohono, a gwyddai Carl nad oedd Heilyn yn aelod o'r Mudiad mwyach; gwyddai nad oedd Heilyn am dderbyn rhagor o orchmynion ganddo ef. Penderfynodd fod yn ddoeth, a dweud dim.

Gwnaeth eu distawrwydd sydyn iddo gofio am ei blentyndod. Yng nghanol ei waith balch o ailadeiladu'r ddinas, deuai ei dad â rhai o'i gyfeillion gydag ef yn aml o'i waith, i swper. Dyfal a hir fyddai'r sgwrsio, ag ôl eu llafur yn weladwy yn feunyddiol. Byddai yntau yn yr ystafell hefyd, yn darllen neu'n chwarae, a gwrando bob yn ail. Yn aml byddai'r sgwrs y tu hwnt iddo, am bethau na wyddai amdanynt.

Ond weithiau, ambell dro, sibrydid y gair Hitler. Efallai y byddai'n eistedd ar y gadair wrth y bwrdd derw, yn gwneud ei waith ysgol. Efallai y byddai'n gorwedd ar ei fol o flaen y tân, yn darllen neu'n chwarae gêm ag ef ei hun. A phob tro, fe beidiai'r sgwrs yn ddisymwth, ac fe'i newidid ar amrantiad. A gwyddai ef mai am ei fod ef yn gwrando, a hwythau wedi anghofio hynny, y byddent mor ffrwcslyd. Nid oedd ef i fod i glywed am y rhith Hitler. A dyna'n union a ddigwyddodd pan fu iddo darfu ar sgwrs Heilyn a'r merched. Nid oedd ef i fod i glywed. Bellach nid oedd wahaniaeth. Nid oedd y pethau nad oedd ef i fod i'w clywed yn werth eu clywed. Nid oedd fawr o ddim ar ôl a oedd yn werth gwrando arno, prun bynnag, yn awr gan fod dyddiau'r Mudiad yn dirwyn i ben.

Deuai gorfodi ei hun i gydnabod hynny â phoen dagrau i'w lygaid. Ei greadigaeth ef a Marian, eu gweledigaeth hwy, yn mynd, yn diffodd, a hynny ymhell cyn iddo chwythu'i blwc. Dyna oedd yn greulon. Pe bai'r Mudiad wedi mynd yn hen a di-gic ers blynyddoedd, byddai'n wahanol. Ond yr oedd y Mudiad yn llwyddo, wedi llwyddo yn yr Almaen i ddechrau creu'r galanastra a'r anhrefn a oedd yn anhepgorol os oeddynt i gracio a simsanu a difodi'r sefydliadau a'r colofnau grym.

Nid oedd dim o'i le ar y cynllun. Yr oedd meddylwyr mawr wedi creu chwyldroadau, ac wedi methu. Hyd yn oed pan oedd eu chwyldro'n llwyddiant yr oedd y nod a gyrhaeddwyd yn fethiant, er yr holl freuddwydion. Dal i fod dros y gorwel yr oedd y byd gwell. O ddechrau'n raddol, o wneud i bobl sylweddoli y gallent fyw'n llawn cystal pan oedd y pileri, colofnau gwladwriaeth, yn chwalu odanynt, yr oedd gobaith. Pe bai'r Mudiad wedi cael ei gyfle byddai pobl wedi gweld hynny eisoes, er gwaethaf holl stranciau a sgrechian adweithiol y pŵerau iddo. Er gwaethaf eu sterics a'u bytheirio a'u trwytho ar bobl pa lofruddiaethau i alaru drostynt, byddai'r Goleiathiaid yn disgyn. Y drwg oedd mai Goleiath arall neu ddarpar-Oleiath a laddasai pob Goleiath erioed. Breuddwyd oedd Dafydd, nes dyfod y Mudiad.

Cododd yn ebrwydd. Yr oedd yn gas ganddo iseldra, am mai meddyliau afreal a greai hynny, meddyliau fel claddu'r Mudiad cyn iddo farw, ildio Heilyn, a rhoi buddugoliaeth i heddlu diffrwyth. Y cwbl a oedd wedi digwydd i'r Mudiad oedd ei fod wedi colli dau aelod, un ohonynt yn ddiwerth a'r llall yn rhy addfwyn, yn rhy barod i achub cam y diniwed, fel y byddent â llai byth o obaith o fagu dannedd. Aeth o'r parlwr, ac i'r gegin fyw. Safai Heilyn yn y ffenest, yn edrych drwy'r tyllau yn y llenni.

"Ble mae Marc?"

"Yn y cefn, am wn i."

Aeth Carl ato i'r ffenest.

"Heilyn?"

"Be?"

"'Does 'na ddim wedi newid. Mae Sean wedi marw, dyna'r cwbl. Mae pob dim arall yn union fel cynt."

"Yn union, Carl. Dim ond un peth. Mi fydd ganddyn nhw un yn llai i'w ladd rŵan."

"Mae'n dda ein bod ni'n nabod ein gilydd, Heilyn."

"'Dydw i ddim yn barod i weld yr un o'r rhain yn cael ei saethu, Carl."

Yr oedd Heilyn wedi troi o'r ffenest i wynebu Carl. Gwelai Carl ryw olwg ofnus ac ansicr yn ei lygaid, ac yr oedd hynny'n annisgwyl. Am funud, methai â'i ateb.

"'Does gynnon ni ddim hawl i'w bywydau nhw, Carl."

"Heilyn . . ."

"Carl, 'rydw i'n eiddigeddus o'r rhain. Mi wn i arnyn nhw eu bod nhw'n deulu clòs, hapus, cyfa. 'Chefais i 'rioed mo hynny. 'Roedd 'na ryw ddieithrwch, rhyw bellter yn ein tŷ ni bob amser. 'Roedd ar 'nhad a 'mam ofn plant, a phan ddois i i fedru siarad hefo nhw 'roedd 'na horwth o agendor rhyngom ni, agendor oed a ddylai fod wedi cael ei bontio pan oeddwn i'n fach. 'Roedd hi'n rhy hwyr wedyn. Byth er hynny 'rydw i'n eiddigeddus o deuluoedd go iawn."

"Heilyn, wnei di faddau i mi os dyweda i?"

"Y?"

"Er pnawn Iau, pan ddaethom ni i'r tŷ 'ma, 'rwyt ti wedi penderfynu nad oes mynd oddi yma i ni . . ."

"'Rwyt ti'n troi'r stori, Carl."

"'Rwyt ti wedi penderfynu er pan oeddet ti'n rhoi dy droed yn y lle 'ma gynta un fod y Mudiad ar ben, nad oes 'na ddim ar ôl bellach. 'Rwyt ti'n methu, Heilyn, yn methu."

"Nid bywyd un o'r rhain fydd pris achub y Mudiad, Carl."

Arhosodd Carl cyn ateb.

"'Rwyt ti'n gwybod, felly, ynot dy hun, fod posib ein

hachub ni a'r Mudiad, ne' 'fyddet ti ddim wedi dweud hynna."

"'Dydi o ddim yn dilyn, Carl . . ."

"O, ydi, Heilyn, mae o'n dilyn. 'Does arnat ti ddim isio'i gredu o, ond mae o'n dilyn. Mi fedrwn ni fynd o 'ma, Heilyn, mi fedrwn ni fynd o 'ma. Stwffia hynna i dy ben. Nid pedwar na phedwar cant o wystlon sy'n mynd i benderfynu a wyt ti am fynd drwy'r drws 'na, Heilyn, na llond gwlad o filwyr a phlismyn. Ond d'ewyllys di dy hun. Hwnnw sy'n mynd i benderfynu, Heilyn. A hwnnw sydd ar goll gen ti er nos Iau. 'Tasa fo wedi bod gen ti, mae'n bosib y bydden ni i ffwrdd, erbyn hyn."

"Y?"

"'Rwyt ti gystal â neb am dy syniadau. 'Tasa'r ewyllys i fynd o 'ma gen ti o'r munud y daethost ti yma, ella y byddai 'na syniad wedi dod ymhell cyn hyn."

"I fynd heibio i fil o blismyn?"

"I symud y mynyddoedd i gyd, Heilyn."

"Ddim ar draul yr un o'r rhain, Carl. 'Does gynnon ni ddim plant ein hunain . . ."

Yn sydyn yr oedd llygaid Carl yn syn.

"Nac oes, Heilyn."

Yr oedd ei lais yn rhyfedd.

"Be sy'n bod, Carl?"

"Dim." Yr oedd yr ateb yn wag. "Dim byd."

"Mi ddo i allan hefo chdi, Carl, os caiff y rhain eu harbed rhag niwed."

Nid oedd Carl i'w weld yn gwrando.

"'Roedd 'na blentyn, Heilyn. Hogyn bach."

"Ymhle, Carl?"

Nid oedd Heilyn wedi deall.

"Marian a minnau . . ."

"Eich plentyn chi?"

Yr oedd Heilyn wedi codi'i lais yn ddiarwybod iddo. Drwy gil ei lygad gwelodd gynulleidfa'n gwrando, a chofiodd am y gynulleidfa anweledig. Gostyngodd ei lais.

"Eich plentyn chi, Carl?"

"Be sydd?" Yr oedd rhyw olwg nerfus, ddieithr, yn llygaid Carl. "Methu â choelio wyt ti?"

"Na,—na." Ysgydwai Heilyn ei ben mewn penbleth. "Ond—pa bryd? Pam na ddwedist ti? Pam na sonioch chi?

Be ddigwyddodd iddo fo?''

''Mi—ym—mi mabwysiadwyd o.''

''Mabwysiadu?''

''Ia.''

Gwyddai Heilyn nad oedd Carl yn dweud y gwir.

''Pam na chlywson ni sôn amdano fo, Carl?''

Yr oedd Carl yn gwneud llygaid synfyfyrgar, ac yn amlwg yn cyfansoddi'i ateb wrth fynd ymlaen.

''O, mae amser. 'Roedd o dipyn cyn i chi ymuno â'r Mudiad. Dipyn go lew. 'Doedd 'nelo fo ddim â'r Mudiad, dim ond rhywbeth rhwng Marian a mi.'' Chwarddodd yn nerfus, rhag ofn fod digon o jôc i gyfiawnhau hynny. '''Doedd 'na ddim amser i'w fagu o, Heilyn, na'r hwylustod. Mi fyddem wedi gorfod troi'n deulu bach bydol, parchus. Mi wnaethom yn iawn â'r babi.''

Yr oedd newydd-deb y datgeliad annisgwyl diweddaraf hwn am Carl a'i gariad yn dechrau cilio, a meddwl Heilyn yn dechrau darganfod pethau newydd.

''Mi wela i rŵan.''

'''Weli di?''

''Mi wela i pam na adewaist ti i Marian saethu'r babi 'ma gynna.''

''Peth arall oedd hynny, Heilyn.''

''Ond 'wela i mo'r ochr arall, chwaith.''

''Y?''

'''Wela i ddim sut y medrai Marian fod isio'i saethu o yn y lle cyntaf.''

Gwgodd Carl, a daeth golwg beryg i'w lygaid.

''Paid â chymharu'r pethau, Heilyn. 'Does 'nelo chdi ddim â bywyd Marian cyn i ti ei gweld hi 'rioed.''

''Os rhoddodd hi enedigaeth i un plentyn bach, sut medra hi fod isio lladd un arall, Carl?''

''Oes raid i mi ddweud wrthat ti?''

''Oes.''

Ochneidiodd Carl yn hir.

''Paid â bod mor styfnig, Heilyn. Mi wyddost yn iawn. I Marian,—i ni, mae un bywyd yn bris bychan i'w dalu am barhad y Mudiad. Ac i titha hefyd, Heilyn.'' Yr oedd Carl yn edrych i fyw ei lygaid wrth bwysleisio'i eiriau. ''Ac i titha hefyd. Mi wyddost hynny. Nid dibrisio bywyd mo'r peth, nid aberth i uchelgais mohono fo. Ond y nod, Heilyn, y nod. Be ydi bywydau un neu ddau yn ymyl hwnnw? Os down ni at hwnnw, mi fydd gwerth wedi bod i bob marwolaeth.''

Yr oedd llais Heilyn yn oer.

''Mae arna i ofn mai geiriau gwag sydd gen ti erbyn hyn, Carl. Cnau gweigion.''

Gwelodd Heilyn yn syth ei fod wedi brifo. Ni ddeallai'r olwg yn llygaid Carl wrth i hwnnw chwilio am rywbeth i'w ateb. Yr oedd siom a thristwch a chwerwedd ynddynt. Yn rhyfedd iawn, teimlai Heilyn ryw ollyngdod, gollyngdod a oedd bron yn braf. Yr oedd wedi gallu'i ddatgysylltu'i hun o'r Mudiad yn llwyr, a hynny heb ffraeo, heb godi dim ar ei lais. Yr oedd yn dechrau amau a oedd Carl mwyach yn ddigon cyfrifol i dderbyn caswir, ond yr oedd yn rhy hwyr i boeni am hynny. Bellach nid oedd Carl na'i deimladau'n cyfrif.

Y siom yn llygaid Carl a orfu. Trodd, heb ddweud dim, ac aeth yn ôl i'w barlwr.

VII

Yr oedd Marian wedi codi. Pan glywodd Heilyn sŵn rhyfedd yn dod o'r llofft, rhedodd i fyny'n syth i gael golwg. Cysgai Marc yn y llofft gefn, gan chwyrnu. Yr oedd y teirawr ar hugain ddi-gwsg a gymerodd i fod wrth ochr gwely angau Sean wedi ei orfodi yn y diwedd i gysgu ei alar neu i ddisgyn.

Deuai'r sŵn o'r llofft, y llofft y gorweddai Sean ynddi. Brysiodd Heilyn iddi. Yr oedd Marian yn bustachu i geisio llusgo corff Sean o'r gwely. Yr oedd y corff wedi dechrau mynd yn anystwyth, a châi Marian drafferth.

''Be wyt ti'n ei wneud, Marian?''

''Symud hwn.''

''I be?''

''Os ydan ni am aros noson arall yma, mi fydd angen y gwely, i Marc neu i ti.''

''Ble'r wyt ti am roi'r . . . Sean?''

''Nid Sean ydi o. 'Does 'na ddim Sean. Tyrd ti i'r pen yma, at ei 'sgwydda fo. Mi afaela inna yn y traed.''

''Ble'r awn ni â fo?''

''I'r drws cefn.''

Arhosodd Heilyn yn stond.

"Am ei roi o allan wyt ti?"

"Paid â bod yn wirion." Siaradai Marian yn ddiamynedd. "Ei adael o wrth y drws cefn, am rŵan. 'Does 'na fawr o ddefnydd o fan'no."

"Am ei adael o yno'r wyt ti?"

"Be sy' arnat ti, Heilyn?" Dechreuai Marian godi'i llais. "'Waeth iddo fo yn fan'no ddim. Mi fydd o'r ffordd yno. I be ddiawl mae o'n dda?"

"Paid â bod mor . . ."

"Am ei adael o yma i ti gael dal i'w nyrsio fo wyt ti? Am roi ryw sacramenta iddo fo, a gadael i Marc wichian dros ei gorff o? Hoffet ti i ni gael y blydi Pab yma, i ni gael cyflwyno hwn iddo fo, a gwneud syrcas iawn ohoni?"

"Be wnest ti hefo dy blentyn, Marian?"

Yr oedd y cwestiwn mor annisgwyl nes i Marian ollwng ei gafael ar yr ysgwyddau, a disgynnodd corff Sean yn ôl yn gam ar y gwely.

"Be ddwedest ti?" hisiodd.

"Pam na fyddet ti wedi dweud dy fod wedi cael plentyn o Carl?"

"Be ydi hynny i ti?" Yn ei gwylltineb sydyn yr oedd Marian wedi gadael y corff ac wedi dod wyneb yn wyneb â Heilyn. "Be 'di dy gêm di? Pwy ddwedodd wrthat ti? Y?" Yr oedd yn dechrau ei bwnio. "Be 'di'r gêm?"

"Paid â styrbio," atebodd Heilyn yn oeraidd. "Carl ddywedodd wrtha i gynna, pan oeddet ti'n cysgu."

"Wel?"

"Wel be?"

"Be 'di o bwys i ti?"

"Fawr ddim, ella," meddai Heilyn yn dawel, "os nad ydi o'n rhywbeth bach fel trystio'n gilydd, a nabod ein gilydd. Wedi'r cyfan, os aelodau o un Mudiad . . ."

"Pryd clywaist ti Carl neu fi'n sôn am bethau personol o'r gorffennol? Pryd rhoddodd y Mudiad bwys ar bethau felly?"

"Erioed, naddo, Marian?"

"Dyna ti, 'ta. A phaid â bod mor glyfar. Fel 'tasat ti wedi darganfod un o gyfrinachau byd."

"Be wnaethoch chi â'r plentyn?"

"'Ddywedodd Carl ddim wrthat ti?" Yr oedd Marian yn llawn drwgdybiaeth.

"'Roeddwn i wedi cael cymaint o sioc, 'ddaru mi ddim meddwl am ofyn," meddai Heilyn. Os coeli di hynna, meddyliodd.

"Dyna ti, 'ta. Pan ddwedi di be sydd 'nelo chdi â'r peth, mi ddweda inna be wnaethon ni â'r plentyn."

"Ei adael o mewn rhyw ddrws siop yn rhywle, mae'n siwr," meddai Heilyn, hanner wrtho'i hun.

Yr oedd llygaid Marian yn melltennu.

"Gafael yn y pen 'na, wnei di?" gwaeddodd.

Gafaelodd yn nhraed y corff, a'u tynnu tuag ati â'i holl nerth, i fwrw'i chynddaredd. Llithrodd y corff oddi ar y gwely, a disgyn yn drwm ar lawr. Hanner agorodd yr amrannau. Nid oedd ond gwyn y llygaid i'w weld.

"Aros i mi gau ei lygaid o."

"Be 'di'r ots?" Yr oedd Marian yn dal i fwrw'i llid. "Pa wahaniaeth wnaiff dy hen ddefodau dwl di?" Rhoes blwc arall egr i'r traed. "Tyrd."

Gafaelodd Heilyn o dan ysgwyddau Sean, a chododd y corff. Yr oedd yn ddigon anhylaw, ac wedi cyrraedd pen y grisiau, gollyngodd Marian y traed yn ddiseremoni.

"Mi gaiff Carl ei gario fo i lawr hefo chdi."

Aeth i lawr y grisiau, ac i'r gegin fyw. Gostyngodd Heilyn hanner arall y corff yn araf, a'i roi i orffwys ar y llawr. Aeth ias drwy ei gorff wrth iddo deimlo llonyddwch oer y llygaid o dan ei fysedd pan roes hwy ar yr amrannau i'w cau. Diolchodd fod Marc yn cysgu'n rhy drwm i glywed yr amarch a roddai Marian yn fwriadol i gorff ei gyfaill. Sibrydodd yn sydyn wrth yr wyneb difywyd.

"Mae hi am fynd â thi i'r drws cefn, Sean, y drws 'gosaf i'r drws allan. Rhaid i'r sopan wylio rhag ofn y bydd hi'n ymuno â thi yn gynt nag y bydd hi'n meddwl."

Dychrynodd wrth ystyried yr hyn a ddywedodd.

Daeth Carl i fyny ato. Os oedd Marian wedi dweud wrtho am eu ffrae yn y llofft, ni chymerodd Carl arno.

"Ydi o'n drwm?"

"Go lew."

"Rhaid i ni gymryd pwyll wrth fynd â fo i lawr y grisiau."

"Mae Marian am ei roi o yn y drws cefn."

"Ia." Edrychai Carl o'i amgylch, fel petai'n chwilio am le gwell i gadw'r corff ynddo. Nid edrychai ar Heilyn, o gwbl. "Mi wnaiff fan'no'r tro, am rŵan."

Daethant ag ef i lawr y grisiau'n araf. O leiaf nid oedd Carl mor anystyriol o'r corff ag oedd ei gariad. Honno oedd y drwg, meddyliai Heilyn, honno oedd y drwg i gyd. Efallai y byddai'n haws siarad â Carl pe na bai honno yno. Ond yr oedd honno yno, ac âi Heilyn yn fwy a mwy anniddig wrth gofio 'i bod hi ar ei phen ei hun gyda'r gwystlon yn y gegin fyw. Os bu angen bywyd erioed yn y corff yr oedd yn ei gario i lawr y grisiau, yr oedd ei angen yn awr. Yr oedd angen Sean yn fyw, i gynorthwyo i wylio Marian.

Pan oeddynt yn troi ar waelod y grisiau, agorodd drws y gegin fyw. Daeth Rhian i'r golwg, yn cael ei gwthio gan Marian, a afaelai yn ei gwallt gan dynnu ei phen yn ôl. Daliai Marian ei gwn wrth ei phen.

''Mae hon isio gweld y corff.''

Rhoes blwc arall i'r gwallt. Ceisiai Rhian edrych draw, ond trôi Marian ei phen.

''Edrych arno fo, y gnawes. Yli be wnest ti. Mi gei di fynd yr un ffordd ag o cyn i mi orffen hefo chdi.''

Griddfanai Rhian yn ei dagrau wrth i Marian ei gorfodi i edrych ar Sean. Rhegodd Heilyn yn uchel, a cheisiodd fynd wysg ei gefn ar hyd y cyntedd, gan dynnu'r corff a Charl gydag ef. Gollyngodd Carl y traed, a throi at Marian.

''Dos â hi'n ôl rŵan. Mae hi wedi cael gweld ei hanfadwaith. Dos â hi'n ôl.''

Petrusodd Marian, ac yna ufuddhaodd. Rhoes dro i Rhian, a hergwd iddi gan adael iddi syrthio o'i blaen i'r gegin fyw. Yr oedd ar gychwyn ar ei hôl pan amneidiodd Carl arni, ac ar Heilyn. Rhoes Heilyn y corff i lawr, a chroesi drosto at Carl a Marian. Berwai ei waed o'i fewn; byrlymai ei atgasedd at Marian, a gwyddai nad oedd yn gallu ei guddio. Ceisiai beidio ag edrych arni wrth i Carl siarad, rhag ofn iddo afael ynddi, a'i hysgwyd, a'i thagu.

''Mae 'na beryg,'' sibrydodd Carl, ''i ni fynd i ormod o hwyl wrth biwsio'r rhain.''

''Siarad drosot dy hun,'' ysgyrnygodd Heilyn yn ddistaw.

''Mae 'na un yn llai ohonon ni,'' aeth Carl yn ei flaen, gan geisio cymryd arno ei fod yn anwybyddu sylw Heilyn, ''a mi fydd hynny'n rhoi mwy o hyder i'r plismyn. Mwya'n y byd o sylw a rown ni i un o'r bobl neu'r plant yma, lleia'n y byd o sylw y medrwn ni ei roi i'r hyn sy'n digwydd y tu allan 'na, a mi fedrai'r plismyn ein rhuthro ni cyn i ni sylweddoli hynny.

Mi wnest yn iawn i ddod â honna i'r drws iddi gael gweld ei gwaith, Marian, ond gad iddi hi am sbel rŵan. Mae gwylio'n bwysicach rŵan hyn. Os ydi'r plismyn am wneud rhywbeth, heddiw neu heno y gwnân nhw hynny, i fanteisio'n fuan ar farwolaeth Sean. Mi fydd heno, gefn nos, yn fwy tebygol. Rhaid i bawb ohonon ni fod yn effro heno, drwy'r nos. Dos yn d'ôl, Marian."

Ufuddhaodd Marian, yn guchiog, a rhoes Heilyn ochenaid o ryddhad. Gwyddai mai prif gymhelliad Carl oedd ei gadw ef rhag rebela, ac nid eu cadw'u hunain ar wyliadwriaeth, na chadw'r gwystlon yn ddianaf. Ond nid oedd hynny o bwys,—yr un un a fyddai'r canlyniad. Byddai'r gwystlon yn cael llonydd, a dim ond hynny oedd yn bwysig bellach. Yr oedd oblygiadau cadw'r teulu rhag cael niwed costied a gostio wedi peidio â'i gynhyrfu.

Yn ddigon diseremoni y rhoes Carl gorff Sean i lawr yn y cefn. Dewisodd y gornel bellaf o'r drws, gan symud bwrdd bychan a dau fwced, a'i ollwng i lawr yno. Nid edrychodd arno wrth droi.

"Mi fyddai ffyliaid yn dweud ei bod yn braf ar Sean am fod popeth drosodd iddo fo. 'Rydw i am fynd i fyny am ryw awr neu ddwy. Mi ddylai fod yn ddiogel am ychydig. Cadw dy olwg drwy'r llenni 'ma, Heilyn. Tyrd i 'neffro i gyda'r nos."

Aeth drwodd, ac i fyny'r grisiau cyn i Heilyn gael ateb. Plygodd Heilyn i gau'r amrannau drachefn, am y tro olaf, ac arhosodd uwchben y corff am ennyd. Am ei bod wedi mynd yn ddieithr iddo, ac am ei bod wedi bod yn destun gwatwar iddo oherwydd ei dad, digon carbwl oedd y weddi fechan a sisialodd. Ond teimlai, am mai corff Sean ydoedd, bod y weddi'n angenrheidiol. Teimlai ychydig yn well ar ôl ei dweud. Tybiasai mai teimlo'n ffŵl a wnâi.

Aeth i'r cwpwrdd dillad yn ymyl y tanc dŵr yn yr ymolchfa. Yr oedd Carl wedi mynd i'w lofft, a daliai Marc i chwyrnu yn y llofft gefn. Estynnodd gynfas lân o'r cwpwrdd, a dychwelodd i lawr y grisiau ac i'r cefn. Deuai lwmp i'w wddf wrth gofio'r ffŵs a wnâi ei fam wrth orofalu bod cynfasau a phlancedi wedi eu heirio'n iawn cyn eu rhoi ar welyau; ni wnâi wahaniaeth i Sean. Taenodd y gynfas dros y corff, a thacluso'r plyg. Yr oedd hynny'n well na'i adael rywsut-rywsut.

Aeth i'r gegin fyw. Yr oedd Rhian wedi mynd yn ôl i'w chadair i wylo, a chysurai ei mam Rhonwen yn ei chesail. Cysgai Deian ar y soffa. Ym mhen draw'r ystafell, safai Marian a'i gwn yn ei llaw, yn eu llygadu'n oer. Aeth Heilyn yn syth at y ffenest, ac edrychodd drwy'r llenni.

"Sut mae hi yna?"

"Tawel. Ambell helmet. Ambell soldiwr. 'Does dim rhaid i'r aros diddigwydd yma fynd ar eu nerfau nhw. Mi gân nhw weithio sifftiau. A breuddwydio am yr hyn y caren nhw 'i wneud â ni 'tasan nhw'n cael gafael arnon ni."

"Mae Carl yn iawn. 'Chawn ni ddim cysgu heno."

Trodd Heilyn o'r llenni. Nid oedd yn dymuno ffraeo gyda Marian, o ran ffraeo, ond nid oedd yn dymuno peidio chwaith.

"Mi wn i pam bod Carl a thitha wedi newid eich sifftiau cysgu, Marian. Mi gei arbed cymryd arnat. Mi wn i pam eich bod chi am ofalu bod o leiaf un ohonoch chi'n effro bob adeg o hyn ymlaen. Nid Deian ydw i."

Am y tro cyntaf ers iddo'i hadnabod, gwelodd Heilyn Marian yn methu'n llwyr â'i ateb. Safai'r ddau, un bob pen i'r ystafell, yn edrych ar ei gilydd, a'r un sylweddoliad yn eu rhaffu. Lle bu'r cyfeillgarwch pennaf yn sail i'w cyd-ddealltwriaeth, erbyn hyn nid oedd ond gelyniaeth a chasineb. I Marian, yr oedd y peth yn sioc, yn ysgytwad o weld nad oedd prif ddisgybl Carl a hithau'n credu yn ei athrawon mwyach, nac yn eu hathrawiaeth. I Heilyn, nid ydoedd ond pen draw naturiol dadrithiad. Trodd yn ei ôl i'r llenni, yn fodlon.

Daeth clep ar y drws. Trodd Heilyn yn ôl. Yr oedd Marian wedi mynd.

"Wel?"

Yr oedd rhyddhad Jane Roberts o weld Marian wedi mynd yn amlwg yn ei llais.

"Wel be?"

Ceisiai Heilyn swnio'n ddidaro.

"Pa bwrpas sydd i chi fod yma bellach? Pam nad agorwch chi'r drws ffrynt 'na?" Yr oedd Jane Roberts wedi codi ar ei thraed i'w wynebu. "'Ta ydach chi am ddal i gymryd arnoch eich bod yn ffrindiau a bod 'na bwrpas o hyd i'ch—i'ch Mudiad chi?"

"'Fedra i ddim agor y drws 'na. Mi wyddoch yn iawn. 'Steddwch."

"Mi fu Rhian yn achub eich cam chi, droeon. Mae hi wedi gweld heddiw sut un ydach chi."

"Achub 'y ngham i?"

"Do, fel oedd hi wiriona. Chi a'ch twyll, yn gadael i Rhian siarad hefo Robin, dim ond i chi gael trio'ch profi'ch hun yn rhywbeth tebyg i ddynol. Ble'r oeddech chi pan oedd Rhian a'r plant 'ma eich angen chi gynna?"

"Y?" Edrychai Heilyn mewn penbleth arni.

"Mi wyddoch yn iawn. Pan oedd yr un arall 'na wedi cipio Deian bach, ac am ei saethu o. Be wnaethoch chi? Dim ond sefyll a sbio arno fo. Y twyllwr. Mae'n well gen i'r hogan 'na na chi. Mi wyddom ni ble'r ydan ni hefo honno."

Yr oedd hynny'n brifo. Ceisiai Heilyn beidio â'i ddangos.

"'Rydw i'n nabod Marc," meddai'n swta, "bellach."

"'Does 'na neb yn nabod gwallgofddyn. Ffliwc 'ta'ch sicrwydd crand chi a arbedodd fywyd Deian? Hogyn bach ydach chi."

"Ella wir."

Yr oedd Jane Roberts wedi dweud ei phwt. Pan welodd nad oedd Heilyn am ffraeo'n ôl â hi, collodd ei hyder, ac eisteddodd, gan wrido. Gafaelodd yn gadarn yn Rhonwen i brofi ei dewrder.

Aeth Heilyn yn ôl i'r ffenest. Ei dad oedd yr unig un iddo'i gofio'n ei alw'n hogyn bach o'r blaen, a hynny ar ganol neu ar ddiwedd un o'r ffraeau mynych diflas hynny.

Yr oedd clwy chwarae dartiau yn yr ysgol, a hynny am eu bod wedi dechrau ar yr hwyl o fynd i dreulio nosau Sadwrn mewn tafarndai cyrion tref, a hwythau o dan oed. Yr oedd bwrdd dartiau yn y Rheithordy, yn yr atig, ac yr oedd hwnnw wedi cael dod i lawr, a'i osod mewn lle hwylus rhwng gwyddoniaduron a dysgeidiaeth Luther. Dull y cyd-ddisgyblion o daro'r bŵl oedd gosod stamp arno, a phoeri gwatwar ar unrhyw un a fethai'r stamp, gan ei alw'n frenhinwr a chynffonnwr a gwaeth. Cawsai ef well llun, gwell targed.

Yr oedd ei dad yn wallgof.

"Be ydi dy lol di?"

"Nid lol ydi o. Ffordd newydd o gael y bŵl mewn dau wahanol le. Mae un o'r dartiau i fod i'w hitio fo ar ganol y botwm milwr ’na ar ei ysgwydd o, a’r llall ar ganol ei goler gron o.’’

Dawnsiai ei dad. Ar y bwrdd yr oedd y llyfr y torrwyd y llun bychan o John Williams, Brynsiencyn ohono. Edrychai’r Parchedig Ddoctor yn gas yn ei siwt filitaraidd o ganol y bwrdd dartiau, a dart simsan ar y trebl-chwech wrth ei ochr.

‘‘A mi wyddost ti’r cyfan, mae’n siwr.’’

‘‘Mi wn i am y rhagrith. Mi wnaiff hynny’r tro.’’

‘‘Ac am yr amgylchiadau? Yr amgylchiadau i gyd? Teimladau’r cyfnod, a phopeth?’’

‘‘Defnyddio’i Dduw i yrru dynoliaeth i’w hangau. Rhagrithiwr oedd o.’’

‘‘A hogyn bach wyt titha. Hogyn bach, bach.’’

‘‘Mi ro’ i eich blydi llun chi yn ei le o, ’ta.’’

Rhoddai Heilyn rywbeth am gofio’i gyfnodau hapus pan oedd yn blentyn, mor glir. Trodd o’r ffenest. Yr oedd y merched yn syllu arno.

‘‘Pwy oedd y pump a oedd mor agos at ei gilydd nad oedd ’na’r un ffrae a fedrai rwygo’u cyfeillgarwch a’u cyd-ddealltwriaeth nhw?’’ gofynnodd Rhian yn dawel.

Edrychodd Heilyn yn ansicr ar yr wyneb a oedd ychydig yn chwyddedig gan straen dagrau. Gwyddai nad oedd gan Rhian syniad pa mor analluog ydoedd i ateb ei chwestiwn

‘‘’Does gynnoch chi ddim ar ôl, nac oes, Heilyn?’’

Yr oedd y gobaith yn eu llygaid yn tyfu’n weladwy wrth iddo ddal yn fud.

‘‘Y cwbl sydd ar ôl o’r weledigaeth fawr a’r sicrwydd amcan ydi ofn plismyn, ’te, Heilyn?’’

Yr oedd wedi canu arno i ddefnyddio’r ffôn bellach, gan y byddai Carl neu Marian hyd y lle yn barhaus. Yr oedd ei feddwl yn sydyn yn sgrifennu llythyr.

‘‘Pwy sydd arnoch chi ei ofn fwyaf, Heilyn, y plismyn ’ta Marian?’’

Byddai’n ddigon hawdd llithro llythyr drwy’r ffenest.

‘‘Mi ddywedoch chi wrtha i y dydd o’r blaen fod geiriau wedi peidio â’ch brifo chi ers talwm. Ydi hynny’n dal yn wir, Heilyn?’’

‘‘Y? Ydi, Rhian.’’

‘‘Mae golwg felly arnoch chi. Mi ddywedoch beth arall hefyd, y dydd o’r blaen. Mi ddywedoch y byddech chi’n gofalu y bydden ni’n pedwar yn iawn.’’ Yr oedd y dagrau’n dychwelyd i lygaid Rhian. "A mi fyddech chi wedi gadael i Deian gael ei ladd gynna."

Byddai'n dweud y cwbl yn y llythyr, dweud y cwbl oll.

"'Fedrwch chi ddim ateb, na fedrwch, Heilyn?"

"Mi ofala i y byddwch chi'n iawn."

Yr oedd ei lais yn floesg.

"Hy!"

Yr oedd yr ebychiad hwnnw, gan y ddwy ddynes gyda'i gilydd, yn ei frifo'n waeth na dim, yn gondemniad llwyr ohono.

"'Tawn i wedi trio gwneud rhywbeth gynna, mi fyddai Marc wedi tanio'i wn heb feddwl. 'Roedd hi'n rhy beryg. Mi wyddoch hynny'n iawn," meddai'n swta.

"Pam na wnewch chi rywbeth rŵan, 'ta? 'Rydach chi'n gwybod ei bod hi ar ben arnoch chi. 'Waeth i chi sylweddoli'n fuan mwy nag yn hwyr ddim. Agorwch y drws 'na."

"'Weithith hynny ddim, Rhian. Troi'n fradwr fyddai hynny, troi'n gachwr. 'Wna i ddim yng nghefn neb."

"'Rydach chi eisoes yn gachwr, Heilyn."

"'Does 'na fawr o bwrpas mewn siarad hefo chi fel hyn."

"Am nad oes arnoch chi isio clywed y gwir. Am fod arnoch chi ei ofn o. Am fod Sean wedi marw, 'dydi o wahaniaeth yn y byd gynnoch chi be ddigwydd i ni. Mi fyddwch yn falch os rhywbeth os bydd rhywun yn dial arnon ni. Ac mi wyddoch eich bod chi'n ormod o fabi i wneud hynny eich hun."

Yn sydyn yr oedd Heilyn yn gwylltio.

"'Dydi hynny ddim yn wir, Rhian. I be ydach chi'n meddwl yr ydw i'n 'y mhoeni fy hun allan o fod yma, a hynny ers nos Iau? I achub 'y nghroen fy hun? Ydach chi'n meddwl bod un ffeuan o bwys gen i am hynny? 'Glywsoch chi Sean yn siarad cyn iddo fo farw? Be fyddech chi wedi ei ddweud 'tasa fo wedi'ch gwenwyno chi?"

Yr oedd Rhian wedi dechrau wylo eto. Daliai Heilyn i wylltio.

"Duw, Duw, hogan, nid edliw ydw i. 'Welai Sean ddim bai arnoch chi, 'wela inna ddim chwaith."

Arhosodd. Yn sydyn, nid oedd ganddo fwy i'w ddweud, dim y medrai ei droi'n eiriau iddynt. Yr oedd y cwbl mor gythryblus iddo; yr oedd arno eisiau llonydd ac amser i ystyried, llonydd ac amser nad oeddent i'w cael. Aeth yn ddistawrwydd annifyr. Yr oedd Rhian a'i mam yn wylo.

Trodd Heilyn oddi wrthynt ac yn ôl i'r llenni. Pe na bai tyllau ynddynt iddo edrych allan, byddai'n union fel babi'n sorri.

Daeth Marian yn ei hôl. Trodd Heilyn, a gwelodd y boddhad yn dod i'w llygaid wrth iddi sylwi ar y ddwy ddynes yn wylo. Yr oedd yn amlwg arni ei bod wedi dod dros ei soriant.

"Da iawn, Heilyn," meddai'n gïaidd. "Mae'n dda gen i dy weld di'n eu trin nhw fel y dylen nhw gael eu trin. 'Daethost ti ddim ar goll yn llwyr, felly."

"Dduw mawr!"

Gafaelodd Heilyn yn y llenni, a'u hysgwyd. Oddi allan, swatiodd pennau'n sydyn. Nid oedd peth felly'n cyfrif i Heilyn.

Edrychodd Marian yn hir arno. Yna trodd at Rhian.

"Ydi hi ddim yn amser i chi ddechrau gwneud bwyd, bellach? Dowch i'r cefn. Mi wna i eich gwylio chi."

Gwelodd Heilyn hi'n ymfoddhau wrth edrych ar yr arswyd yn dod i lygaid Rhian.

"Dowch yn eich blaen."

Cododd Rhian yn araf. Edrychodd ar Heilyn, bron yn ymbilgar.

"Mi gewch fyw heb fwyd, 'ta, os na 'styriwch chi."

Codai Marian ei gwn. Aeth Rhian heibio iddi, a thrwy'r drws. Yr oedd Heilyn mewn penbleth fawr. Yr oedd arno ofn am fod Marian am fod ar ei phen ei hun gyda Rhian. Gwyddai fod ganddi ryw gynllun, rhyw fwriad.

"Ble mae dy wn di, Heilyn?"

"Y?" Yr oedd golwg wyllt arno.

"'Wela i mohono fo. Paid â'i adael o o dy law. Mae hynny'n eu dofi nhw."

Aeth Marian o'r gegin ar ôl Rhian. Drwy reddf croesodd Heilyn yr ystafell i fod yn ymyl y drws. Dilynodd llygaid Jane Roberts ef.

"Be sy'n eich poeni chi?"

"Sut?"

"Peidiwch â chymryd arnoch." Yr oedd llais Jane Roberts yn gadarn. "Mi fedra i weld drwyddoch chi bellach, 'y ngwas i. Mae'r cwymp yn un mawr, on'd ydi?"

"Sut?"

"Pan ydach chi'n sylweddoli be ydi'ch ffrindiau chi. Pan

mae'r mwgwd yn cael ei dynnu oddi ar eich llygaid chi. Pam ydach chi'n sefyll wrth y drws 'na rŵan? Pwy ydach chi ddim yn ei thrystio, Marian 'ta Rhian?"

"'Waeth i chi heb â siarad. Dim ond hel meddyliau disynnwyr . . ."

"Mi siarada i hefo chi nes y bydda i wedi'ch tynnu chi hyd y llawr 'ma. Unrhyw beth nad ydach chi isio'i glywed o, mi cewch o ddwywaith drosodd. Eich methiant chi ydi bod posib siarad hefo chi. Hynny tynnith chi i lawr. 'Wnewch chi ddim chwyldroadwr bach fel y ddau arall 'na, 'dydach chi mo'r teip. I be y mwydroch chi'ch pen hefo nhw erioed?"

"'Dydach chi ddim yn nabod Carl a Marian."

"'Doeddach chitha ddim chwaith, tan heddiw. Ydach chi'n meddwl nad ydw i wedi sylwi ar eich llygaid chi pan fyddwch chi'n edrych ar yr hen hogan 'na, neu'r dyn 'na? Faint o ail ydach chi wedi ei chael? Y?"

"Mae pethau'n syml iawn i chi, on'd ydyn?"

"Peidiwch â throi'r stori. 'Rydach chi wedi cael ail, on'd ydach? A 'rydach chi'n ceisio cymryd arnoch fel arall, ac yn gwingo yn y fan'na yr un pryd. Ac i be aflwydd oedd y cyfan yn y diwedd?"

"'Tawn i'n dechrau dweud wrthoch chi, 'fyddech chi ddim yn fodlon gwrando. 'Rydach chi wedi cau eich meddwl cyn dechrau."

"Do. 'Wrandawn i ddim ar eich lol chi. Os gwelwch chi fai arna i, adlewyrchiad o'ch crebwyll chi ydi hynny, nid o f'un i."

"Felly'n wir?"

"Adwaith babi. Rŵan 'ta, be ydach chi am ei wneud?"

"Y?"

"Mae'r dewis yn ddigon clir i bawb bellach. 'Dydi'r hogan 'na ddim yn gall. Dau ddewis sydd gynnoch chi. Gadael i ni fynd yn rhydd, neu adael i honna'n lladd ni. Peidiwch â'ch twyllo'ch hun fod 'na ddewis arall. 'Does 'na'r un. Dim un o gwbl."

"'Laddith Marian mohonoch chi."

"Gwnaiff."

"Na wnaiff. Mae ganddi hi ormod o feddwl o'i chroen ei hun, yn un peth. 'Rydach chi'n rhy ddefnyddiol iddi hi."

"Mae honna'n mynd i ladd un neu fwy ohonon ni, Heilyn."

Arhosodd Heilyn. Gwridodd fymryn.

"Dyna'r tro cyntaf i chi alw'r un ohonon ni wrth ei enw."

"O, felly?" Yr oedd y ddynes wedi troi ato'n syth, ac yn ei astudio'n fanwl, fel petai'n gwneud hynny o'r newydd. "Ac mae hynny'n bwysig, ydi o?"

"Nac ydi, ddim yn bwysig."

"I be oedd isio sôn amdano fo, 'ta?"

"Digwydd sylwi ddaru mi."

"Digwydd sylwi?"

"Ia."

"'Wnewch chi ddim chwyldroadwr. 'Wnewch chi ddim dyn c'lwyddog chwaith. Isio sicrwydd ydach chi, 'te?"

"Twt!"

Yr oedd Heilyn yn gweddïo am ymwared, ond nid am yr un a ddaeth iddo chwaith. O'r gegin fach daeth sŵn sydyn, sŵn fel petai sosbenni'n disgyn. Neidiodd Heilyn, gan ofni'r gwaethaf, fel ag yr oedd wedi ei wneud er pan oedd Marian wedi mynd â Rhian i'r gegin fach. Daeth sŵn arall yn syth, rhyw sŵn annelwig rhwng ebychiad a sgrech. Rhedodd Heilyn at y drws, a'i agor. Yn y gegin fach o'i flaen, yr oedd Rhian a Marian yn cwffio. Ac am unwaith, nid oedd gwn Marian ganddi. Rhuthrodd Heilyn atynt.

"Hei!"

Gafaelodd ynddynt, a cheisio mynd rhyngddynt. Gwaeddodd Marian yn orffwyll arno.

"'Rwyt ti'n rhy hwyr! Dos o 'ngolwg i!" Sgrechiodd. "Gad i mi!"

Am ennyd, rhoes Marian ei sylw a'i nerth i gyd i Heilyn. Er bod Rhian yn gafael yn ei gwallt ac yn ei gwddw, trodd Marian oddi wrthi gan roi un hergwd sydyn i Heilyn nes ei fod yn llithro. Collodd ei gydbwysedd, a baglodd. Disgynnodd ar lawr gan daro'i ben yn un o'r cypyrddau. Gwelodd Marian yn ymaflyd drachefn yn Rhian, ac yn ei thynnu at y drws. Baglodd y ddwy drwyddo, a thynnodd Marian ef yn glep ar ei hôl. Ceisiodd Heilyn godi, a rhuthro am y drws yr un pryd, a llithrodd eilwaith, gan daro'i ben yn y cwpwrdd bwyd. Agorodd drws hwnnw ohono'i hun, a defnyddiodd Heilyn ef i'w godi ei hun. Yr oedd y gyllell fara yno'n serennu arno, y gyllell y bu'n chwarae â hi, ac yn ei mwytho'n ysbeidiol ers diwrnodau. Gafaelodd ynddi, a'i phlycio o'r cwpwrdd. Agorodd ddrws y gegin fach.

Yr oedd y ddwy ferch ar lawr wrth ddrws y twll dan grisiau, yn cicio ac yn chwythu. Yr oedd Marian wedi cael yr uchaf ar Rhian, ac yr oedd ar ei phengliniau arni, ac yn ei thagu. Ymnyddai Rhian odani. Ni phetrusodd Heilyn.

Yr oedd mor syml, mor hawdd. Yr oedd yn union fel petai'r gyllell yn awchus am gael profi ei llymder newydd. Suddodd y llafn yn ddistaw ddidrafferth i wddw Marian, a thynnodd Heilyn hi'n ôl. Gollyngodd Marian ei gafael ar Rhian, a throdd ar ei chefn, gan gicio, fel y saethai'r gwaed yn ddireol o'r hollt yn ei gwddf. Ceisiodd ei bysedd fynd am y gwddf, i'w arbed, a daeth rhyw sŵn. Gwyddai Heilyn ei bod yn ceisio gweiddi, ond y cwbl a ddigwyddai oedd sŵn hisian, a swigod yn dod o'n gwddf. Ac yr oedd yn edrych arno. Wrth iddi wingo o'r Mudiad yr oedd Marian yn edrych i'w lygaid, ac ni fedrai yntau ond rhythu'n ôl arni, heb symud, a'i law yn llipa am y gyllell fara goch wrth ei ochr. Gwelodd yr edrychiad yn ei llygaid yn peidio â bod, a gwelodd y corff yn llonyddu, a'r ffrydlif coch yn arafu. Edrychodd arni'n marw. Disgynnodd y gyllell i'r llawr, i ganol y gwaed. Daeth sŵn arall wrth i Jane Roberts lewygu i'r llawr yn nrws y gegin fyw. Pwysodd Heilyn ar y pared y tu ôl iddo, a mynnodd ei nerth yn ôl.

Agorodd ddrws y twll dan grisiau led y pen. Cliriodd y celfi glanhau a'r mân geriach o'r neilltu a gafaelodd yn y corff. Llusgodd ef i'r pen draw, a'i adael yno, din dros ben. Daeth allan o'r cwpwrdd, a chau'r drws yn dynn ar ei ôl.

8

I

‘‘Rhian?’’

Pwysai Heilyn ei gefn yn dynn yn erbyn drws y twll dan grisiau, a’r llanast o flaen ei lygaid, a’i arwyddocâd yn tyfu a thyfu dim ond wrth iddo edrych arno. Odano, ar y carped, yr oedd y gyllell fara a’r llafn y bu’n trin cymaint arno ar goll mewn gwaed. Wrth ddrws y gegin fyw, yr oedd Jane Roberts yn dadebru, ac yn hwylio i’w chodi’i hun ar ei heistedd. Eisteddai Rhian ar lawr yng nghanol y gwaed, a’i chefn ar y wal gyferbyn â drws y twll dan grisiau, a’i phen yn ei dwylo. Ni welai Heilyn ond ei gwallt.

‘‘Rhian?’’

Nid atebodd Rhian. Yr oedd Jane Roberts yn dechrau ochneidio wrth iddi syllu’n syn o’i chwmpas. Yr oedd ar Heilyn yntau angen y drws y tu ôl iddo i’w gynnal. O rywle deuai syniad gwallgof iddo ei bod yn bosibl clirio’r llanast, a glanhau’r gwaed oddi ar y muriau a’r drysau a’r llawr a phobman, ac oddi ar eu cyrff eu hunain. Yr oedd honno wedi creu digon o lanast wrth farw. Yr oedd yn rhaid clirio cyn i Carl ddod i lawr, cyn i hwnnw ddarganfod bod ei iâr ar goll.

‘‘Rhian.’’

Pe bai wedi meddwl, pe bai wedi paratoi, gallai fod wedi rhoi lliain ar draws y gwddw i reoli llifeiriant y gwaed. Arswydodd. Ni fyddai fyth wedi gallu paratoi.

‘‘Rhian. Helpwch fi.’’

Cafodd gip ar Jane Roberts yn rhoi ei llaw ar ei thalcen, ac yn dod ati’i hun. Ni fedrai gymeryd llawer o sylw ohoni. Yr oedd brys am wneud y pethau pwysig.

‘‘Rhian. Dowch. Helpwch fi.’’

O’r diwedd yr oedd y pen gwelw’n codi. Yr oedd y llygaid cynhyrfus yn edrych arno. Am ennyd fer yr oedd yr edrychiad newydd ynddynt yn bwysicach i Heilyn nag unrhyw glirio a chuddio. Yr oedd ei flaenoriaethau wedi bod yn rhai cywir.

‘‘Mae’n rhaid i ni glirio’r—peth yma, Rhian.’’

‘‘I be, Heilyn?’’

Yr oedd Rhian wedi tynnu'i llygaid oddi arno, a syllai'n ddwl ar y llawr.

"I be, bellach?"

Fe'i tynnodd Heilyn ei hun oddi wrth y drws. Ceisiodd gamu dros y gwaed at Jane Roberts. Gafaelodd ynddi, i'w chodi.

"Dowch. Mae'n well i chi fynd at y plant. 'Gymrwch chi—'gymrwch chi ddiod o ddŵr?"

Swniai ei gwestiwn yn wirion. Ni sylwai'r ddynes. Ysgydwai ei phen.

"Na." Dechreuodd godi, gyda chymorth Heilyn. "Rhian. Rhian. 'Wyt ti'n iawn?" Nid oedd i'w gweld yn deall ei chwestiynau'i hun. "Be ddigwyddodd?"

"Ydw, Mam."

Yr oedd Rhian yn codi. Wrth ei gweld yn gliriach, rhoes ei mam sgrech fechan, sydyn.

"Nid 'y ngwaed i ydi o, Mam."

"O."

Yr oedd Jane Roberts yn ffwndrus, yn fregus. Yn sydyn yr oedd ôl y straen yn dangos.

"Dowch i'ch cadair."

Yr oedd y ddynes yn fodlon cymeryd ei chynorthwyo gan Heilyn, a'r her a fu ynddi ers diwrnodau, ac a fyddai wedi bod yn ddigon cryf i droi arno ddiwrnod ynghynt a rhoi clusten iddo am feiddio'i chyffwrdd, wedi diflannu'n llwyr. Bellach yr oedd yn hen wraig. Eisteddodd yn ddiymadferth yn ei chadair, a chlosiodd Rhonwen ati. Trodd Heilyn yn ôl. Yr oedd Rhian yn dal i fod yn y cyntedd.

"'Fedrwn i ddim gadael i Rhonwen 'y ngweld i fel hyn."

Ond yr oedd brys ar Heilyn, brys i glirio a brys i gadw pethau o'i feddwl. Aeth drwodd at y drws cefn i estyn pwced. Camodd dros y gynfas lân, daclus, a gafael yn y bwced felen a oedd yn y gornel. Yr oedd clwt neu ddau'n hongian ar fachyn uchwben y bwced, a rhoes hwynt ynddi. Camodd yn ôl dros y gynfas a chau'r drws ar ei ôl. Yr oedd Rhian wedi mynd i'r gegin fach, a safai ger y stof gan bwyso arni. Yr oedd wedi dechrau wylo'n ddistaw.

"Be ddigwyddodd, Rhian?"

Ni fedrai Heilyn aros am ateb. Llanwodd y bwced â dŵr, a'i chario at y drws. Plygodd ar ei liniau i'r llawr, a dechreuodd sgwrio'r carped yn ffyrnig, ei sgwrio a'i guro bob yn ail i gael y gwaed ohono. Yno, wrth ddrws y twll dan grisiau, oedd un o'r lleoedd tywyllaf yn y tŷ, a diolchai Heilyn fod hynny o'i blaid. Byddai'n rhaid i Carl graffu. Sgwriai Heilyn fel peth gwyllt i osgoi'r gwirionedd a oedd yn mynnu llenwi'i feddwl. Nid gwaed Marian oedd yn llenwi'r bwced. Yr oedd arno ofn bod heb ddim i'w wneud ond ystyried.

Daeth y carped yn lân, a gwlyb. Os na fyddai Carl yn cerdded arno yn nhraed ei sanau, ni fyddai'n sylwi. Gyda phwcedaid lân o ddŵr aeth Heilyn ati i lanhau'r waliau a'r drysau a llawr y gegin fach. Yr oedd y gwaed wedi cyrraedd yno hefyd. Yr oedd honno wedi lluchio'i gwaed wrth farw yn union fel yr oedd wedi lluchio'i gwenwyn pan oedd yn fyw. Rhyfeddai Heilyn ei fod wedi cymeryd cyhyd i'w hadnabod. Rhyfeddai'n fwyfwy ei fod wedi cymeryd cyhyd i ddechrau ei adnabod ei hun. Ond yr oedd yn mynnu cadw'r gwir o'i feddwl, yr oedd yn benderfynol o wneud. Nid ydoedd wedi llofruddio Marian. Nid ydoedd wedi ei llofruddio. Wedi atal Rhian rhag cael ei lladd ydoedd; nid llofruddio oedd hynny. Dyrnai hynny i'w ben wrth i'r cadach fynd a dod ar hyd y muriau a'r drysau. Arbed bywyd, nid difa un. Dyna'r hyn a oedd yn cyfrif. Ac yr oedd yn dechrau sgrifennu'i lythyr, yn ei feddwl, llythyr yn egluro. Ni fyddai sôn am Marian yn hwnnw, am nad oedd yn berthnasol. Yr oedd pethau llawer pwysicach i'w hegluro. A thrwy lythyr yn unig y gallai wneud hynny; yr oedd meddwl am godi'r ffôn yn creu rhyw ofn anesboniadwy ynddo.

Yr oedd y chwys yn diferu o'i dalcen erbyn iddo orffen glanhau. Cododd, a rhoes ei lawes ar draws ei dalcen, cyn cofio bod honno hefyd yn waed drosti. Edrychodd yn feirniadol ar ei waith. Yr oedd y lle wedi glanhau'n odiaeth. Wedi achub bywyd Marian yr oedd, nid wedi difa un . . . Fel arall yr oedd hi. Dychrynodd. Meddyliodd ei fod yn dechrau ffwndro.

"I be, Heilyn?"

Trodd. Yr oedd Rhian yn dod ati'i hun, ac yn edrych arno. Yr oedd yn welw, a'r staeniau ar ei hwyneb a'i chorff yn gwrthgyferbynnu'n ffyrnig â hynny, ac yn gwneud iddi edrych yn waeth, fel pe bai rhyw salwch dirdynnol arni. Nid oedd hynny chwaith ond yn cadarnhau'n ddigwestiwn i Heilyn ei fod wedi gwneud y peth iawn.

"Ydach chi'n iawn, Rhian?"

"I be, Heilyn?"

"Y?"

"Be 'di pwrpas y llnau 'ma rŵan? Pa ddiben sydd iddo fo? Pa haws ydach chi bellach?"

"Mae o'n rhoi amser i ni, Rhian. Mae'n rhaid i chi newid."

"Ydach chi'n meddwl y medrwch chi gadw hyn rhag Carl? Be ddwedwch chi pan fydd o'n dechrau gofyn . . ."

"Os nad ewch chi i newid rŵan 'fydd 'na ddim angen iddo fo ofyn dim. Yr Arglwydd mawr, Rhian, 'fedra i ddim lladd Carl hefyd."

"Mae'n rhy hwyr, Heilyn."

"Rhian, cerwch i newid." Edrychodd Heilyn arno'i hun, a gofynnodd heb betruso, "'Wnaiff dillad Robin fy ffitio i?"

Edrychodd Rhian yn frawychus arno.

"'Does 'na ddim dewis, Rhian."

"Mae 'na waed ar eich gwallt chi, Heilyn."

"Mi golcha i o. Mi fydd yn rhaid i chitha olchi'ch gwallt hefyd. Ble ca' i ddillad?"

"Mae Carl yn y llofft."

"Oes 'na ddillad yn y cwpwrdd eirio?"

"Oes, mae 'na rai yno."

"Dowch."

Petrusodd Rhian. Yr oedd y dagrau'n dychwelyd.

"Dowch."

Yr oedd dillad Robin yn gynnes braf, a bron yn rhoi hyder newydd i Heilyn. Yn ôl yn y gegin fyw, yr oedd wedi dechrau cadw rhyw fath ar wyliadwriaeth drachefn, ac ni ddychrynai wrth feddwl mor hawdd fyddai i'r plismyn neu'r milwyr fod wedi rhuthro'r tŷ pan oedd ef yn golchi'r carped neu'n newid ei ddillad. Aeth ei law, bron yn ddiarwybod iddo, am y gwn ym mhoced ei drowsus newydd. Yr oedd y gwn yno, a gwyddai Heilyn mai yno y byddai. Wrth iddo syllu drwy'r llenni ar yr ardd a'r ffordd o flaen y tŷ, gwyddai na fyddai'n ei ddefnyddio, beth bynnag a ddigwyddai. Os na fyddai Carl yn dechrau bygwth un o'r teulu. Gwrthododd Heilyn feddwl am Carl. Prun bynnag, os oedd wedi cysgu drwy'r cwbl, drwy'r heldrin i gyd, nid oedd wahaniaeth amdano.

Oddi allan, yr oedd aderyn to'n hel bwyd i'r cywion, yn paratoi drwy reddf ar gyfer parhau'r hil, yn ddiffwdan a dibryder. Yn sydyn, yr oedd Heilyn yn gibddall eiddigeddus o'r aderyn, ac yn gweld synnwyr, am y tro cyntaf, mewn pethau cyffredin yr oedd wedi bod yn ffiaidd ddilornus ohonynt am flynyddoedd. Yr oedd popeth yn Natur mor ddieithr i'r cynlluniau a oedd gan y Mudiad y bu'n ei ganlyn mor ffyddlon ar gyfer y byd ag a oeddent i'r byd yr oedd y Mudiad am ei ddisodli. Tarfodd rhywbeth neu rywun, milwr efallai, ar yr aderyn, a rhoes y gorau i gasglu bwyd, a hedfan i ffwrdd i ddiogelwch yn ôl at y cywion. Am ennyd gwnaethai'r byd synnwyr i Heilyn, ac yr oedd arno eisiau bod yn rhan ohono. Trodd yn ôl o'r llenni. Byddai'n rhaid iddo weithio ar ei lythyr. Ond nid oedd byth wedi cael ateb gan Rhian.

"'Ddaru chi ddim dweud wrtha i be ddigwyddodd, Rhian."

Ochneidiodd Rhian, a chododd ei mam ei phen.

"Pam ddaru'r ddwy ohonoch chi ddechrau cwffio? Pam ddaru Marian adael ei gwn ar y stof?"

Syllai Rhian yn syth i'r grât o'i blaen.

"Fi ddechreuodd," meddai ymhen ychydig. "Na," ailfeddyliodd, "hi ddechreuodd. Arni hi'r oedd y bai. 'Roedd hi wrthi'n plagio a sbeitio, fel bydd hi . . . fel y byddai hi,"—distawodd ei llais, a saethodd y dagrau i'w llygaid.

"Ia?"

"'Roedd hi'n herio mwy nag arfer, ac yn dangos mwy o'i chrechwen nag arfer. Mi wyddwn i ei bod hi'n g'luo isio codi helynt. 'Roeddwn i'n benderfynol o'i hanwybyddu hi, ond—ond mi fethis i. 'Roedd hi'n amhosib."

"Be ddigwyddodd?"

"Mi drois i ati hi, a dweud wrthi hi mai babi clwt oedd hi, nad oedd ganddi hi gyts i ddim ond i guddio y tu ôl i'w gwn o fore tan nos. Mi ddwedis i wrthi y byddai hi'n gwneud llond ei blwmars 'tasa 'na rywun yn troi arni hi a hithau heb ei gwn."

"A mi lyncodd hithau'r abwyd?"

"Nid abwyd oedd o, Heilyn. Hynny fyddai'r peth dwytha a fyddai ar feddwl rhywun. Y cwbl sy'n cyfri pan ydach chi'n dweud y gwir wrth rywun ydi eu bod nhw'n ei glywed o, 'waeth be fo'r adwaith."

"Ond mi ddaru hi luchio'r gwn?"

"Do."

"Ac mi aeth hi'n ffeit."

"Mi rhuthrodd fi."

"Yn syth?"

"'Phetrusodd hi ddim."

Aeth yn ddistaw. Yr oedd Heilyn yn dechrau gwrando,

rhag ofn y deuai sŵn o'r llofft. Yr oedd yn dechrau ystyried a oedd yn bosibl paratoi ar gyfer hynny, ar gyfer dweud wrth y cyntaf a ddeuai i lawr y grisiau. Yr oedd hynny hefyd yn beth annymunol i feddwl amdano.

"Be wnewch chi rŵan, Heilyn?"

Nid atebodd Heilyn ei chwestiwn, am nad oedd arno eisiau ei glywed. Ond yr oedd arno eisiau ei gyfiawnhau ei hun.

"Gweld ei llygaid hi ddaru mi," meddai'n araf, gan beidio ag edrych ar yr un ohonynt, "gweld ei llygaid hi pan roddodd hi sgŵd i mi, a phan oedd hi'n eich tagu chi." Arhosodd, wrth gofio, ac ail-fyw. "'Doedd gen i ddim dewis, Rhian."

Ni fedrai Rhian ateb.

"'Roeddwn i wedi dweud wrthyn nhw," meddai Heilyn yn wylltach, "wedi dweud wrthi hi ac wrth Carl, fwy nag unwaith. Ond 'choeliai'r un ohonyn nhw ddim. Mi ddywedis i wrthyn nhw y gofalwn i na chaen nhw ddim . . . ond dyna fo."

Yr oedd yn gwrido am ei fod yn ei amddiffyn ei hun, heb angen.

"Be sy'n mynd i ddigwydd rŵan, Heilyn?"

"Chwerthin am 'y mhen i oedden nhw. Chwerthin a gwatwar. A chega a sbeitio. O Dduw mawr."

"Agorwch y drws 'na, Heilyn. Mi ddwedwn ni wrthyn nhw be ddigwyddodd."

"'Fedra i ddim, Rhian."

"Ydi Carl mor bwysig â hynny?"

Ysgydwodd Heilyn ei ben mewn anobaith.

"Nid Carl. Nid Carl . . ."

"Os ildiwch chi rŵan mi fydd yn well arnoch chi nag y bydd hi os bydd yn rhaid iddyn nhw ddod yma."

"'Dydach chi ddim yn dallt . . ."

Yr oedd Rhian yn wylo eto.

"Isio bod yn ferthyr ydach chi?" gofynnodd drwy ei dagrau.

"Peidiwch â phwyso arna i, Rhian."

"'Tasach chi'n deffro Marc, ac yn egluro iddo fo . . ."

"Na!"

Cerddodd Heilyn yn wyllt i'r ffenest. Yr oedd, y munud hwnnw, wedi alaru ar yr olygfa drwy'r tyllau, a thynnodd ei ben yn ôl yn syth. Ni fedrai ganolbwyntio ar wylio; ni fedrai ganolbwyntio ar ddim. Yr oedd yn arswydo rhag yr amser y byddai Carl yn codi, ac yn dod i lawr i'r gegin ato.

"Papur a phensel."

Yr oedd Rhian yn ei wylio.

"Be, Heilyn?"

"Ble ca' i bapur a rhywbeth i sgwennu?"

"I be?"

"Hidiwch befo."

"Mae 'na beth yn y drôr 'na, o dan y llun,—llun y briodas."

Aeth Heilyn at y drôr, a'i hagor, heb edrych ar y llun. Estynnodd bapur sgrifennu o'r drôr, a'i chau. Daeth ton arall o anobaith a seithugrwydd drosto wrth iddo syllu ar y papur. Yr oedd y syniad o yrru llythyr i'r plismyn yn un gwallgof, yn hollol afreal. Ni fedrai ddechrau, ac ni fedrent ddeall. Taflodd y papur a'r beiro yn eu holau. Meddyliodd am fynd i ffonio, ond yna sylweddololodd na fedrai wneud hynny heb ddeffro Marc yn gyntaf. Ni fedrai adael Rhian a'i mam ar eu pennau eu hunain am gymaint o amser â hynny, heb neb i gadw golwg arnynt. Byddai Rhian wedi manteisio ar hynny mewn chwinciad. Yr oedd dau yn llai yn gwneud byd o wahaniaeth, ac yn codi problemau newydd sbon. Aeth yn ôl at y llenni. Yr oedd yn well o lawer ganddo edrych drwy'r ffenest ben grisiau na thrwy ffenest y gegin fyw, nid yn unig am fod eu methiant yn serennu arnynt o'r ffrynt, ond hefyd am fod edrych i'r môr fel edrych i dân, yn cynhyrfu'r dychymyg ac yn procio'r meddwl, ac yn ei alluogi am ychydig i greu byd lle nad oedd achub ei groen ei hun yn hollbwysig ynddo.

Yn raddol, yr oedd awgrym Rhian am iddo ildio cyn i neb ddod i'w nôl yn dechrau swnio'n gallach, ac yn dod o fewn cyrraedd ystyriaeth. Am y tro cyntaf ers iddo ddod i'r tŷ, yr oedd yn meddwl am garchar, a llysoedd, a sylw a chondemniad cyhoeddus fel pethau perthnasol, fel pethau ymhell o fod yn amhosibl. Yr oedd yn dechrau meddwl amdano'i hun yn wynebu carchariad hir, carchariad a fyddai'n dderbyniol am ei fod wedi ymdeimlo â chynnwrf bywyd wrth sylwi gynnau ar yr aderyn bach yn hel bwyd i'w gywion. Dechreuai ei weld ei hun yn talu iawn i Rhian a'i gŵr, mewn gweithred ac mewn gair. A'r cwbl am ei fod ef ei hun eisiau byw. Byddai llythyr o gymorth.

Aeth yn ôl at y cwpwrdd, a chodi'r beiro a'r papur sgrifennu'n bwrpasol. Edrychai Rhian a'i mam arno, a theimlai'n anghyffyrddus, yn union fel y byddai'n teimlo pan fyddai un o'i rieni'n edrych arno'n gwneud ei waith cartref ers talwm. Ceisiodd eu hanwybyddu, a cheisiodd gynllunio'i lythyr. Yr oedd y peth yn chwerthinllyd. Gallai feddwl am ddegau o eiriau crand i ddisgrifio'i lythyr, ond gwyddai na fyddai yn y diwedd yn ddim ond cyffes, ac erfyniad am faddeuant. Ac nid oedd erioed wedi gwneud hynny, heblaw am y clebran ribidireslyd a wnâi yn yr eglwys yn blentyn. Efallai y byddai Sean wedi gallu sgrifennu'r llythyr heb betruso. Ni fedrai ef gael y gair cyntaf. Byddai 'annwyl syr' yn ei wneud yn llythyr digri'n syth. Lluchiodd y papur a'r beiro yn eu holau.

"Deffrwch Marc, Heilyn. Siaradwch hefo fo. Dwedwch y cwbl."

Teimlai fod Rhian yn gweld drwy'r cwbl i gyd. Yr oedd yn dod i gredu fod ei wystlon yn feistri corn arno.

"Deffrwch o, Heilyn. Siaradwch hefo'ch gilydd."

"'Weithith o ddim."

"O ble oedd Marian yn dod, Heilyn?"

"Y?"

"Ble oedd cartref Marian?"

"Sir Fôn, yn rhywle. Am wn i. Llangefni, ella."

"O ble 'dach chi'n dod?"

"Rhian,—ylwch . . ."

"Mi bwysa i bob ffordd, Heilyn. Ers faint oeddech chi'n ei nabod hi?"

"Rhian . . ."

"Ar ôl—ar ôl be ddigwyddodd iddi hi, 'fedrwch chi fyth ddweud bod y Mudiad 'na'n golygu dim i chi, Heilyn. Fo na'i aelodau. Wynebwch hynna, rŵan hyn. Hwya'n y byd y byddwch chi'n ei osgoi o, anodda'n y byd y bydd hi arnoch chi."

"Mae hi wedi canu, on'd ydi?"

Daeth fflach ofnus i lygaid Rhian.

"Be 'dach chi'n ei feddwl?" gofynnodd yn syth.

"'Fedra i ddim bygwth mwy arnoch chi."

"Mi ddaru chi pan lyncodd Sean y tabledi 'na," atebodd Rhian yn dawel. "Mi fedrwch eto."

"Mae 'na wahaniaeth rhwng bygwth ac erfyn, 'waeth faint fydd rhywun yn ei weiddi. Nid bygwth oeddwn i. 'Wnaiff bygwth ddim gweithio unwaith y bydd y bygythiad yn anghredadwy. Mi wyddoch chi nad eich arbed chi gynna er mwyn eich lladd chi toc yr oeddwn i. Ac unwaith y mae'r un sy'n bygwth yn sylweddoli hynny, mae'r bygythiad yn mynd yn wag ac ofer, hyd yn oed yn chwerthinllyd. Mae o mor drwyadl fel na fedra i ddim cymryd arnaf wrth y plismyn 'na fod y bygythiad yn eich erbyn chi'n dal yn rym. 'Does gynnoch chi ddim syniad.''

''Be ydach chi'n mynd i'w wneud, 'ta?''

'''Wn i ddim, Rhian.''

''Mi fedrwn i eich rhuthro chi, felly.''

'''Wnewch chi mo hynny.''

''Be wnaethoch chi, Heilyn?''

''Y?''

'''Dydach chi'ch hun ddim wedi lladd neb, ond Marian. 'Wnân nhw ddim dal Marian yn eich erbyn chi. 'Fydd hi ddim mor ddrwg â hynny arnoch chi, yn enwedig os ildiwch chi rŵan.''

''Mi fydd yn rhaid iddyn nhw gael dial, Rhian.''

''Siawns nad oes 'na ddigon o ladd wedi bod yma'n barod, Heilyn. Ildiwch. Ildiwch rŵan hyn.''

'''Fedra i ddim, yng nghefnau'r lleill.''

''Pwy sydd am ddeffro gyntaf, Carl 'ta Marc?''

Edrychai Heilyn yn anghyffyrddus. Ni fedrai ateb.

''Os deffrith Marc gyntaf, mi fydd yn iawn arnoch chi.''

Ni fedrai ond edrych arni.

''Ond os deffrith Carl o'i flaen o, be ddwedwch chi wrtho fo?''

Edrychodd Heilyn draw.

''Mae'n well i chi wneud yn siwr mai Marc sy'n deffro gyntaf, felly, on'd ydi, Heilyn?''

Symudodd Heilyn drachefn at y ffenest i edrych drwy'r tyllau, am nad oedd ganddo ateb i'r un o'r cwestiynau. Gwyddai fod Rhian yn iawn. Yr oedd deffro Marc yn llawer pwysicach na rwdlan ynghylch rhyw lythyr na fyddai neb a'i darllenai â'r awydd lleiaf i'w ddeall. Os na fedrai fod yn ddigon o ddyn i ddweud wrth Marc, nid oedd ond yn ei dwyllo'i hun wrth gynllunio i ddweud ei bwt wrth ddieithriaid. Penderfynodd fynd i'r llofft, ond cofiodd na fyddai ganddo neb ar ôl i warchod gwystlon y Mudiad tra byddai ef yn y llofft.

''Rhian.''

''Be?''

''Cerwch i ddeffro Marc. Dwedwch wrtho fo am ddod i lawr. Peidiwch â dweud wrtho fo am . . .''

''Fyddai ddim gwell i chi fynd, Heilyn?'' Yr oedd golwg drwblus sydyn ar Rhian. ''Nid lle i mi . . .''

''Cerwch, Rhian.''

Petrusodd Rhian, yna cododd. Edrychodd i lawr ar lygaid Rhonwen yn syllu i'w hwyneb. Trodd ei phen rhag iddi weld ei dagrau sydyn. Aeth at y drws.

''Rhoswch.''

Yr oedd Heilyn wedi troi ati.

''Mae'n rhaid i chi, Heilyn. 'Does 'na ddim synnwyr mewn dim arall bellach. Mae'n rhaid i chi siarad hefo Marc.''

Yr oedd Heilyn yn crynu i'w esgidiau.

''Cerwch 'ta. Deffrwch o.''

Aeth Rhian o'r ystafell, ac i fyny'r grisiau. Gafaelodd Heilyn mewn cadair, a'i thynnu at y drws. Eisteddodd arni, wrth y drws agored, a disgynnodd ei ben i'w ddwylo. Pwysodd yn drwm arnynt, a'i lygaid ynghau. Ni faliai mwyach am na gwarchod na gwylio, nid oedd bwrpas i ddim. Yr oedd yn dyheu am gael yr helynt drosodd, ac ar yr un pryd yn arswydo rhag hynny. Yr oedd rhyw syniad o hen oes bell, o ddyddiau plentyndod, yn dod iddo, rhyw syniad a ddywedai wrtho drosodd a throsodd na fyddai'n dod ohoni, hyd yn oed pe byddai'n cael bwled sydyn yn ei ben neu yn ei galon o wn milwr dienw. Yr oedd rhywbeth yn dweud wrtho mai dechrau ac nid diwedd gofidiau a fyddai hynny, ac yr oedd hynny'n waeth na'r hunllef o wybod fod corff honno'n flêr farw ym mhen draw'r twll dan grisiau.

Deuai sŵn. Cododd ei ben mewn dychryn. Rhian oedd yno, ei hun.

''Roedd o'n cysgu'n drwm.''

Nid oedd olwg o Marc.

''Mae o am ddod i lawr mewn munud.''

''Be ddwedsoch chi wrtho fo?''

Aeth Rhian heibio iddo, ac i'r gegin fyw.

''Dim byd. Dim ond ei ddeffro fo, a dweud wrtho fo am ddod i lawr, eich bod chi isio siarad hefo fo.''

''Be ddwedodd o?''

''Roedd o'n rhy gysglyd. Heilyn, 'wnewch chi adael i ni fynd? Mi fedrwch berswadio Marc, Heilyn. Ylwch,'' yr oedd Rhian yn dechrau siarad yn gyflym am ei bod yn cael syniad newydd sbon, "pam na adawch chi i Mam a'r plant fynd, a mi 'rhosaf inna hefo chi nes byddwch chi wedi trefnu rhywbeth hefo'r plismyn?"

"'Wnaiff hynny ddim . . ."

"Gwnaiff, Heilyn, mi wnaiff o. Mi fyddai hynny'n cyfri llawer yng ngolwg y plismyn 'na. Rhwng hynny a . . ."

"A be, Rhian?"

"Mi fyddwn i'n barod i roi tystiolaeth o'ch plaid chi."

Nid edrychai Rhian arno wrth siarad. Edrychai ar ddrws y parlwr, fel petai'n dymuno i Heilyn ddeall, a mynd yno i godi'r ffôn y munud hwnnw.

"Tystiolaeth, Rhian?"

Trodd Rhian i edrych arno. Gwelodd Heilyn fod pob arlliw o gasineb tuag ato ac o ofn ohono wedi diflannu o'i llygaid. Fe'i gwnâi hynny ef yn fwy ansicr byth.

"O'ch plaid chi, ac o blaid Marc."

"Pa wahaniaeth, Rhian?"

"Mi wnaiff fyd o wahaniaeth, Heilyn."

"A Charl?"

Yr oedd Rhian yn ysgwyd ei phen.

"Mi fyddai i mi ddweud rhywbeth o'i blaid o wrth neb yn gwneud dim a ddywedwn i drosoch chi'n ddiwerth."

"'Wnaiff Marc a minna ddim bradychu Carl, Rhian."

"Gair neis. Gair mawr."

"Mae 'na ystyr iddo fo, yr un fath."

"Mae gynnoch chi fwy o feddwl o Carl nag sydd ganddo fo ohonoch chi. Dim ond eich defnyddio chi mae o."

"Na, Rhian, nid felly y mae pethau. 'Rydach chi'n cymryd pethau'n rhy ganiataol."

"'Wnewch chi adael i Mam a Rhonwen a Deian fynd?"

Cododd Heilyn. Aeth yn ôl at y ffenest.

"Peidiwch â 'mrysio i, Rhian, mae o'n syniad rhy newydd. Rhaid i mi gael meddwl. Ble mae Marc?"

Yr oedd Rhian wedi croesi ato, ac yn gafael yn dynn yn ei fraich.

"Mi wnewch chi feddwl am y peth, felly?"

"Ble mae Marc, Rhian?"

Trodd Rhian, a rhyw obaith mawr yn dechrau ei llenwi.

"Mi af i fyny eto. Ella 'i fod o wedi cysgu'n ôl."

"Gadwch iddo fo."

"Heilyn . . ."

"Rhowch funud neu ddau i mi ystyried. Os na ddaw o wedyn, mi gewch chi 'i nôl o eto."

Yr oedd yn dechrau hoffi syniad Rhian, am y byddai'n dyrchafu mymryn arno ef ei hun yn ngolwg yr heddlu. Byddent yn barotach i wrando ac i'w dderbyn; gan y byddai'n rhaid iddo bellach feddwl amdano'i hun fel eu heiddo hwy, gorau po gyntaf iddo ddechrau arni, i wneud ei fywyd newydd dan glo mor hawdd i'w oddef ag oedd modd.

Edrychodd drwy'r llenni. Efallai, efallai. Yr oedd mor gymysglyd ag erioed. Rhoes ei feddwl ar bethau eraill, i'w orffwys. Allan, yr oedd cysgod y tŷ'n dechrau hirhau o'i flaen wrth i'r mymryn o haul a ddaethai i darfu ar y glaw mân fynd tua'r gorllewin. Yr oedd Carl wedi dweud mai ar fachlud haul y byddai ef yn codi, er mwyn iddo gael gwylio drwy'r nos. Yr oedd Rhian yn iawn. Yr oedd yn rhaid i Marc ddod i lawr cyn i Carl ddeffro.

II

Daeth Marc i lawr. Er bod ei wyneb yn dangos ei fod newydd ei olchi i ddeffro, yr oedd golwg ddigon cysglyd arno. Ni wnaeth Heilyn ond prin edrych arno wrth iddo ddod i'r gegin. Gwyddai y byddai Marc yn deall.

"Mae'n dawel yma."

"Ydi," meddai Heilyn.

Rhoes Marc ochenaid. Daeth i'r ffenest, a gwnaeth Heilyn le iddo. Edrychodd Marc drwy'r llenni. Ni ddangosai lawer o ddiddordeb.

"Ydi Carl yn ei wely?"

"Ydi."

"'Dydi o na hi ddim am adael i ni'n dau warchod ar ein pennau ein hunain eto, Heilyn. Mi wn i arno fo."

"Marc."

"Be?"

"Mae 'na . . ."

"Ble mae hi?"

Aeth Heilyn yn swp sâl.

"Mae hi yn y twll dan grisiau."

Trodd Marc ei ben.

"Y?"

"Yn y pen draw. Marc . . ."

"'Waeth iddi hi'n fan'no ddim."

"Marc . . ."

"Ble mae hi, Heilyn?"

Petrusodd Heilyn.

"Mae hi yn y twll dan grisiau, Marc."

Edrychodd Marc yn rhyfedd am ennyd, wrth droi at y gwystlon, fel pe'n disgwyl eglurhad o'r fan honno. Yna, gyda chipolwg sydyn, amheus, ar Heilyn, prysurodd o'r gegin fyw ac i'r cefn. Pwysodd Heilyn ar y pared ger y ffenest wrth ei glywed yn agor drws y twll dan grisiau. Gwrandawodd ar ei sŵn yn bustachu ynddo, ac ar ei sŵn yn dod ohono ac yn cau'r drws ar ei ôl. Cyfrodd ei gamau o'r drws i'r gegin fyw, gan geisio dychmygu'r olwg ar ei wyneb pan ddeuai i mewn.

Ond ni ddaeth Marc drwy'r drws. Aeth penbleth Heilyn yn boen wrth iddo ddal a dal i ddisgwyl, a'i feddwl yn creu pob math o ofnau newydd. Yn y man, prysurodd at y drws, ac i'r cyntedd. Clywai sŵn Marc yn y gegin fach. Aeth yno.

Yr oedd Marc a'i gefn ato, yn yfed o gwpan. Trodd, fel pe bai ganddo ddigon o amser, pan glywodd sŵn Heilyn y tu ôl iddo.

"Wyt ti'n iawn, Marc?"

"Ai dyna pam yr oeddat ti'n gwneud min ar y gyllell fara 'na o hyd?"

"Yr Arglwydd mawr, naci, Marc."

"Chdi ddaru?"

"Ia."

"O."

Gorffennodd Marc ei ddiod, a'i lygaid yn sefydlog ar rai Heilyn.

"Arni hi'r oedd y bai, Marc."

"Ydi o wahaniaeth?"

"Mi fyddai hi wedi tagu Rhian. 'Roedd hi'n gorwedd ar ei phen hi, a'i dwylo am ei gwddw hi, yn ei thagu hi. Cael a chael ddaru mi . . . 'doedd gen i ddim dewis, Marc . . . Mae gan Rhian . . . mae 'na . . . bwrpas . . . iddi hi . . ."

"Ei lladd hi heb feddwl wnest ti?"

"Ia. Naci. 'Wn i ddim. Os bu 'na rywun yn gofyn amdani 'rioed . . . 'rydw i'n siarad fel blydi cowboi. 'Doedd gan yr hyn yr oedd gan Marian i'w gynnig ddim yn fywyd, Marc. Nid dyna be oedd o."

"Hi laddodd Sean, Heilyn."

"I Marian yr oedd y gwenwyn i fod, Marc. I Marian yr oedd Rhian wedi'i baratoi o."

"Nid am Rhian yr ydw i'n sôn."

"Y?"

"Marian laddodd Sean. Hi roes y syniad ym mhen Rhian, wrth ddwyn diod yr hogan fach 'na. Hi ddaru wrthod cael doctor at Sean. Hi ddaru chwerthin pan oedd ar Sean isio offeiriad."

Ni fedrai Heilyn guddio'i ryddhad.

"Mi aethon ni i dipyn o dwll, Heilyn." Golchodd Marc ei gwpan o dan y tap. "Wyt ti'n difaru?"

Yr oedd Heilyn yn petruso cyn ateb.

"'Wn i ddim. Prun bynnag, 'fyddwn i fawr elwach. 'Doedd y pethau 'ma am Carl a Marian ddim yn bosib i'w nabod ynddyn nhw heb i rywbeth fel hyn ddigwydd. Dall 'ta wedi cael ail ydan ni? Ella nad ydi o ddim gwahaniaeth bellach, prun bynnag . . . 'Roedd yn rhaid i mi 'i lladd hi, Marc. 'Roedd hi wedi mynd i'r pen."

"Oedd, Heilyn."

Estynnodd Marc liain i sychu'i ddwylo ynddo. Yr oedd staeniau dafnau o waed ar y lliain, ac edrychodd Marc yn ofnus arnynt. Fe'u hosgôdd wrth sychu'i ddwylo.

"Pam roddodd Marian ei chas ar Rhian o'r munud y daeth hi yma, Heilyn?"

"'Roedd gan Carl a Marian fabi, Marc."

Edrychodd Marc yn anghrediniol arno.

"Be?"

"Mi fethon nhw â'i fagu o. Duw a ŵyr be ddigwyddodd iddo fo. Gweld rhywun a fedrai fagu'i phlant ddaru Marian. Ella mai dyna be oedd."

"Babi gan Marian?"

"Ia." Rhoes Heilyn chwarddiad byr. "Swnio'n anhygoel, on'd ydi? Mae eu Mudiad nhw'n fwy anhygoel fyth. 'Does 'na ddim lle i bobl yng nghynllunia hwnnw, dim sôn amdanyn nhw. Mae eu Mudiad nhw am ddatrys pob problem fel petasa 'na ddim pobl yn bod i ymyrryd â nhw. Dduw mawr, Marc, 'roedden ni'n ddall."

Yr oedd Marc yn dal i syllu ar y dafnau gwaed ar y lliain. Yr oedd wedi rowlio'r lliain yn belen yn ei ddwylo, a daliai ef a'r smotiau at i fyny fel pe baent yn fregus. Siaradodd yn drist wrth y lliain.

"Mae'n dda nad oedd Sean yn gwybod am y babi. Pryd cefaist ti wybod, Heilyn?"

"Heddiw."

"Gan Marian?"

"Gan Carl."

"'Tasa Sean yn gwybod, fydden ni ddim yma, ac mi fyddai yntau'n fyw."

"'Waeth heb â meddwl pethau felly bellach, Marc."

"Na waeth."

"Wyt ti isio byw, Marc?"

Yr oedd cwestiwn annisgwyl Heilyn yn ddistaw, ymbilgar. Gwasgodd Marc y lliain yn dynnach yn ei ddwylo wrth ei glywed. Aeth ei feddwl yn ôl at y milwyr y tu allan i'r tŷ, a'r gynnau parod a garient yn awchus. Plygodd ei ben, am na ddeuai ei eiriau o'i geg. Yr oedd yn crynu drosto.

"Mae gan Rhian gynllun, Marc."

"Be?" Yr oedd y cwestiwn yn floesg, ddagreuol.

"Ein bod ni'n dau yn gollwng ei mam a'r plant yn rhydd rŵan hyn, ac yn ei chadw hi yn y tŷ hefo ni tra byddwn ni'n bargeinio â'r plismyn."

Edrychodd Marc ar y lliain drachefn. Yn araf, dechreuai ysgwyd ei ben.

"Mae isio amser i gysidro peth fel'na, Heilyn. Ac mae Carl . . . be ddigwyddith pan ddeffrith o?"

"Os ydan ni isio byw, Marc, 'dydi o ddim llawer o wahaniaeth be wnaiff Carl pan ddeffrith o."

Ystyriodd Marc am ennyd.

"Am fynd o 'ma cyn iddo fo ddeffro wyt ti?" gofynnodd.

Edrychodd Heilyn yn wyllt arno. Yr oedd syniad Marc yn newydd, ac yn annisgwyl. Ond nid syniad Marc ydoedd; wrth edrych arno, gwyddai Heilyn fod Marc yn meddwl mai ef a feddyliasai amdano gyntaf.

"Na." Ysgydwodd ei ben. "Nid hynny chwaith. 'Fedrwn ni ddim gwneud dim byd fel 'na hefo fo, yn ei gefn o. Mae peth felly'n rhy dan din, beth bynnag ydi'r amgylchiadau."

"Yn ei wyneb o y lladdist ti ei gariad o?"

Nid oedd cwestiwn Marc yn gas, nac yn edliwgar. Ond fe ysgytwodd Heilyn.

"'Dydw i ddim yn trio dy sodro di, Heilyn, na dy gyhuddo

di. Y cwbl yr ydw i'n ei wneud ydi trio darganfod be wnaiff weithio a be na wnaiff. Nid wrth osgoi sôn am y posibiliada ynglŷn â Charl y gwnawn ni ddarganfod be sy'n dan din a be sydd ddim. Ond 'rwyt ti'n iawn. 'Fedrwn ni ddim gwerthu Carl chwaith, er bod y ddau ohonon ni'n gwybod be wnaiff o os ffendith o fod Marian wedi . . ."

"Os ffendith o?"

"Mae'r amser yn brin, on'd ydi Heilyn? Tyrd trwodd, rhag ofn i'r merched 'na ddechrau cael syniadau."

Aethant yn ôl i'r gegin fyw. Daliai Jane Roberts i eistedd yn llonydd, a Rhonwen wrth ei hochr. Rhoes Marc bwniad i Heilyn.

"Ydi'r ddynes 'na'n iawn? Mae hi'n edrych fel ysbryd."

"Mi ffeintiodd hi."

"O."

"'Roedd 'na waed, Marc. Ddyn annwyl, 'roedd 'na waed."

Trodd Marc. Yr oedd Heilyn bron mor welw â'r ddynes. Yna yr oedd Rhian wedi codi, ac wedi dod atynt. Sylwodd Marc yn syth fod yr ofn yn ei llygaid yn llawer llai. Am y tro cyntaf, sylweddolodd ar amrantiad pam bod Heilyn, a Sean, wedi rhoi cymaint o bwyslais ar ei chadw hi a'i theulu'n ddianaf. Sylweddolodd pam bod Marian wedi'i stwffio'n gelain i ben draw'r twll dan grisiau.

"Heilyn?"

Yr oedd hyder newydd Rhian yn amlwg yn ei llais hefyd. Edrychodd y ddau arni.

"'Ddaru i chi sôn wrth Marc am be ddwedis i gynna?"

"Do, Rhian. Ond 'dydi o ddim mor hawdd . . ."

"Ydi, Heilyn, mae o. Mae o'r peth hawddaf yn y byd, ac mi wyddoch chi hynny. Mi fydden ni i gyd wedi gallu rhedeg allan gynna tra buoch chi yn y gegin fach 'na'n trafod."

Edrychodd Heilyn a Marc ar ei gilydd, a rhyw olwg euog yn dod i lygaid y ddau ohonynt. Ond wedi ymresymu am ennyd, trodd Heilyn yn ôl ati.

"Go brin, Rhian. 'Tasach chi wedi gallu gwneud hynny mi fyddech chi wedi'i wneud o. 'Rydw i'n siwr 'mod i'n eich nabod chi'n ddigon da bellach i wybod hynny. Ylwch, Rhian, cerwch i wneud bwyd. Rhowch amser i ni."

Ochneidiodd Rhian, a daeth ei siom yn amlwg ar ei hwyneb. Yna yr oedd Marc yn gwrido, ac yn dechrau siarad, yn ffrwcslyd.

"Sean—marwolaeth Sean ddaru fy styrbio i," meddai'n sydyn, "dyna pam—yr hogyn bach—'doeddwn i ddim—mae'n ddrwg gen i. Mae'n ddrwg gen i. 'Wnaiff 'na ddim byd ddigwydd i chi, na'r plant."

Brysiodd Rhian i'r gegin fach.

"Mae'n well i un ohonon ni fod hefo hi, Heilyn."

"Ydi."

"Be wnawn ni, Heilyn?"

Edrychodd Heilyn i lawr.

"'Wn i ddim, Marc. Ildio."

"Ildio." Edrychai Marc yn syn. "A mynd i garchar. Am oes."

"Ia, Marc. 'Dydi o ddim yn beth braf i feddwl amdano fo. Ond mae o'n fywyd. Os gwnawn ni adael i fam Rhian a'r plant fynd allan rŵan, mi fydd 'na ddeng mlynedd yn llai o garchar i ni, mi gei di weld."

"'Fydd hynny'n ddigon o dâl am wneud hyn yng nghefn Carl? Mi fydd 'na ddigon o amser yn fan'no i'n cydwybodau ni wneud be fynnon nhw hefo ni."

"Mi fydd 'na fywyd ar ei ddiwedd o, Marc. 'Dydi—'doedd y Mudiad ddim yn dallt peth fel'na. Nid Mudiad bywyd oedd o."

"Ond be wnawn ni hefo Carl, Heilyn?"

Aeth Heilyn at y llenni, a gafael ynddynt, fel pe i'w ddal ei hun.

"'Wn i ddim. 'Wn i ddim. 'Tasa fo'n cael gwybod rŵan hyn, be wnâi o? Torri 'i galon? Lladd pawb? Gorffwyllo, a'i ladd ei hun?"

"Mae 'na un ffordd o ddarganfod, Heilyn."

Gwasgodd Heilyn y llenni.

"Na, Marc. Dos at Rhian. Gad iddo fo ddeffro pan ddeffrith o."

Aeth Marc i'r gegin fach. Chwiliodd Heilyn am rywbeth i'w wneud, fel na fyddai'n rhaid iddo feddwl am y caswir hwnnw, meddwl am yr hyn yr oedd bod yn llofrudd yn ei olygu. Ceisiodd feddwl am y camerâu, a'r meicroffonau. Efallai nad oeddent wedi llwyddo i'w cael i bob twll a chongl; efallai na wyddent beth oedd yn y twll dan grisiau. Efallai eu bod yn rhythu ar bob sgrîn i fyny yn y neuadd i chwilio amdani, a phob clust yn meinhau i geisio dal ei chrawcian. Cofiodd yn sydyn am ei chrawc olaf yn dod o'i gwddf yn hytrach nag o'i cheg, a throdd ei ben fel pe bai am gyfogi. Cerddodd yn wyllt ar draws y gegin i gael gwared â hi, a gwelodd y papur a'r sgrifbin yn ymyl y llun priodas, lle y gadawsai hwy. Trodd y papur a'i ben i fyny, gafaelodd yn bwrpasol yn y beiro, a dechreuodd sgrifennu. Llifodd ychydig o frawddegau cwta. Tybiodd iddo glywed sŵn Marc yn dod o'r gegin fach. Rhoes y beiro i lawr, a thynnu'r ddalen yn rhydd. Rhoes un gip arni cyn ei phlygu a'i rhoi yn ei boced. Erbyn hyn, ni welai lawer o bwrpas mewn sgrifennu llythyr i neb. Os byddent yn rhyddhau Jane Roberts a'r plant ni fyddai angen dim ysgrifenedig. Fe gâi'r seicolegyddion a'r cymdeithasegwyr boeni am bethau felly.

Nid oedd Marc yn dod i'r gegin fyw. Yr oedd honno'n llenwi ei feddwl eto, ac ystyriodd ailddechrau sgrifennu. Ond yr oedd yn rhy hwyr: yr oedd wedi penderfynu nad oedd ddiben iddo. Yr oedd araith heddychwr a glywsai yn y coleg, ac a oedd wedi dylanwadu arno am gyfnod, yn dod yn ôl iddo. Dyn digyfaddawd, digymrodedd, yn taranu o waelod darlithfa mai dim ond dau bechod oedd yna, sef i rywun gymeryd ei fywyd ei hun, neu i rywun gymeryd bywyd rhywun arall. Yr oedd pob pechod arall yn bitw ac yn faddeuadwy. Crynai Heilyn wrth gofio. Ceisiai benderfynu mai hawdd oedd taranu o ddesg.

Tybiodd iddo glywed sŵn yn y llofft. Cynhyrfodd, a dechreuodd ei galon guro'n ddidrugaredd fel y collai bob rheolaeth ar ei anadl. Chwiliodd o amgylch yr ystafell am gymorth, am guddfan. Aeth ei law i'w boced i afael yn y gwn. Tynnodd hi'n ôl.

Ond ni ddaeth Carl i lawr. Gwrandawai Heilyn yn astud, am sŵn arall na ddeuai. Cerddodd yn ddistaw betrus at waelod y grisiau. Yr oedd yn dawel. Meddyliodd mai sŵn o'r tu allan a glywsai, a brysiodd yn ei ôl i'r ffenest. Yr oedd pobman yn union yr un fath, a phopeth pwysig yn guddiedig, o'i olwg. Yr oedd yn hen bryd i rywbeth ddigwydd.

Am gyfnod, byddent yn ei roi gyda'r carcharorion peryclaf. Nid oedd hynny ond i'w ddisgwyl. Yna, cyn hir, fel y byddent yn dod i'w adnabod, byddai'n gwella arno, ac fe fyddai'n cael ychydig mwy o freintiau, ychydig mwy o gyfle. Wedi ychydig flynyddoedd o hynny, byddent yn barod i'w ollwng i'r byd mawr. Deuddeng mlynedd, efallai. Neu wyth. Nid oedd ganddo hawl i obeithio am lai na hynny. Byddai'n rhaid iddynt gael dial. Cosb oedd eu henw hwy arno.

Yr oedd carchariad yn dechrau dod yn bosibilrwydd byw, bron yn ddymunol. Erbyn hyn yr oedd yn ddigon parod i'w wynebu, am ei fod wedi dysgu nad oedd yr atebion, mwy na'r problemau, yn syml. Atebion syml oedd gan Carl, a'i Fudiad, atebion syml, twyllodrus, atebion y fi fawr. Ni welai Carl ymhellach na hynny; os nad oedd ei Fudiad am weithio nid oedd yntau am fyw. Na'i gariad. Yr oedd yn rhy hwyr i honno, prun bynnag.

Trodd o'r llenni. Yr oedd yn rhaid iddo drefnu i gael y ddynes a'r plant yn rhydd, cyn i Carl godi. Brasgamodd tua'r gegin gefn. Daeth llais Jane Roberts pan oedd yn mynd heibio i'r soffa.

"Heilyn."

Yr oedd ei llais yn groyw. Arhosodd Heilyn, a throi i edrych arni. Er ei bod yn dal yn welw, a'r olwg yn ei llygaid yn dal yn anarferol o syn, yr oedd yn amlwg ei bod yn dod ati'i hun.

"'Ddaru mi ddim meddwl . . ." dechreuodd.

"Ia?" gofynnodd yntau.

"'Ddaru mi ddim meddwl y byddech chi'n cadw at eich addewid."

Yr oedd y ddynes yn mynd i ddechrau ei frolio, neu rywbeth. Teimlai Heilyn yn sâl.

"Mae Rhian yn iawn, Heilyn."

"Sut?"

"Os gwnaethoch chi be wnaethoch chi i'w harbed hi, 'dydi o ddim yn gwneud synnwyr i chi beidio â dal ati a mynd â'r maen i'r wal."

"Mae'n ddigon hawdd i chi . . ."

"Meddwl am Carl ydach chi?"

"Wel . . ."

"Mi saethith hwnnw chi pan wêl o be sydd wedi digwydd yma. 'Wnaiff o ddim lol, Heilyn."

"Ella y medrwn ni . . ."

"'Does 'na ddim ella ohoni, Heilyn. Mae o'n rhy beryg. Mi orffwyllith. Pan wêl o'r corff 'na mi saethith chi. A Marc. A ninnau. Yna mi laddith o 'i hun."

"Meddwl y gwaethaf ydach chi."

"Peidiwch â'ch twyllo'ch hun, Heilyn."

Nid oedd gan Heilyn ateb.

"Heilyn?"

"Ia?"

"Mi—mi arbedoch chi fywyd Rhian."

Daeth Heilyn i eistedd. Pwysodd ei law ar ei dalcen.

"Pam gwnaethoch chi, Heilyn?"

"Y?"

"Sut medroch chi . . . Ers faint oeddech chi'n nabod yr hogan 'na?"

"Marian?"

"Sut medroch chi gymryd atyn nhw gynta 'rioed, Heilyn?"

"Mae dwy flynedd bellach." Syllai Heilyn i'r grât. "'Roeddwn i'n mynd ar draws Ewrob, yn cerdded bob yn ail ag ambell reid ar fws neu ar drên, a rhyw ddiwrnod, rhyw amser cinio, 'roeddwn i mewn caffi bychan yn Aubagne, yn Ne Ffrainc. 'Roeddwn i oddi cartref ers pum mlynedd, yn gweithio yma ac acw i hel pres, ac wedyn yn eu gwario nhw ar deithio'r Cyfandir. I chwilio am rywbeth, ella. Sut bynnag, 'roeddwn i'n cael mymryn o ginio yn y caffi yma pan glywais i ddau'n siarad Cymraeg wrth f'ochr i. Felly y bu hi. 'Roedd y Mudiad yn apelio, a syniadau Carl a Marian yn ddengar, yn newydd. Mi ddechreuis inna ysu am gael gweithredu ar ôl ychydig fisoedd hefo nhw. Mae hynny'n braf ac yn hawdd pan nad ydi o'n ddim ond syniad, a'r gweithredu ei hun ymhell i ffwrdd."

Tawodd. Yr oedd arno eisiau condemnio'r Mudiad, condemnio'r cwbl i gyd, er mwyn cyfiawnhau'r peth yn y twll dan grisiau. Ond teimlai'n sydyn fod hynny'n rhy hwylus, a bron yn blentynnaidd.

"'Roedd Carl a Marian yn gweithredu o hyd, bob cyfle a gaen nhw," meddai'n ddistaw. "Dwyn o fanciau, gan fwyaf. 'Doedden nhw ddim isio i mi gymryd rhan yr adeg honno, rhag ofn i mi wneud llanast, mae'n siwr. Ond cyn bo hir mi aeth hi'n ddrwg, a mi ddaeth y tri ohonon ni drosodd o'r Cyfandir. Yna mi ddaeth Sean a Marc o rywle, ac yna'n ddiweddarach mi ddaeth Jim. Ar ôl hynny y dechreuson ni drefnu hon, cynllunio'r job fawr. Yr oedd pawb i fod i gymryd rhan yn hon."

Nid oedd ei lais yn chwerw.

"I be oedd isio'r pres 'ma i gyd, Heilyn?"

"I Carl a Marian gael dangos eu hunain."

"Felly'n wir?"

"'Wela i ddim bai arnoch chi am fod yn sarcastig."

"Nid dyna ydw i, Heilyn. Methu gweld ydw i sut y cymerodd hi gyhyd i chi weld drwy'r pethau."

"Ella eich bod chi. Un Farian welsoch chi."

Ceisiai'r ddynes chwilio am ateb. Aeth Heilyn rhagddo.

"'Roedd Marian yn gref," meddai'n syml, "ac yn benderfynol. 'Roedd 'na rywbeth o'i chwmpas hi, ac nid twyll oedd o. 'Roedd 'na weledigaeth. Ond pan aeth pethau o chwith . . .", ysgydwai ei ben yn drist, fel petai'n methu â choelio, "mi ddigwyddodd rhywbeth. Mi drodd fel anifail, heb ddim yn cyfri ond ei chroen ei hun. Mi gollodd bob dim arall. 'Roedd ei hagwedd hi at Rhian, a'r plant, a chitha, mor rhyfedd, mor anghydnaws â dim o'i daliadau hi . . . Mi ddywedodd Rhian unwaith mai ei hofn hi oedd ar Marian, mai dyna pam ei bod hi'n lluchio'i phwysau. 'Wn i ddim. Ond nid Marian oedd hi, nid y Farian a fu'n siarad a chynllunio a chyd-fyw. 'Roedd pob dim o werth a fu ynddi 'rioed wedi cael ei aberthu i drio cadw'i chroen am ei chefn."

"'Nid felly'r oeddech chi i gyd?"

Yr oedd llais Jane Roberts yn anghyhuddgar. Gwridai Heilyn, er ei waethaf.

"Mi welis i y munud y daethom ni drwy'r drws 'na ei bod hi wedi canu arnon ni," meddai'n gyflym, i geisio'i gwrthbrofi, "a mi ddwedis i hynny wrthyn nhw i gyd. Mi ddwedis i y bydden nhw'n rhuthro'r tŷ 'ma ac yn ein lladd ni i gyd."

Edrychai'r ddynes yn frawychus arno. Gwelodd Heilyn yr ofn yn ei llygaid. Am ennyd tybiai ei bod yn poeni'n wirioneddol amdano. Unwaith eto, gwyddai ei fod wedi gwneud y peth iawn.

"Os gadwch chi i ni fynd, Heilyn . . ."

"'Dydw i ddim yn credu hynny erbyn hyn."

"Be?"

"'Rydw i'n dechrau fy nhrwytho fy hun i wynebu carchar. Mi wn i rŵan mai felly y bydd hi. Nos Iau, 'fedrwn i ddim meddwl am beth felly, am y byddai'r cwymp yn rhy fawr, 'wyrach. Ond mae 'na bethau wedi digwydd ers hynny . . . mi fedra i wynebu byw rŵan."

"Ond mae'n rhaid i chi wneud yn siwr, Heilyn, na fydd 'na ddim rhuthro'r tŷ 'ma." Yr oedd y ddynes yn argyfyngus, ac wedi codi'n sydyn. "Cerwch at y ffôn 'na a dwedwch wrthyn nhw. Dowch, Heilyn, gwnewch hynny rŵan hyn."

Yr oedd ar Heilyn ofn symud.

"'Fedra i ddim, rŵan hyn."

"Ond pam, yn enw popeth?" Gwrthodai'r ddynes ag ildio. Aeth yn ddagreuol. "Pam, Heilyn? Gwnewch o tra bod amser gynnoch chi i'w wneud o."

"'Dydi hi ddim mor syml . . ."

"Gorchfygwch eich ofn. Gorchfygwch o."

Cododd Heilyn yn ebrwydd.

"Ofn?"

Ymdawelodd Jane Roberts rywfaint.

"'Waeth i chi be y galwch chi o, Heilyn."

"Nid ofn . . ."

"Ia, Heilyn."

Yr oedd ei phendantrwydd gymaint er ei mwyn ei hun ag yr oedd er ei fwyn ef.

"'Fedra i ddim egluro i chi, na fedraf?"

Yr oedd Heilyn yn falch o glywed sŵn Rhian a Marc yn dod drwodd. Gwrthododd y ddynes â gollwng ei chyfle.

"Ylwch," meddai wrth Marc, "mae Heilyn yn barod i'n gollwng ni'n rhydd."

"Mi gawn ni fwyd yn gyntaf," meddai Marc.

"Bwyd?"

"Dowch, Mam." Aeth Rhian ati, a gafael ynddi. "Ydach chi'n well rŵan?"

"'Does 'na ddim amser i gael bwyd, Rhian."

"Oes, Mam. Mi fydd pob dim yn iawn rŵan."

Fe garai Heilyn fod wedi clywed mwy o argyhoeddiad yn llais Rhian. Ond yr oedd y ddynes yn ymdawelu, ac yn gadael i Rhian ei ledio at y bwrdd. Yr oedd taw ar yr ymbil parhaus yn rhywbeth.

Tatws wedi'u ffrio a chig tun oedd yr arlwy, gyda wyau a thamaid o nionyn wedi'u torri am eu pennau. Eisteddodd pawb wrth y bwrdd, pawb ond Deian, a ddaliai i gysgu'n sownd ar y soffa, a'i fawd ar goll yn ei geg, a'i fochau'n gochion gan ddannedd yn torri. Yr oedd golwg anniddig ar Marc, a chyn i neb ddechrau bwyta, cododd, ac aeth â'i blât gydag ef i'r ffenest, i wylio.

Trodd Heilyn ei de'n synfyfyriol.

"Swper olaf," meddai'n syml.

Trodd Jane Roberts arno. Yr oedd yn siomedig na chawsai ei hymbil effaith.

"Be 'dach chi'n ei feddwl?" gofynnodd yn gas.

"Dim byd i chi wylltio amdano fo," atebodd Heilyn yn dawel. "'Chawn ni ddim pryd o fwyd yma eto, dyna i gyd. Y cwbl sydd gen i ydi bod 'na ryw berthynas wedi codi rhyngon ni, rhwng pob dim. Ella, pan gewch chi amser i feirioli, a ninnau'n ddiogel o'ch cyrraedd chi yn ein Walton neu'n Strangeways neu ble bynnag y byddwn ni,"—bu bron iddo â dweud 'Broadmoor' fel jôc, ond arswydodd yn sydyn wrth feddwl am y peth—"ella, yr adeg honno, y byddwch chi'n meddwl amdanon ni hefo 'chydig llai o gasineb nag sydd gynnoch chi rŵan."

"Codwch y ffôn 'na rŵan hyn, a mi feddylia i'n dda amdanoch chi heno nesaf."

Gafaelodd Heilyn yn ei blât. Rhoes fforc a brechdan arno, a mynd ag ef i'r ffenest at Marc. Yr oedd Marc yn pigo bwyta ac yn gwylio drwy'r llenni bob yn ail.

"Be wnawn ni, Marc?"

Daliodd Marc i syllu drwy'r ffenest.

"Y drwg ydi," meddai heb droi ei ben, "bod y peth yn darfod."

"Be, Marc?"

"'Tasa ni'n aelodau o'r I.R.A., neu rywbeth tebyg mewn gwlad arall, 'fyddai hi ddim cynddrwg. Mi fedrem ni ildio i'r plismyn 'na, ac yng ngharchar mi fyddai 'na ddigon o'n cyfeillion a'n cymrodyr ni. Mi fydden ni'n dal i allu cynnal ein brwydrau a chadw'n argyhoeddiadau, am y byddai 'na ddigon o'r un teithi â ni. Ond y munud y rhown ni'n hunain i'r plismyn 'na mi fyddwn ni'n peidio â bod yn ddim ond ciaridyms i'n dwyn gerbron llysoedd ar ôl ein dyrnu bob siap. 'Fydd gynnon ni ddim i'n cynnal ni, dim ar ôl. Hynny sy'n codi ofn arna i. Nid cael fy nal."

Yr oedd Heilyn wedi anghofio am ei fwyd.

"Ond mi fydd 'na fywyd, Marc. Mi fydd gen ti hwnnw. Pa haws wyt ti o argyhoeddiadau o fath yn y byd os na fedri di werthfawrogi bod gen ti fywyd yn y lle cyntaf?"

"Mae'r Mudiad yn darfod, Heilyn, yn peidio â bod. Mae'r holl beth yn dymchwel, heb na Charl na neb yn credu ynddo fo, nac yn barod i'w arddel o mwyach. Hwnnw a'i bwysigrwydd mawr yn gofyn, yn gorchymyn i'r plismyn 'na drefnu i ryddhau dau o garchar yn yr Almaen. Mi fetia i ganpunt nad oedd y carcharorion 'rioed wedi clywed amdano fo. Mi gawson ni'n gwneud, Heilyn.''

''Mi gawn ni ddigon o amser i feddwl am bethau felly eto.'' Yr oedd yn amlwg ar Heilyn ei fod yn cytuno â Marc, ac yr un mor amlwg nad oedd arno eisiau clywed y gwir yr oedd Marc yn ei ddweud chwaith. ''''Wyt ti'n fodlon i ni ryddhau'r tri yma, fel mae Rhian wedi'i awgrymu?''

''Pam na ryddhawn ni nhw i gyd?'' Yr oedd Marc wedi troi o'r ffenest. ''Pam na ryddhawn ni nhw i gyd, Heilyn?''

''Na, Marc. 'Fedrwn ni ddim siarad wedyn, ddim trefnu . . .''

''Trefnu be?''

''Trefnu . . .'' Gwelodd Heilyn yn sydyn fod Marc yn iawn. Rhoes chwarddiad nerfus. ''''Does 'na ddim i'w drefnu, nac oes?''

''Dim byd, Heilyn. Dim o gwbl. Os na hoffet ti ofyn am gar newydd sbon yn hytrach nag un blwydd oed i fynd â thi i mewn.''

''Ydan ni'n ddigon dewr, Marc?''

''I be? I ollwng y rhain yn rhydd heb ddweud wrth Carl?''

''Na. I gymryd ein dal.''

Trodd Marc yn ôl i'r llenni.

''Un ffordd sydd 'na o ddarganfod hynny hefyd, Heilyn.''

Daeth sŵn o'r llofft.

Trodd Marc yn ôl ar unwaith, ac edrychodd i lygaid Heilyn. Yn ochr arall y gegin, peidiodd y fam a'r ferch â bwyta, a gwrandawsant, yn ddychrynedig. Yr oedd llais Marc yn sibrwd.

''Mae o'n codi, Heilyn.''

Rhoes Heilyn ei blât yn glep ar ben y teledu mewn dychryn. Gwelodd law Marc yn mynd, bron yn beiriannol, i ymyl ei boced lle cadwai ei wn. Ysgydwodd ei ben arno. Ni fyddai hynny'n datrys dim. Yna yr oedd Carl yn eu mysg.

Yr oedd golwg flêr arno, golwg fel pe bai ar fin rhoi'r gorau i bopeth. Nid oedd wedi deffro'n iawn, ond ni chuddiai hynny'r olwg ddrwgdybus yn ei lygaid wrth iddo sylwi ar y distawrwydd a'i derbyniai. Cuchiodd at y bwrdd.

''Oes 'na fwyd ar ôl?''

''Oes.''

Ymdrechai Rhian. Rhoes Carl gip amheus arni, cyn troi, a dod at Heilyn a Marc.

"Ydi pob dim yn iawn?"

"Ydi."

Marc a atebodd, a bu bron i Heilyn â'i borthi. Ymataliodd mewn pryd.

"Mae hi'n dal yn ddistaw." Yr oedd ymdrech yn ei lais i gadw'i awdurdod. "Mi ddylai fod 'na un ohonoch chi'n gwylio yn y cefn. Ble mae Marian?"

Penderfynodd Heilyn nad troi'r stori a fyddai ateb ei sylw cyntaf.

"Ydi i ni wylio drwy bob ffenest yn mynd i'w cadw nhw i ffwrdd?"

"Ydi." Yr oedd Carl yn swta. Wrth ddeffro mwy, cofiai am y ffraeo a'r cecru a oedd wedi eu suro bob un gyda marwolaeth Sean. "Ble mae Marian?"

"'Wn i ddim." Ceisiai Heilyn swnio'n ddiflas, ddidaro. "Os nad ydi hi wedi mynd i ryw gongl yn rhywle i sorri."

Trodd Carl yn ffyrnig ato.

"'Oes 'na fwy o ffraeo wedi bod?"

"Nac oes." Ffieiddiai Heilyn ef. Yn sydyn, yr oedd yn methu â deall pam ei fod wedi bod yn arswydo rhagddo, ac mor ofnus o'i weld yn darganfod yr hyn a ddigwyddodd i'w gariad. "Pa haws ydan ni o ffraeo bellach, 'te?" meddai'n syml.

"Yli, Heilyn." Yr oedd Carl yn gwylltio. "Mae Marian yn arweinydd . . ."

"Ydi, Carl. Un dda ar y diawl ydi hi hefyd."

Cerddodd Heilyn oddi wrtho at y bwrdd. Gwenodd yn afrosgo yn ei ddewrder newydd ar y ddwy ddynes welw. Ni wnaeth unrhyw ymdrech i gadw'i lais yn isel.

"Mi gewch chi fynd yn y munud. Y ddwy ohonoch chi, a'r plant. 'Fydd 'na ddim angen i'r un ohonoch chi aros yma."

Ni ddeallodd Carl. Yr oedd yn rhy brysur yn myllio.

"Dduw mawr!" meddai gan ysgyrnygu, "'wnewch chi ddangos rhyw fath o ddisgyblaeth, rhyw fath o barch?" Brasgamodd at Heilyn. "Faint o weithiau wyt ti wedi gwneud rhywbeth dros y Mudiad 'ma? Y?" Yr oedd ei ddyrnau'n dynn wrth ei ochr fel y gwnâi bob ymdrech a fedrai i gadw rheolaeth arno'i hun. "Un waith. Un waith, fechan. A mae hi wedi mynd yn draed moch yma am nad oeddat ti'n barod i wrando arna i ac ar Marian. Y gŵr mawr. 'Roeddat ti isio bod yn fos bach dy hun, i ddangos dy hun i'r bobl 'ma. 'Roeddat ti'n ormod o ddyn i dderbyn gorchmynion. Hy! Wyddost ti faint o weithiau y mae Marian wedi gweithredu? A gwneud hynny heb gysgod o ofn?''

''Dau gant a hanner?''

''Cau dy geg!'' Yr oedd Carl yn gweiddi. ''Cad dy watwareg i chdi dy hun! Edrych mewn blydi drych! Mae Marian wedi gweithredu ddegau o weithiau, heb rithyn o ofn. Am nad rhyw gêm fach i'w dangos ei hun ynddi oedd y Mudiad iddi hi.''

Nid atebodd Heilyn ef. Yr oedd y mymryn o ewyllys da at Marian a ddangosodd wrth siarad gyda Jane Roberts funudau ynghynt yn diflannu. Yn sydyn, teimlai'n chwerw, chwerw. Ac nid oedd bwrpas yn y byd dweud dim wrth Carl, un dim o gwbl. Ond yr oedd am geisio cael ei wn oddi arno, rywfodd, cyn gollwng y gwystlon yn rhydd. Wedi hynny, ni fyddai o unrhyw bwys beth a fyddai adwaith Carl i ddim.

''Ble cest ti'r dillad 'na?''

Yr oedd cwestiwn Carl yn clecian. Daeth clecian arall wrth i gwpan ymrafael â'i soser i fradychu nerfusrwydd Rhian. Trodd Carl ati ar unwaith a'i lygaid yn melltennu. Edrychodd drwyddi cyn troi'n ôl at Heilyn. I Heilyn, yr oedd yn ben draw ffars.

''Wel?''

Yr oedd llaw Carl am garn ei wn. Nid oedd hynny'n ffars, o gwbl. Yr oedd ofn mawr yn dod ar Heilyn, ofn y byddai Carl, yn ei wylltineb olaf, yn saethu un o'r gwystlon. Am eu bod mor agos i'r awyr iach, am yr unig dro ers pum niwrnod, yr oedd y bygythiad yn awr yn waeth, yn greulonach, nag y bu o gwbl.

''Mi newidis i, Carl,'' meddai. ''Mi sleifiodd Deian i fyny'r grisiau pan oedd Rhian ar ganol newid ei glwt o, a mi es i ar ei ôl o. Wrth ei gario fo i lawr mi bisodd y diawl bach am 'y mhen i.''

Ni ddangosai Carl fawr o ddiddordeb yn yr eglurhad. Rhoes un gip drahaus ar y dillad, ac aeth i'r gegin fach. Daeth yn ei ôl yn syth.

''Ble mae Marian?''

Pwysleisiai bob gair.

''Yn y llofft, mae'n siwr.''

Yr unig beth a oedd yn cyfrif oedd cael ei wn yn ddigon pell oddi wrth y gwystlon.

"'Doedd hi ddim yno gynna!"

Yr oedd ei lais mor flin, mor flin.

"Mae 'na dair llofft, Carl."

"Be wnâi hi yn un o'r lleill?"

"Mae 'na fath hefyd, Carl. Ella 'i bod hi wedi mynd i'r bath."

"Paid â malu . . ."

Rhoes Carl un chwyrniad ar ganol ei frawddeg cyn troi a mynd o'r gegin am y grisiau. Edrychodd Heilyn a Marc ar ei gilydd. Gafaelodd Rhian yn Rhonwen, a'i thynnu ati. Aeth Heilyn at Marc.

"Dyma hi, Marc. Mi gaiff o wybod rŵan. Mi fydd o'n ddigon pell oddi wrth y bobl 'ma pan glywith o. Os clywi di fi'n gweiddi, tyrd i fyny."

Erbyn hyn yr oedd Carl yn gweiddi ei henw, yn arthio'n aflafar. Pan oedd Heilyn ar ganol y grisiau, daeth Carl o'r ymolchfa, wedi bod yn chwilio yno. Aeth i ddrws y llofft gefn, gan weiddi wrth edrych i mewn iddi. Rhuthrodd ar hyd y cyntedd pen grisiau. Nid edrychodd ar Heilyn odano. Aeth i'r llofft a ddefnyddid gan Sean a Heilyn a Marc, a dod ohoni'n syth. Aeth i'w lofft ei hun, gan ddiflannu o olwg Heilyn. Cafodd Heilyn gip ar Rhian yn edrych arno o waelod y grisiau. Gwnaeth arwydd cyflym arni i aros o'r golwg. Gwelai goesau Marc yn nrws y gegin, yntau hefyd yn aros. Llyncodd Heilyn ei boer. Penderfynodd nad oedd angen ymwroli.

Yna daeth ffrwydrad.

Nid ei bod yn annisgwyl. Am ennyd fer yn unig y parodd ymateb Heilyn. Gwyddai, pan glywodd hi, ei fod wedi bod yn gwrando amdani o'r munud y curodd Sean goesau'r bwrdd hwnnw ar draws y drysau. Yr oedd wedi bod yn disgwyl, o hyd, ar hyd yr adeg. A phan ddaeth y glec, teimlad o siom a ddaeth drosto, siom am eu bod wedi cael y blaen arno, siom o golli oriau'n pendroni ac yn ymddadlau, siom aruthrol am eu bod hwy wedi dod i'w nôl ef ar yr union adeg pan oedd ef a Marc yn barod i fynd allan ohonynt eu hunain, siom o gael ei wneud.

Ond nid drwy'r drws y daethant. Hwnnw a ddisgwyliai Heilyn i fynd, ond yr oedd y drws yn dal yno. Yr oeddynt wedi dewis ffyrdd eraill o ddod i mewn. Daeth ffrwydrad anferth arall, ac yng nghanol y sgrechian o'r gegin ac o waelod y grisiau deuai sŵn dymchwel a sŵn gwydrau'n malu'n chwilfriw. Yr oedd ffenest y parlwr a ffenest y llofft gefn wedi cael eu chwythu yn eu crynswth i'r ystafelloedd, a dylifai dynion i mewn drwy'r tyllau, dynion yn dduon o'u coryn i'w sodlau, a'u gynnau o'u blaenau'n awchus barod. Disgynnodd hanner y mur yn y llofft y bu Sean farw ynddi, a rhedodd dynion, yr un mor ddychrynllyd dduon â'r lleill, o lofft y drws nesaf. A rhedodd Carl i'w cyfarfod, a'i wn pitw yn ei law, a'i sgrechfeydd yntau'n codi uwchlaw'r heldrin.

Am ei fod yn ei ddisgwyl, yr oedd Heilyn wedi ymbaratoi. Safodd ar ganol y grisiau, gydag un droed ar un ris, a'r llall ar y ris odani, a'i gefn yn dynn ar y pared. Cododd ei ddwylo uwch ei ben, a lledodd ei fysedd, i ddangos i'r hollfyd nad oedd ganddo arf yn ei ddwylo. Gwyddai, gobeithiai, gweddïai na fyddent yn ei saethu, ac yntau yn ildio mor amlwg iddynt.

Ond yr oedd Carl yn ffŵl. Gwelodd Heilyn y cyfan. Yr oedd gwn Carl yn neidio o'i law fel y deuai drwy'r drws ac fel y rhwygai bwledi bob gewyn a gwythïen yn ei fraich. Daeth bwledi o wn arall i'w fynwes, a throdd Carl at Heilyn, a phlygu dros y canllaw i farw. Am ennyd, yr oedd y corff fel petai am ddisgyn drosodd i waelod y grisiau islaw, ond aros yno a wnaeth, a siglodd y llaw dyllog yn ôl a blaen unwaith neu ddwy cyn llonyddu. Ond nid oedd Heilyn yn sylwi mwyach. Y peth pwysig oedd bod gynnau o'i amgylch ym mhobman, i gyd yn anelu ato, a dim un ohonynt yn cael ei danio. O gornel ei lygad yn unig y gwelodd fod Marc wedi bod yn ffŵl hefyd.

Ac o gornel ei lygad gwelodd Rhian, wedi ei fferru, yn edrych arno. Gwelodd ddyn yn brysio heibio iddi, ac yn rhedeg i fyny'r grisiau ato. Yr oedd hwn hefyd yn ddu, ond i Heilyn nid oedd ond ei lygaid yn cyfrif. Yr oedd cylchoedd heb eu duo o amgylch y llygaid, yn ddigon i ddangos yr olwg ynddynt. Cyfarfu llygaid y ddau. Am eiliad. Yna yr oedd y siom a ddaeth i lygaid Heilyn yn ddyfnach ac yn fwy trwyadl nag unrhyw siom a fu ynddynt erioed, a daeth arlliw o fodlonrwydd i'r llygaid eraill. Ond wedyn, diflannodd y siom o lygaid Heilyn, ac yn ei lle daeth tawelwch, tawelwch llwyr. Trodd y bodlonrwydd yn y llygaid eraill yn benbleth, ac fel y dyfnhâi'r tawelwch yn llygaid un, aeth y benbleth yn y llygaid eraill yn annirnad. Fel y gwasgai'r du ei fys, yr oedd yr annirnad yn ei lygaid yn ffyrnig.

O waelod y grisiau daeth llais merch yn galw'i enw mewn sgrech arswydlon, ond ni chlywai Heilyn mohoni. Disgynnodd i lawr y grisiau wrth ei thraed, a gafaelodd breichiau cydnerth yn y ferch i'w hatal rhag disgyn ar ei ben. Aethpwyd â hi o'r cyntedd, i'r gegin, a daeth dyn at Heilyn a phlygu drosto. Tynnodd wn o'r boced, a chau llaw dde Heilyn amdano. Cododd. Gwelodd rai o'r dynion eraill yn edrych arno.

"Mi edrychith yn well fel'na," meddai.

9

I

O rywle, yn annisgwyl, daeth sŵn rhyw glychau, sŵn a oedd yn gyfan gwbl anghydnaws â'r olygfa o'i flaen, a'r lle yr oedd ynddo. Yna, newidiodd yr olygfa'n ufudd, fel bod y clychau'n ffitio'n daclus, a rhyfeddai am na welsai'r cysylltiad ynghynt. Ond wedyn, nid clychau felly oeddent. Yna deffrôdd.

Rhegodd wrth ymestyn am y lamp wrth ochr ei wely. Pan gafodd hyd iddi, a rhoi'r golau, gwelodd nad oedd ond hanner awr wedi dau. Cododd yn anfodlon i'w slipars, ac aeth at y ffôn. Yr oedd galwadau gefn nos yn anarferol iawn.

"Ia?"

"'Glywsoch chi'r newyddion?"

Yr oedd y llais yn fflat, a dieithr.

"Sut?"

"'Glywsoch chi'r newyddion am y tŷ 'na?"

"'Oedd posib peidio? Pwy sydd yna?"

"Hidiwch befo. 'Dydan ni ddim yn nabod ein gilydd. Chi ydi Aelod Seneddol y lle 'na, 'te?"

"Ia." Yr oedd y Cenedlaetholwr yn dechrau deffro.

"'Chlywsoch chi mo'r newyddion i gyd."

"Sut?"

"Mae gynnoch chi enw am fod yn un nad oes arnoch chi ofn siarad yn blaen, waeth pwy bechwch chi . . ."

"Mi fyddai'n haws 'tawn i'n gwybod pwy ydach chi."

"Hidiwch befo, meddaf fi." Yr oedd yn amlwg fod y llais yn ddistaw, o fwriad, fel pe bai arno ofn i rywun arall ei glywed. "Mi fydd yr hyn sydd gen i i'w ddweud wrthoch chi yn eich profi chi. Mi gawn ni weld faint o ofn colli pleidleisiau sydd arnoch chi. Rŵan 'ta, mi wyddoch chi fod y gwystlon i gyd yn fyw, a bod y terfysgwyr i gyd wedi marw?"

"Gwn."

"Mae'n siwr y bydd yr Ysgrifennydd Cartref yn rhoi datganiad am y peth i Dŷ'r Cyffredin fory—heddiw."

"Mae'n bosib."

"'Fyddwch chi yno?"

''Ella y bydda i.''

''Mae 'na gwestiwn y cewch chi ei ofyn iddo fo.''

''O?''

''Oes. Gwrandewch yn ofalus. 'Does gen i ddim amser i siarad llawer hefo chi, felly un waith y gwna i 'i ddweud o. Pan aeth y milwyr i mewn, 'roedd 'na ddau o'r terfysgwyr yn farw eisoes. Mi saethwyd dau arall yn syth. 'Roedd 'na un ar ôl.''

''Ia?''

''Mi ddaliwyd hwnnw'n fyw.''

''O?'' Yr oedd y Cenedlaetholwr mewn penbleth. ''Ond . . .''

''Mi ildiodd hwnnw iddyn nhw. Mi saethwyd o wedyn.''

Yna yr oedd y Cenedlaetholwr yn hollol effro.

''Be?''

''Dyma'r cwestiwn i chi. Pam bod un o'r terfysgwyr wedi cael ei saethu un munud a thair eiliad ar ddeg ar ôl y ddau arall.''

''Ylwch, pwy ydach chi? Ydi hyn yn wir?''

''Mi gawn ni weld rŵan faint o ddyn ydach chi. Mae o'n hollol wir.''

''Ond . . .'' Ni wyddai'r Cenedlaetholwr beth i'w wneud â'r peth. Yna dywedodd yr unig beth y medrai feddwl amdano. ''Sut ydach chi'n disgwyl i mi wneud dim o hyn ar sail un alwad ffôn ddienw?''

''Gwrandwch ar y newyddion radio yn y bore. Ella y cewch chi gadarnhad.''

''Ella?''

Ni chymerodd y llais sylw o'r amheuaeth a oedd yn llond ei gwestiwn.

'''Dydi o'n poeni dim arna i bod y cwbl ohonyn nhw wedi'u lladd,'' meddai, ''ond ella bod rhywun fel chi'n poeni pam bod un ohonyn nhw wedi cael ei lofruddio.''

Clywodd y Cenedlaetholwr glec y ffôn yn cael ei rhoi i lawr yr ochr arall. Rhoes ei ffôn ei hun i lawr yn syth, ac aeth yn ôl i'w wely. Diffoddodd y golau, a'i roi'n ôl yr un munud. Cododd, a thaniodd fymryn o dân nwy, ac aeth i wneud paned. Rhoes y tegell i ferwi ac aeth yn ôl at y ffôn.

Yr oedd y dyn yn y Swyddfa Gartref yn gwrtais a chyfeillgar, ac yn llawn ffeithiau am bopeth ond yr hyn a oedd yn cyfrif. Diolchodd y Cenedlaetholwr iddo'n ddiamynedd, a rhoi'r ffôn i lawr.

Yr oedd yn amlwg ddigon nad oedd y dyn a'i ffoniodd, mwy nag yntau, eisiau rhan yn y dathlu. Ceisiodd ddyfalu pwy ydoedd, neu beth ydoedd. Dyn hollol ddieithr, yn amlwg yn Sais. Go brin ei fod yn filwr, nac yn heddwas. Ond wedyn, yr oedd wedi dweud pethau na fedrai gohebydd papur newydd, er enghraifft, fod yn eu gwybod. Nid oedd y Wasg wedi cael mynd ar gyfyl y tŷ o gwbl. Efallai mai milwr ydoedd wedi'r cyfan, milwr a oedd yn cicio'n erbyn y tresi'n ddistaw bach. Gwrthododd y syniad. Yr oedd yn haws ganddo feddwl mai aelod o'r heddlu ydoedd, un o'r degau a oedd i mewn ac allan hyd y neuadd lle'r oedd eu pencadlys. Yr oedd y llais yn ddigon hyderus a di-lol. Gwyddai ei fod yn dweud y gwir. Yr oedd wedi cyfri'r eiliadau rhwng ergydion, hyd yn oed.

Aeth i wneud ei baned. Nid ei ddeffro o drwmgwsg oedd yn gyfrifol am y teimlad o anallu a ddeuai drosto. Gwyddai beth a fyddai yn y papurau, un ac oll, yn y bore. Gwyddai sut y byddai yn y Senedd.

Yfodd ei baned chwerw ac aeth yn ôl i'w wely. Ni chysgodd fawr, dim ond ysbeidiau o hepian ymwybodol. Ar ôl oriau meithion, diflas, cododd, ac ymwisgodd. Trodd y radio, a gwrandawodd ar y gorfoleddu. Nid oedd dim arall wedi digwydd yn y byd. Toc, rhoddwyd y gorfoledd ar ffurf bwletin newyddion, a gwrandawodd yn fwy astud. Yn y man, cafodd ei gadarnhad. Ar ôl darlledu sŵn ffrwydro a saethu, dywedodd y gohebydd radio fod hynny wedi ei ddilyn gan un ergyd funud yn ddiweddarach.

Efallai mai tric oedd y cwbl, dull diegwyddor o geisio'i gael ef i wneud ffŵl ohono'i hun, am fod un milwr wedi saethu'i gysgod. Ni fyddai ef yn gresynu gormod dros Aelodau Seneddol o bleidiau eraill a wnâi ffyliaid ohonynt eu hunain, a gwyddai na fyddai yna gydymdeimlad iddo yntau pe gwnâi rywbeth gwirion. Gêm beryg oedd hi.

Diffoddodd ei radio ac aeth at y ffôn. Yr oedd yn benderfynol o gael gwybod.

II

Bu'r hen Berson yn gwrando ac yn disgwyl drwy'r nos. Fel pawb arall yn y pentref, yr oedd yntau wedi sylwi ar ryw weithgarwch newydd o gwmpas y tŷ a'r tŷ drws nesaf yn ystod y prynhawn. Clywsai yntau'r ffrwydradau a'r clecian bwledi, ond nid arwyddent antur na dewrder na beiddgarwch iddo ef. Fel y darfyddai'r twrw, darfyddai popeth. Nid aeth i'w wely.

Gwyddai mai hwy a oedd yno pan glywodd sŵn y car yn aros. Arolygydd a Rhingyll a ddaeth ato, y ddau tu hwnt o glên, ond yn afrosgo iawn wrth geisio dweud eu neges. Ni wyddent hwy ei fod yn gwybod eisoes.

"'Roedd 'na neges, Mr. Morgan," meddai'r Arolygydd yn y man.

"Neges?"

"Ia. Ym mhoced un o'r—un ohonyn nhw. Yn Gymraeg yr oedd hi, hynny ydi, 'doedd 'na ddim ond . . ."

Tynnodd yr Arolygydd bapur o'i boced, yn ffrwcslyd, a'i roi i'r Person. Edrychodd yr hen Berson yn araf arno, ar y llun camera o'r neges gwta. Ni fedrai ganolbwyntio ar ddim ond ar yr un ymateb a ddyrnai yn ei feddwl. Yr oedd yn cael ei arddel pan oedd yn rhy hwyr.

"'Rydw i'n dallt . . . bod y teulu'n ddianaf."

"Ydyn." Prysurai'r Arolygydd i gytuno. "Ydyn, maen nhw."

"Ydyn."

"Os ydi o'n rhywfaint o gysur i chi . . ."

Ni chododd yr hen Berson ei ben. Nid ymddangosai fel pe bai'n gwrando.

". . . 'roedd ei ymddygiad o tuag at y gwystlon, erbyn y diwedd, yn—yn—anrhydeddus iawn."

"Ia."

"Mr. Morgan, mae arna i ofn bod yn rhaid i mi ofyn i chi . . ."

"O, ia." Yr oedd y Person yn ffwndrus, a'i lygaid yn chwilio ymhobman. "Ia." Cododd, yn hen, ac aeth at gefn y drws, ac estyn ei gôt.

Aethant ag ef yn eu car eu hunain, gyda'r Rhingyll yn gyrru. Eisteddai'r Arolygydd wrth ei ochr, a phan drôi yn anfynych i siarad â'r hen Berson, yr oedd yn dal i fod yn glên, ac yn llawn cydymdeimlad. Dywedodd wrtho y byddent yn gofyn cwestiynau iddo, ond ni ddaroganai y byddai llawer i'w ofyn iddo. Cytunai'r hen Berson yn drist.

O'r diwedd, ar ôl siwrnai faith, cyraeddasant y lle, megis drwy'r cefn. Arhosodd y car o flaen drysau fel drysau capel, ac aeth yr Arolygydd i lawr, ac agor drws cefn y car i'r Person.

Daeth i lawr yn ffwdanus, heb edrych ar y drysau.

"Ydach chi'n iawn, Mr. Morgan?"

Petrusodd y Person.

"Ydw, 'rydw i'n iawn."

"'Dydi hi ddim yn rhaid i chi fynd i mewn rŵan, os ydi hi'n well gynnoch chi aros am ychydig . . ."

"Na, 'waeth mynd rŵan ddim."

"Dyna chi, 'ta."

Agorodd yr Arolygydd y drws mawr, a'i ddal yn agored i'r Person. Aeth yr hen Berson i mewn i gyntedd teilsiog, glân. Ar unwaith, daeth gŵr ifanc mewn côt fechan wen atynt. Siaradodd yr Arolygydd yn ddistaw gydag ef, rhag i neb glywed. Nid oedd Ambrose Morgan yn gwrando, prun bynnag. Yna daeth yr Arolygydd ato.

"'Rydan ni'n barod 'ta, Mr. Morgan."

"Dyna chi."

Dilynodd y Person yr Arolygydd at ddrws ym mhen draw'r cyntedd. Yna tynnwyd gorchudd oddi ar wyneb yng nghanol cyrff cuddiedig yn yr ystafell, a'i ddangos iddo. Yr oedd ar yr hen Berson eisiau bod yno ar ei ben ei hun gyda'r wyneb, ond yr oedd pobl fyw o'i amgylch yn tarfu arno. Syllodd arno, ac am funud, aeth i ddrysu, gan feddwl mai'r wyneb a roesai mewn arch ar y prynhawn stormus hwnnw o wanwyn a oedd o'i flaen. Yr oedd mor debyg. Daliodd yr hen Berson i edrych.

"Mr. Morgan?"

Yr oedd y bobl yna o hyd, yn tarfu arno. Trodd atynt, a nodio'n gynnil. Yr oedd arno eisiau troi i edrych eto ar yr wyneb, ond aeth ymlaen at y drws, a thrwyddo.

"Mr. Morgan?"

Trodd yn y cyntedd. Yr oedd yr Arolygydd yn ei ddilyn, a golwg bryderus arno.

"Ydach chi'n iawn?"

Nid atebodd y Person.

"Fo oedd o? Mae'n ddrwg gen i orfod gofyn, ond mae . . ."

"Fo oedd o."

Aeth yr hen Berson i'r car, ohono'i hun.

Fe holwyd rhywfaint arno, dim llawer, ac aethpwyd ag ef yn ôl adref, a phopeth o'i amgylch yn deilchion. Cyraeddasant y pentref, a oedd yn ferw gwyllt, a throdd y car i lawr y ffordd fechan oedd wedi'i hailagor i'r cyhoedd. Aethant heibio i'r tŷ, a oedd yn llawn o blismyn, i gyd yn troi i edrych arno'n mynd heibio. Rhoes y gyrrwr ei seiren am ennyd i glirio'r ffordd o'i flaen, a gwnaeth hynny bethau'n waeth.

Nid oedd yn ddiwrnod howscipar; fe gâi ei arbed rhag hynny. Yr oedd gwacter y Rheithordy'n groesawus, am ychydig, yna'r oedd yn ormesol. Ni thynnodd Ambrose Morgan ei gôt. Aeth i'r cefn, i wneud paned, efallai, ond ni chyffyrddodd mewn na thap na chwpan. Wrth i'r dagrau ddechrau cronni yn ei lygaid, ni wnaeth ymdrech i'w cadw'n ôl. Plygodd ei ben, i weddïo, a daeth cnoc ar y drws.

"Dewi."

Yr oedd golwg o ryddhad braf ar wyneb y ffermwr. Ond buan y trodd. Daeth i mewn yn syth, heb ei wahodd.

"Be sy'n bod?"

Wylai'r hen Berson yn ddistaw.

"Dduw mawr. Be sydd wedi digwydd i chi?"

"Mae—mae popeth ar ben, Dewi."

"Y?"

"Eistedd."

"Eich gweld chi'n dod o'r car 'na," dechreuodd Dewi egluro'n frysiog, garbwl, "a meddwl eu bod nhw wedi bod â chi'n gweld Rhian a'i mam. Sut oedden nhw? Yno y buoch chi?"

Sychodd Ambrose Morgan ei lygaid yn ffyrnig â llawes ei gôt.

"Tyrd drwodd, Dewi, am funud."

Aeth yr hen Berson drwodd i'w barlwr, a dilynodd Dewi ef yn betrus. Agorodd y Person ddrorau, a'u harchwilio'n flêr, gan fwmian yn annealladwy. Gwrandawai Dewi arno mewn dychryn.

"Mae 'na un yma yn rhywle." Dechreuodd Ambrose Morgan siarad yn gliriach. "'Roeddwn i'n meddwl mai yn hon 'roedd o . . . ella bod Mrs. Jones . . . na, 'fydd hi ddim yn mynd i'r drorau, am wn i . . ."

Darfu ei lais. Daliodd i chwilio, a chyn hir, tynnodd rywbeth o un o'r drorau, ac edrych arno.

"Dyma fo."

Daliai Dewi i sefyll wrth y drws, yn synnu arno.

"Tyrd i eistedd, Dewi."

"Mae golwg arna i . . ."

"Eistedd."

Eisteddodd Dewi. Rhoes yr hen Berson ddarlun mewn bag

papur iddo. Gafaelodd Dewi yn y darlun, gan ddal i edrych ar y Person, ac ar ei lygaid lleithion a wnâi ei wyneb yn fwy toredig fyth.

"Agor o."

Tynnodd Dewi ei lygaid oddi ar yr wyneb dirdynnol, ac agorodd y llun. Eisteddodd Ambrose Morgan yn drwm ar y gadair gyferbyn. Edrychodd Dewi ar y llun.

Llun bachgen ydoedd, bachgen tua dwy ar bymtheg neu ddeunaw oed. Llun ysgol, mawr, o'r wyneb a'r ysgwyddau. Yr oedd ei geg ar gau, ac yr oedd cysgod gwên ddireidus yn ei lygaid. Edrychai'n syth i'r camera. Cododd Dewi ei ben mewn dryswch.

"Ei weld o y bûm i gynna."

Syllodd Dewi'n ddiddeall ar y llun, a dal i syllu arno, rhag iddo orfod edrych ar yr hen ŵr yn wylo o'i flaen.

III

"Robin."

"Be?"

"Oeddat ti'n cysgu?"

"Na."

"'Doedd dim rhaid iddyn nhw, Robin."

Gafaelodd Robin yn dynnach amdani, a'i thynnu ato ar y fainc.

"Tria anghofio, Rhian."

Yr oedd Rhian wedi dweud hynny droeon yn ystod y dydd. I ddechrau, tybiai Robin mai effaith sioc ydoedd, ond buan y darganfu ei fod yn ddyfnach o lawer na hynny. Yr oedd yn dechrau sylweddoli fod pum niwrnod o siarad rhwng gelynion mewn lle caeëdig wedi esgor ar deimladau a pherthnasau na ellid eu deall gan neb o'r tu allan, ddim hyd yn oed gan y plismyn a wrandawsai'n ddi-dor ar bopeth o fewn eu clyw a ddigwyddodd yn y tŷ. Erbyn hyn, tybiai y medrai ddechrau deall. Edrychodd ar y plant yn ymfoddhau ar y gwellt. Byddai'n rhaid iddo ddysgu deall pam na fedrai Rhian anghofio am bopeth yn y byd ond eu bod yn un teulu cyfan unwaith eto.

Buasent yn yr ysbyty drwy'r nos, lle'r oedd popeth ond llonyddwch i'w gael. Yr oedd Robin yntau wedi clywed y ffrwydradau. Yr oeddynt wedi gorfod ei ddal yn ôl nes i'r neges frysiog ddod dros y radio i glust rhyw Brif Arolygydd fod ei deulu'n iawn, ac wedi dod ohoni'n ddianaf. Ymhen yr awr, yr oedd ef a'i dad-yng-nghyfraith yn cael eu cludo i ysbyty i gyfarfod â'u teulu. Ond nid oedd lonyddwch i'w gael yno; yr oedd pawb yn rhy brysur yn gofalu amdanynt. Ac ar ôl hynny, wedi gweld eu bod yn iach ac yn dod dros eu sioc, dechreuodd yr holi, a dyna pryd y dywedodd Rhian wrthynt nad oedd angen iddynt fod wedi saethu Heilyn.

Cymysglyd fu eu hymateb i'w chyhuddiad. Nid oedd yr un ohonynt yn gyffyrddus, a cheisiasant ei darbwyllo, gan ddweud wrthi ei bod yn amhosibl iddi weld pethau'n glir yng nghanol yr holl helbul. Gwrthododd hithau eu hensyniad, gan ailadrodd ei chyhuddiad gydag arddeliad, a dweud wrthynt yn swta nad babi'n camliwio popeth pan oedd mewn argyfwng mohoni. Gwyddai Robin wedyn ei bod yn iawn. Clywodd un plismon yn dweud dan ei wynt ei bod yn hen lances fach anniolchgar, a throes arno'n ffyrnig. Penderfynwyd y gallai'r plismon ymesgusodi, a diflannu o'u bywyd. Ond digon ffurfiol fu'r holi wedi hynny.

O'r diwedd, cawsant noddfa. Yr oedd tŷ chwaer Jane Roberts yn un digon mawr, gyda gardd braf yn llygad yr haul, a chlawdd uchel o'i hamgylch. Yr oedd llonyddwch yno, gyda'r heddlu'n cadw pawb i ffwrdd. A hithau'n ddiwrnod poethaf y gwanwyn, tywynnai'r haul yn fendithiol arnynt, a hwythau ill dau yn eistedd ar y fainc yn yr ardd, gan fodloni ar dameidiau o sgwrs, a gadael i'r heulwen a sŵn y plant eu rhaffu.

"Robin?"

"Ia?"

"'Nhad."

"Mae o'n well heddiw, pwt."

"Mi ddychrynis i pan welis i o, Robin."

"Mi fydd o'n iawn rŵan."

"Mi ddychrynodd Mam, hefyd, er na ddwedodd hi ddim."

"Maen nhw am fynd adra fory, meddai dy fam. Mi fydd yr holl bobl 'na wedi mynd erbyn hynny, siawns."

"Ei lygaid o, Robin . . ."

"Mi fydd yn iawn, pwt."

"Bydd, ella."

"'Rydw inna am bicio adra am funud heno," meddai Robin mewn ychydig. "'Waeth i ni heb â chuddio yn y lle yma am byth.'' Petrusodd. Astudiodd y lawnt lân, ddi-chwyn, am ennyd. ''Be wyt ti isio'i wneud?''

''Be?''

''Wyt ti isio i ni chwilio am dŷ newydd?''

''Be? Gwerthu'r tŷ?''

''Ia.''

Cododd Rhian oddi wrtho ar ei heistedd, a throi i'w wynebu.

'''Ddaru mi ddim meddwl am hynny.''

''Hoffet ti?''

'''Wn i ddim.'' Yr oedd penbleth sydyn yn ei llygaid. '''Fedra i ddim meddwl. Wyt ti isio i ni symud?''

''Nid fi sydd i ddweud,'' meddai Robin yn syml. '''Chefais i 'rioed brofiadau fel 'na ynddo fo.''

Ochneidiodd Rhian, a daeth yn ôl i orffwys ar ei gŵr. Gwyliodd y plant yn chwarae ac yn chwilio.

''Na,'' meddai cyn hir, ''mi drwsiwn ni'r tŷ, a mynd yn ôl iddo fo. 'Rydan ni wedi dweud er y diwrnod y prynon ni o na fyddai 'na ddim mudo wedyn . Tŷ ni ydi o, nid tŷ'r—rheina.''

''Rhian.''

''Be?''

'''Ddaru'r rheina ddim byd i ti, naddo? Dim trio . . .''

Gwasgodd Rhian ei hun yn dynnach ato.

''Naddo, Robin. Nid rhai felly oeddan nhw. 'Roedd gan y Carl hwnnw'i hogan, a 'roedd y lleill yn . . .'' Mynnai dagrau ddod i'w llygaid. ''Mi fyddai Sean yn chwarae hefo'r plant, a mi fyddai Rhonwen yn chwerthin o waelod ei bol hefo fo, er nad oedd yr un o'r ddau'n dallt dim oedd y llall yn ei ddweud. 'Roedd Marc yn ddigon distaw, ond yr adeg pan gafodd Sean . . . a 'roedd Heilyn . . .''

Yr oedd yn wylo eto. Plygodd Robin ei ben ati, a gorffwyso'i foch ar ei phen, a gadael iddi wylo. Yr oedd y gwanwyn o'u cwmpas yn cadarnhau mai wylo i wella yr oedd hi.

Ar ôl munud neu ddau, cododd Rhian ei phen yn benderfynol, a sychu'i hwyneb yn ddiamynedd. Gwenodd yn sydyn arno. Gwasgodd yntau hi ato drachefn. Yr oedd yn brydferth.

''Tyrd i weld gardd Anti Catrin yn tyfu,'' meddai hi.

Cododd y ddau, a chroesi'r lawnt yn araf. Cododd Rhonwen ar unwaith, a rhedeg atynt rhag colli dim. Rhoes Deian floedd, a chododd ei freichiau. Aeth Robin ato, a'i godi'n uchel, a'i droi yn yr awyr cyn ei dynnu ato a phwyso'i wyneb yn dynn ar ei ysgwydd. Am eiliad, gorchfygwyd ef, a throdd draw.

"'Chei di ddim mynd i weithio yr wythnos yma," meddai Rhian.

"'Doeddwn i ddim ar feddwl mynd," atebodd yntau, gan geisio goresgyn y crygni yn ei lais.

"'Rydw i am ddod hefo chdi heno. Mi gaiff Taid a Nain warchod."

Arhosodd Robin.

"Wyt ti? 'Fyddi . . ."

"'Does arna i ddim ofn y lle, Robin. Gorau po gyntaf. Os arhosa i yma am wythnos mi fydd arna i ofn mynd yn ôl."

"Ella y bydd pobl y Wasg yno o hyd."

Cuchiodd Rhian. Yr oeddynt wedi pechu am eu bod wedi gwrthod yn lân â rhoi cyfweliad o unrhyw fath i na theledu na phapur newydd.

"Mi gawn ni help gan y plismyn."

"Cawn siwr."

Yr oedd Robin yn falch am ei bod am ddyfod gydag ef, yn falch am ei bod yn ysu am gael ailddechrau byw. Ac yr oedd yn gobeithio na fyddai'n rhaid iddynt ofyn am gymorth gan blismyn na neb arall i fynd i'w tŷ.

"Taid!"

Yr oedd Rhonwen wedi mynd heibio i'r llwyni o'u blaenau, ac wedi rhedeg ar draws yr ardd lysiau y tu ôl i'r llwyni, gan adael olion ei thraed yn bechadurus yn y pridd. Gwelsant Mathew Roberts yn ei chodi, ac yn methu'n lân â dechrau ei dwrdio am fynd trwy'r letys. Aethant atynt. Daeth pryder Rhian yn ôl wrth iddi weld y llygaid yn ddyfnach yn ei wyneb nag y buont erioed, ond ni sylwodd ei thad ar ei phryder. Yr oedd Rhonwen yn mynnu ei sylw i gyd. Edrychodd Rhian unwaith yn rhagor ar y pantiau bychain o amgylch ei lygaid. Sylwodd fod y pantiau'n dechrau magu lliw. Gafaelodd yn dynnach yn llaw Robin.

Ac yna yr oedd ei mam wedi dod i'r golwg o rywle, yn dal i edrych yn llwyd, ac yn dal i fethu â chredu fod yr helynt drosodd. Gwaeddodd Rhonwen arni, ac atebodd Jane Roberts hi'n syth. Gwelodd Rhian hi'n rhoi edrychiad boenus ar ei gŵr, cyn troi at Robin.

"Mae 'na blismon yn y tŷ, Robin. Mae o'n gofyn a gaiff o air bach hefo chdi."

"O?"

"'Ddwedodd o ddim be oedd ganddo fo."

"Mae'n well i mi fynd ato fo, mae'n siwr."

Rhoes Deian i'w nain, a chychwynnodd at y tŷ. Am y tro cyntaf ers dyddiau lawer, nid oedd arno ofn neges plismon. Deuai rhywbeth o'r newydd bob munud i'w atgoffa o'r rhyddhad yr oedd yn meddwi yn ei ganol. Cliriodd y pridd hyd yr ardd wrth fynd, i guddio pechodau Rhonwen, a meddyliodd beth a fyddai ei thaid wedi'i ddweud wrthi pe bai wedi tyrchu felly drwy ei ardd ef ei hun wythnos ynghynt. Gwenodd. Fe gâi Rhonwen droi pob gardd a'i phen i lawr.

Ymhen deng munud, daeth yn ôl, a golwg dipyn difrifolach arno. Yr oedd Mathew a Jane Roberts wrthi eu gorau yn ceisio egluro pethau a chadw tac ar eu hŵyr a'u hŵyres busneslyd, a gorffwysai Rhian a'i chefn ar bren afalau, yn eu gwylio. Gafaelodd Robin yn ei llaw.

"Tyrd, mi awn ni'n ôl ar y fainc. Mi wnawn yn fawr o'r haul 'ma."

Aethant yn ôl ar hyd y lawnt yn dawel, ac eistedd ar y fainc, a oedd yn gynnes braf. Gwrandawsant ar rwdlian Deian ac ar gwestiynau diddiwedd Rhonwen. Gobeithiai'r ddau, yn angerddol, y byddai'r cwestiynau'n feddyginiaeth i Mathew Roberts.

"Be sy'n bod?"

"Be, pwt?"

"Mae'r plismon 'na wedi dy sobri di."

"O. Fawr ddim."

"Mi dynnodd o chdi o waelod yr ardd 'na i ddweud fawr ddim?"

"Rhian?"

Trodd Rhian ato. Yr oedd ei lais yn ansicr.

"Be sydd wedi digwydd? Dwed wrtha i, Robin."

"Dim byd i boeni amdano fo, pwt. Nid i ni, beth bynnag."

"Wel dwed, 'ta."

Ochneidiodd Robin.

"Rhian, fuo—y—Heilyn yn sôn amdano'i hun?"

Pylodd llygaid Rhian. Yr oedd yn ôl yng nghanol ei thŷ unwaith eto, a gynnau o'i hamgylch ym mhobman, yng nghanol yr ofn a'r ansicrwydd.

"Dim ond unwaith neu ddwy," meddai'n ddistaw.

"Be ddwedodd o?"

"'Dydw i ddim yn cofio, Robin."

"'Ddaru o ddim sôn am berthnasau, na chydnabod, na dim felly?"

Yr oedd llygaid Rhian yn llawn tristwch. O'u blaenau, yr oedd drudwy'n pigo'n ddyfal yn y glaswellt, gan neidio yma a thraw, a dod yn eofn o agos atynt.

"Yli braf ydi hi ar y deryn bach 'na."

"Be?" Nid oedd Robin yn disgwyl iddi droi'r stori mor sydyn.

"Mi ddwedis i wrth Heilyn pnawn ddoe y rhoddwn i dystiolaeth o'i blaid o pan ddeuai hi'n llys arno fo." Yr oedd Rhian wedi troi'r stori eto. "Mi wyddwn i fod hynny wedi'i gyffwrdd o. Ella mai dyna a wnaeth iddo fo a Marc benderfynu yn y diwedd eu bod nhw'n mynd i ildio. 'Doedd dim rhaid iddyn nhw 'i saethu o, Robin. Mi saethon nhw fo am fod ganddyn nhw 'i ofn o, ofn ei nabod o. 'Roeddwn i'n meddwl yn siwr mai wedi'i ddal o y bydden nhw. Ond dyna fo. 'Roedd yn rhaid iddyn nhw gael ei saethu o. Mi gododd Marc a'r hen beth arall hwnnw eu gynnau atyn nhw, a 'doedd ganddyn nhw ddim dewis felly mae'n siwr ond saethu'r ddau. Ond ddaru Heilyn ddim, Robin. Mi ildiodd Heilyn iddyn nhw."

Y tro hwn nid oedd yn wylo wrth gofio.

"Pam y gofynnist ti amdano fo?" gofynnodd yn y man. "Be ddwedodd y plismon 'na wrthat ti?"

Yr oedd pobl yn dweud na ddylid rhoi newydd annymunol i'r gwael, neu i rywun a oedd newydd gael profiad chwerw, yn brofedigaeth neu'n sioc. Wrth eistedd yno gyda Rhian, gwyddai Robin fod celu rhagddynt yn wirionach byth.

IV

"Mae'r Prif Gwnstabl yn gofyn a ewch chi i mewn ato fo, syr."

"Pa bryd oedd hyn?"

Gwridodd yr ysgrifenyddes.

"Rhyw dair awr a hanner yn ôl, syr."

"Felly felly?"

"Mae o yna o hyd, syr."

Aeth y Dirprwy drwodd i swyddfa'r Prif Gwnstabl.

"A, Dic! Mi haeddist dy gwsg."

"Hy! Sut mae pethau?"

"Wedi'u clirio, am wn i. Mae'r Ysgrifennydd Cartref yn dod yma hefo hofrennydd yn syth ar ôl ei ddatganiad i'r Senedd y pnawn 'ma, iddo fo gael bod yma erbyn y gynhadledd i'r Wasg. Mae honno am hanner awr wedi pedwar. Paid â maeddu dy grys cyn hynny."

Ni ddangosai'r Dirprwy fod ganddo lawer o ddiddordeb mewn mynychu cynhadledd, o unrhyw fath. Aeth at gadair freichiau, ac eisteddodd yn flêr arni.

"'Roeddwn i wedi blino pan gyrhaeddis i adra neithiwr," meddai, "wedi ymlâdd."

"Mi ddaliaist yn dda, Dic."

"Nid hynny oedd o. Pan welis i 'ngwaith i'n mynd yn ofer y teimlis i y blinder."

"Mi achubwyd y pedwar, Dic. Mi'u hachubwyd nhw i gyd. Mi fyddai rhai, os nad y cwbl ohonyn nhw, wedi'u lladd gan fwledi'r rheina oni bai amdanat ti. 'Doedd dy waith di ddim yn ofer, Dic."

"Dal troseddwyr ydi 'ngwaith i."

"Ia, wel . . ."

"Nid 'u dienyddio nhw."

"Ia. Ar eu telera eu hunain mae'r hogia yna'n gweithio. 'Roedd yn rhaid i mi dderbyn hynny cyn eu cael nhw." Daeth y Prif Gwnstabl i eistedd gyferbyn â'r Dirprwy. "Arnyn nhw'r oedd y bai, Dic. Nhw wrthododd y telera erill, fel y clywais i chdi'n dweud wrth y Carl 'na, fwy nag unwaith. 'Roedd hi'n rhy beryg, Dic. Pan ddeffrôdd hwnnw, 'roedd hi'n rhy beryg i aros dim mwy."

"'Does 'na ddim ar ôl, felly."

"Ond eu claddu nhw."

"Hefo'i gilydd?"

Cododd y Prif Gwnstabl ei aeliau.

"'Wnes i ddim meddwl am hynny. Mae'n siwr fod hynny'n dibynnu ar iddyn nhw gael eu harddel gan rywun neu beidio."

"Mi gaiff 'na un ei arddel."

"Caiff." Chwaraeodd y Prif Gwnstabl â'i fysedd. "Mae 'na ffeil wedi'i hagor ar y Person 'na, Ambrose Morgan."

Caeodd y Dirprwy ei geg yn dynn.

"Mewn deng mlynedd, Dic, 'fydd 'na'r un plismon yn gweld dim o'i le yn hynna. Yn enwedig Dirprwy Brif Gwnstabl."

Estynnodd y Prif Gwnstabl ffeil, a'i hagor. Edrychodd drwy ychydig bapurau.

"A dyna'r Mudiad bach yna drosodd."

"Beth am hwnnw sydd i mewn?"

Chwarddodd y Prif Gwnstabl yn fyr.

"'Wnaiff hwnnw ddim byd eto, mi elli fod yn dawel dy feddwl am hynny. Na, y byd ddaru ennill y gwffas fach yna. 'Ddaw 'na neb ar eu holau nhw, wedi iddyn nhw weld y croeso a gafodd y rhain."

"Tan tro nesa."

Ysgydwodd y Prif Gwnstabl ei ben.

"Na, go brin. Gwanhau ydi'u hanes nhw bob tro y mae un ohonyn nhw'n cael cweir iawn, fel a gafodd hwn. 'Welwn ni ddim Mudiad eto."

"A mi fydd unrhyw gŵyn a oedd ganddyn nhw, unrhyw gŵyn go iawn, yn cael ei lluchio o'r neilltu a'i hanghofio, yng nghanol y carnifal."

"Nid honna ydi'r ffordd i gwyno, Dic."

"Naci. Ond mae 'na rywbeth yn dweud wrtha i nad ydan ni wedi gweld ei dechrau hi eto. Mi ddôn nhw eto, nes y byddan nhw'n bla hyd y lle 'ma. A mi fyddwn ninnau wedi mynd ar goll yng nghanol yr holl wybodaeth y byddwn ni wedi ei chasglu amdanyn nhw. Mi fyddwn ni'n gwybod pob dim amdanyn nhw, ond mi fyddan nhw'n dal i'n gwneud ni'n racs."

Caeodd y Prif Gwnstabl y ffeil, a'i gosod ar lawr wrth y gadair.

"'Ddaru rheina mo'n gwneud ni, Dic."

"Naddo?"

"Paid â bod yn wirion."

"'Dydw i ddim. Meddwl yr oeddwn i ei bod hi'n rhy fuan i ddweud hynna. 'Dydi'n bod ni wedi'u lladd nhw ddim yn dweud mai ni enillodd."

"Paid â dweud hynna y pnawn 'ma."

Astudiodd y Dirprwy y ffeil.

"Mi fyddai hynny'n difetha'r sbort i gyd, debyg iawn."

"Mae'n rhaid i'r gwleidyddion 'ma gael eu dogn o sylw."

"Mi gaiff o faint a fynno fo o sylw o'm rhan i. 'Fydda i ddim yno."

Cododd y Prif Gwnstabl, a mynd at ei ddesg. Dyna'r union beth y bu'n ei ddisgwyl.

"Fel yr unig un a fu'n siarad hefo nhw," meddai'n araf, "mi fyddan nhw'n dy ddisgwyl di yno. A mi fydd y dyn ei hun isio'r hanes yn syth gen ti, o flaen y sioe. Mae arna i ofn nad oes gen ti lawer o ddewis, Dic."

"Felly'n wir?"

"Fel y gwyddost ti'n iawn."

"Ia."

"Mi fyddi yno, felly."

"Na fyddaf."

Gadawodd y Prif Gwnstabl hi felly, am y tro. Meddyliodd nad oedd yr un gynhadledd i'r Wasg yn werth ffrae, yn enwedig gyda'i Ddirprwy. Daeth yn ôl i'w gadair, a phapur yn ei law. Darllenodd yn ddistaw am ennyd.

"Mae 'na un peth go ryfedd wedi codi," meddai'n fyfyriol.

"O?"

"Yr Aelod Seneddol dros y lle 'na. Sut meddat ti y medrodd hwnnw gael allan, cyn tri o'r gloch y bore 'ma, na chafodd y tri 'na 'u lladd hefo'i gilydd?"

Nid atebodd y Dirprwy am ennyd.

"Oedd o yno?" gofynnodd.

"Yn y pentre? Nac oedd. 'Roedd o yn ei fflat yn Llundain."

"O."

"Mi ffoniodd y Swyddfa Gartref yma ben bore. 'Roedd o wedi'u ffonio nhw ugain munud i dri y bore 'ma, wedi cael y stori, yn ddigon cywir."

"A mae 'na ffeil newydd arno fo, felly."

Cododd y Prif Gwnstabl ei ben yn sydyn.

"Mi ffoniodd rhywun o i ddweud, Dic."

"Peth rhyfedd na fyddai 'i ffôn o wedi ei dapio ganddyn nhw."

"Y cwestiwn ydi, pwy ddaru?"

"Ydi o wahaniaeth?"

"Maen nhw'n meddwl ei fod o. Maen nhw am i ni gynnal ymchwiliad,—cyfrinachol. Ar hyn o bryd, mae'n edrych fel mai rhywun o'r Fyddin neu un ohonon ni ddaru'i ffonio fo. Mi ffoniodd o'i hun yn syth ar ôl i'r Swyddfa Gartref wneud."

"'Ddaru o?"

"'Roedd o'n ddigon penderfynol. Ond mi ddwedis i wrtho fo na fedrwn i ddweud dim wrtho fo ar hyn o bryd."

"'Wnaiff o rywbeth yn ei gylch o?"

Astudiodd y Prif Gwnstabl y papur drachefn.

"Os oes arno fo isio colli pleidleisia, mi wnaiff o. Gwleidydd ydi yntau, hefyd. Dyna ni, 'ta, Dic. Tria di feddwl am rywun o'r lle 'ma, hefo'r wybodaeth a oedd gan y dyn 'na ddaru ffonio hwn neithiwr, a fyddai'n gwneud hynny."

Ni wyddai'r Prif Gwnstabl a oedd y mymryn lleiaf o wrid yn wyneb ei Ddirprwy ai peidio.

"Mae'n gas gen i wneud hen waith fel hyn," meddai'r Dirprwy'n sydyn. "Sut ddechreua i?"

"'Wn i ddim. 'Rydw i wedi bod yn trio meddwl drwy'r bore. Ella y byddai hi'n haws 'tasan ni'n cael rhyw fath o gymhelliad i ddechrau, gan rywun. Pendrona di ar hynna y pnawn 'ma. Gad bob dim arall. Mae ar y Swyddfa Gartref isio rhyw lun ar gynigion erbyn bore fory."

"Mae 'na frys, felly."

"Mae 'na recordiad o'i sgwrs ffôn o hefo fi bore heddiw ar dy ddesg di. Dechreua hefo hwnnw. Ella y cei di ryw syniad o hwnnw."

Cododd y Dirprwy, ac aeth at y drws. Cofiodd am rywbeth.

"Oes 'na un o'r ddwy ddynes 'na am fod yn y sioe ganu clodydd 'na pnawn 'ma?"

"Un o'r gwystlon? Na. Mi gawson nhw gynnig, ond mi wrthododd y ddwy."

"Mi wyddwn i o'r dechrau eu bod nhw'n bobl gall."

"Dic, mi fyddi yno hefo fi y pnawn 'ma."

"Na fyddaf."

"Cachwr."

V

Yr oedd y stryd odano'n tawelu. Aeth dau gariad i'r tŷ gyferbyn, gyda braich y naill yn anwesu'r llall fel yr aent drwy'r drws. Syllodd y Cenedlaetholwr ar y drws caeëdig o'u hôl, gan ddyfalu am ennyd a falient hwy fod gwystlon mewn pentref bron dri chan milltir i ffwrdd wedi eu rhyddhau, a bod y rhai a'u daliodd yn garcharorion wedi eu lladd bob un. A oeddynt hwythau'n ysu am waed, fel ag yr oedd pawb arall? A oeddynt hwythau'n traflyncu ymborth y cyfryngau, ac yn bloeddio hwrê yn eu dial? Ar hynny o'r papurau dyddiol y gallodd eu stumogi, gwelsai nad oedd wahaniaeth yn yr ymdriniaeth a gawsai prif stori'r dydd, heblaw am faintioli llythrennau'r penawdau, rhwng yr un ohonynt.

Yr oedd pentwr o waith ar y bwrdd y tu ôl iddo. Ni fedrai feddwl am ei wneud. Dyna pam y daethai i'r ffenest i edrych ar y bobl. Byddai'n gwneud hynny'n aml o ffenest ei swyddfa yn ei etholaeth pan fyddai gartref, a'r pryd hwnnw fe fyddai'n dewis un o'r dyrfa ac yn gofyn iddo'i hun a oedd yn un y canolbwyntiai ei sylw arno eisiau rhywun fel ef ei hun i'w gynrychioli mewn senedd gwlad. Nid a oedd y person anhysbys yn genedlaetholwr ai peidio, neu a oedd yn pleidleisio i'r Blaid dim ond er mwyn dilyn y dyrfa leol, ond a oedd yn pleidleisio o gwbl, a oedd arno eisiau pleidleisio, ynteu ai breuddwyd gwleidyddion oedd y cwbl. Cynrychiolaeth y Bobl. Pobl nad oedd rithyn o bwys ganddynt a gaent eu cynrychioli ai peidio. Yn Llundain yr oedd yn wahanol, ar un wedd. Nid ei bobl ef a gerddai'r stryd odano, ond pobl ddieithr, a gynrychiolid gan un arall, a hwnnw'n Drotsci o Sosialydd Coch Coch na chynrychiolai neb ond ef ei hun.

Yr oedd yn aruthrol falch o glywed y gloch. Byddai'r felan waethaf yn siwr o gael ei lliniaru wrth gael ei rhannu. Aeth o'r ffenest, ac agorodd y drws. Camodd y Sosialydd i mewn, a mynd yn syth i eistedd, gan daflu'i gôt ar y soffa.

"'Gymri di ddiod?"

"Ia, tria un. Wyt ti am fynd yn ôl heno?"

"Nac ydw."

"Ella y bydd 'na bleidlais."

"'Waeth gen i."

Trodd y Sosialydd ei ben i edrych arno. Gwenodd.

"A mi gachgïist?"

Yfodd y Cenedlaetholwr ei ddiod yn swnllyd.

"Dyna be oedd o? Cachgïo?" Eisteddodd. "Dduw mawr, 'wyddwn i ddim lle'r oeddwn i pnawn 'ma. 'Wyddwn i 'rioed y medrai o fod yn lle mor ddiarth. 'Roedd o'n union fel yr hen freuddwydion 'na y bydd rhywun yn eu cael mewn twymyn, fel 'tasa pawb a phopeth yn tyfu ac yn chwyddo atat ti i dy lyncu di. 'Chododd 'na ddim byd ofn arna i o'r blaen."

"Mi ddwedis i wrthat ti nad oedd o'n lle i gwestiynau ar ddiwrnod fel heddiw. Mi ddwedis i wrthat ti am aros nes y byddet ti yno."

Gorffennodd y Cenedlaetholwr ei ddiod. Yr oedd arno flys meddwi, meddwi a'i gorffen hi.

"'Fedrat ti ei ddiodda fo?" gofynnodd yn sydyn.

Cododd y Sosialydd ei ben o'r papur nos a ddisgrifiai eu hanes. Plygodd y papur, a'i roi'n daclus ar fraich y gadair.

"'Doeddwn i ddim yn meddwl amdano fo fel rhywbeth i'w ddiodda," meddai. "Dod yno i brofi pwynt wnes i. Mi wyddwn i y byddai 'na fwy o frefu y tro yma am fod pob dim arall y mae'r wlad 'ma'n ymhel ag o yn dymchwel o dan ei thraed hi."

"Dyna fo, 'te. Nid adwaith gwlad gyfrifol yn gwybod yn iawn be ydi hi oedd yn y twll lle 'na heddiw. Adwaith plant oedd o, adwaith rhai hollol anaeddfed. 'Doeddwn i ddim isio perthyn, ddim isio cael 'y nghysylltu â'r lle o gwbl."

"Fel 'na'n union yr aethon nhw i ryfel."

"Ia. Ia m'wn. Ac os caiff y diawliaid gwirion amser, fel 'na'n union yr ân nhw i'r nesa hefyd."

"A 'tasa gen ti dy Senedd yng Nghaerdydd, fel 'na y byddai'r rheini hefyd."

Cododd y Cenedlaetholwr.

"Dyna be sy'n fy llethu i," meddai. Aeth am y gegin fach. "'Rydw i heb fwyd ers amser cinio. 'Fedar rhywun ddim byw ar 'i hyll ac ar 'i ddamio. 'Gymri di rywbeth?"

Yr oedd yn gwybod pan glywodd dinc cloch y ffôn cyn iddi ddechrau canu pwy oedd yn ei ffonio. Aeth at y ffôn, gan deimlo fel plentyn ar fin cael ei ddwrdio. Cododd y ffôn.

"Ia?"

Efallai bod y llais yn disgwyl iddo ddweud mwy, rhywbeth fel rhif y ffôn, neu ei enw, neu gyfarchiad, oherwydd nid atebodd yn syth. Yna fe ddaeth.

"Wel, wel."

Amneidiodd y Cenedlaetholwr ar y Sosialydd. Daeth hwnnw ato'n ddistaw, a gwrando. Edrychasant ar ei gilydd.

"Oen bach arall," meddai'r llais.

"Pwy ydach chi?"

"Am oen llywaeth. A minnau'n meddwl bod 'na ddyn ynoch chi. Druan â mi."

"Os ydach chi'n sôn am fod yn ddyn, ella y rhowch chi enghraifft o'r hyn y dylai o 'i wneud, fel dweud pwy ydi o pan . . ."

"Be ddigwyddodd i'r Aelod Seneddol hwnnw nad oedd ganddo fo ofn llond Senedd o wawd?"

"'Doeddach chi ddim yno, nac oeddach?"

''Mi glywis i . . .''

''Nid dyna oedd gen i.''

Bwriodd iddi. Yr oedd yn siwr fod y llais yn dechrau colli'i hyder.

''Os ydach chi'n teimlo mor gry, pam na ddwedwch chi hynny yng nghanol y bobl yr ydach chi'n gweithio hefo nhw?''

''Yng nghanol . . . o, 'chewch chi mohona i fel 'na chwaith. Ond dyna fo. O leiaf mi brofoch chi bod eich pleidleisiau chi yn y lecsiwn yn eich rheoli chi'n gyfan gwbl. Mi ddangosoch eich bod chi'r un fath â phawb arall yn y lle 'na. Yr unig wahaniaeth ydi na fydd eu cydwybodau nhw'n eu pigo nhw. Mi'ch gadawa i chi i ddathlu rŵan. Siomedig iawn.''

Aeth y ffôn yn fud. Edrychodd y ddau ar ei gilydd.

''Roedd o'n sicrach o'i bethau neithiwr, yn sicrach ohono'i hun,'' meddai'r Cenedlaetholwr. ''Glywaist ti o'n siarad yn gyflymach yn y diwedd 'na, rhag ofn i mi dorri ar ei draws o?''

''Sut gwyddost ti hefo pwy mae o'n gweithio?''

''Rhyw feddwl oeddwn i,'' meddai'r Cenedlaetholwr yn synfyfyriol, ''mai plismon oedd o.''

''Plismon? Ella.''

''Mi ffonis i nhw bore.''

''I sôn am hyn?''

''I ofyn a oedd o'n wir bod un o'r bobl 'na wedi ei ladd funud a chwarter ar ôl y ddau arall.''

''Mi fyddi di'n boblogaidd iawn hefo nhw.''

''Phoenith hynny ddim llawer arna i. Maen nhw'n siwr o gynnal ymchwiliad i edrych a oes 'na un ohonyn nhw wedi agor ei geg.''

''Wyt ti'n siwr mai Sais oedd o?''

''Sais gymris i oedd o. Gefn nos, 'roedd hi'n anodd canolbwyntio ar bob dim. Pam? Wyt ti'n amau nad Sais mohono fo?''

Aeth y Sosialydd i eistedd.

''Mi gymra i fwyd hefo chdi,'' meddai, ''os na hoffet ti fynd allan i nôl peth. Nid Sais oedd hwnna.''

''Y?''

''Roedd 'na ambell i air yma ac acw'n acen Gymreig

drwyddo. Dim ond ambell un. Ond Cymro ydi o. Ac mae hynny'n gwneud mwy o synnwyr.''

''Ydi. Ond ella nad ydi o fawr o wahaniaeth pwy ydi o. 'Ffonith o ddim eto.''

''Wyt ti am roi'r gorau i chwilio i hyn?''

''Nac ydw. Mi ca' i hi'n ôl ar Hiwi Dew a'i griw. Tyrd, mi awn ni am fwyd. Mi gaiff o oen llywaeth.''

Gwenodd y Sosialydd.

''Dyna welliant,'' meddai.

VI

Yr oedd y mymryn lleiaf o gwmwl du yn yr awyr. Am ychydig, buasai'n gwmwl anferth, byd ar ben, ond yn raddol, ar ôl ystyried yn dawel a chael popeth i'w le'n iawn, fe leihaodd. Ond ni ddiflannodd. Yr oedd yno o hyd, i'w rybuddio, a gorau oll am hynny.

Nid oeddynt wedi amau dim. Yr oedd ef am ofalu na fyddai ganddynt le i amau dim chwaith. Awr cyn cynhebrwng Mitch, yr oedd wedi cael ei alw i swyddfa'r Prif Arolygydd.

''Syr?''

''Mae'n ymddangos nad oedd ein gwaith ni wrth fodd y banc, John.''

''Syr?''

''Roeddat ti yn y banc fore Iau?''

''Oeddwn, syr.''

''A phan aethost ti yno, 'roedd 'na bres hyd y llawr i gyd?''

Yr oedd yn ddechrau gofidiau.

''Oedd, syr.''

''A mi codwyd nhw, a'u rhoi nhw i gyd yn y gornel, ar y cownter?''

''Do, syr.''

Yr oedd y cyfan yn mynd i ddymchwel. Pan glywsai fod yr arian a'r lladron wedi'u cornelu mewn tŷ yng Nghymru, yr oedd, yn ei ddychryn, wedi nôl yr arian o'u cuddfan er mwyn cael gwared â hwy. Wedi hir bendroni, a'r arian yn gwrthod mynd o'i ddwylo, penderfynodd eu rhoi'n eu holau yn eu cuddfan, i aros. Wrth iddo edrych ar y Prif Arolygydd yn astudio'i bapurau o'i flaen, gwyddai ei bod yn darfod arno.

"Ac nid yn unlle arall?"

"Yn unlle arall, syr."

"Ia." Yr oedd y dyn yn cytuno. "Wel, mae'r arian a oedd yn y tŷ yn ôl y banc. A mi cyfron nhw o. Ac yn ôl eu ffigurau nhw, mae 'na ugain mil o bunnau ar goll."

"O?"

"Oes. Ond ella mai eu ffigurau nhw sydd ohoni." Yr oedd goleuni. "Eu ffigurau nhw heddiw, neu eu ffigurau nhw ddydd Iau. Dweud dim fyddwn ni am bobl anniolchgar, John."

Sôn am ryddhad.

"Ia, syr."

"Yn eu hwynebau nhw, beth bynnag."

Yr oedd y dyn yn glên. Gwyddai ei fod ef yn mynd i gario arch Mitch ymhen yr awr.

"Ia, syr."

"'Ddaeth 'na rywun heblaw pobl y banc at yr arian yn ystod yr amser y buost ti'n eu gwarchod nhw?"

"Neb, syr."

"'Ddaru ti ddim ffansïo rhyw fonws bach?"

Chwarddodd yn swyddogol.

"Dim o gwbl, syr."

"Mae'n rhaid i mi ofyn, John."

"Ydi, syr."

"Dyna ni, 'ta. A rŵan, mae'n rhaid i ni fynd i gladdu Mitch. Hen foi iawn oedd o, John. Ac yn blismon da."

"Oedd, syr."

Fe gladdwyd Mitch. A'r haul yn tywynnu'n braf, a phobman yn llawn i'r ymylon. Y strydoedd, yr eglwys, y fynwent, i gyd yn llawn, a phawb yn meddwl am Mitch am eiliad wrth iddo fynd heibio, ac yn ei anghofio'n syth wedyn i sôn am fuddugoliaeth fawr y milwyr. Crac oedd y gair. Yr oedd sôn yn y swyddfa fod un Aelod Seneddol o rywle yng Nghymru yn dechrau codi helynt am ei fod yn credu na ddylai un o'r lladron fod wedi'i saethu. Blydi gwleidyddion. Be wyddai'r rheini? Am ddim? Ni ddylai Mitch ddim bod wedi cael ei ladd chwaith. A oedd yr Aelod Seneddol am gwyno am hynny?

Medrai'r ugain mil o bunnau fod yn rhywle, am a wyddent hwy. Efallai na fedrent brofi'u ffigurau; ni fyddai eu hugain mil yn bod wedyn, ni fyddent yn bod o gwbl. Byddent yn eu galw'n gamgymeriad. Yr oedd hynny'n ddigri, rywfodd. A sut y medrent brofi byth nad aethant ar goll rhwng y banc a Chymru, neu cyn iddo ef fynd i'r banc, neu fod un neu fwy o glercod y banc wedi manteisio ar sioc eraill, ac wedi'u cyfoethogi'u hunain y munud hwnnw? Os medrai plismon wneud hynny, medrai rhywun arall.

Yr oedd ef yn ddigon hirben. Byddai llawer yn gwneud rhywbeth gwirion, fel rhoi'r gorau i'w gwaith a dechrau busnes, neu fuddsoddi, neu wario fel ffyliaid. A phan ddeuai'r adeg iddynt roi cyfrif, byddent yn methu, a dyna'r gêm drosodd. Ond yr oedd ef am fod yn gallach. Nid oedd ef am roi'r gorau i'w waith; yr oedd yn ei fwynhau, prun bynnag, ac nid oedd am wario'n wirion. Ond eu gwario fesul ychydig, ar ambell bleser yn awr ac yn y man, fel na sylwai neb fyth. Efallai y byddai chwyddiant yn eu gwneud yn ddiwerth mewn dwy neu dair blynedd, prun bynnag.

Yr oedd yna Aelod Seneddol arall yn gwneud twrw hefyd, erbyn deall. Y Sarjant a ddywedodd wrtho ar y ffordd o'r fynwent. Yr oedd rhyw ddyn wedi marw yn yr ysbyty, y dyn a oedd yn byw o dan fflat y lladron, eu landlord. Yr oedd ei frawd wedi codi helynt yn syth, ac wedi dweud mai ei guro a gawsai'r dyn, ei guro yng nghelloedd yr heddlu. Yr oedd y brawd wedi mynd â'i gŵyn at ei Aelod Seneddol, ac yr oedd hwnnw'n ymuno yn y clochdar. Blydi gwleidyddion. Cau ceg oedd orau.

VII

Aeth y Wasg i'w chynhadledd, gan adael un neu ddau ar ôl yn y pentref, i ffroeni'r adweithiau a'r ymatebion. Ond arhosodd y bobl, a daeth mwy atynt, er mwyn cael gweld.

"Wyt ti'n iawn?"

"Ydw."

"'Does arnat ti ddim isio troi'n ôl?"

"Dim rŵan."

Edrychai Rhian yn syth o'i blaen. Gyrrai Robin y car benthyg yn ddi-frys ar hyd y briffordd i gyfeiriad y pentref, gan roi cipdrem bob hyn a hyn ar yr haul i'r dde iddo'n paratoi i fachlud yn ogoneddus. Deuai llawer o geir i'w cyfarfod, a gobeithiai yntau eu bod i gyd yn mynd adref, yn ddigon pell i ffwrdd, er mwyn i Rhian ac yntau gael llonydd.

Trodd ei ben i edrych arni.

"Be wyt ti'n ei feddwl, 'dim rŵan'?"

"Mi fedra i fynd i'r tŷ yn iawn. 'Does arna i ddim ofn hwnnw. Ond mae arna i ofn mynd i weld Mr. Morgan."

"'Does dim rhaid i ni fynd, pwt. Dim heno."

"Oes, Robin."

O ben bryncyn cyn cyrraedd y pentref, yr oedd y môr i'w weld yn glir. Gwelodd Robin y cychod yn smotiau arno, gryn ddwsin ohonynt. Iddo ef, yr oedd hynny'n arwydd fod popeth yn iawn drachefn; yr oedd pobl y pentref yn dechrau mynd o gwmpas eu pethau yn barod. Gorau po gyntaf y deuai pethau i drefn.

"Mi 'ddylis i . . ." dechreuodd, ac aros ar hynny.

"Be, pwt?"

"Gweld y môr ddaru mi."

"Y môr?"

"Mi 'ddylis i na chawn i byth fynd â'r hen blant i chwarae . . ."

Nid aeth ymlaen â'i frawddeg. Am eiliad tybiai mai ef ac nid ei wraig y byddai angen ei gynnal. Teimlodd law Rhian yn gwasgu'i fraich yn sydyn, ac arafodd fwy ar y car. Yr oedd y tŷ'n dod i'r golwg.

"Mae'r hen gar 'na wedi mynd."

"Car?" gofynnodd Rhian.

"Y car y daethon nhw yna ynddo fo. 'Roedd o ar ganol yr ardd ffrynt drwy'r adeg. 'Roedd o—'roedd o'n hunllef dim ond i edrych arno fo. Bob tro 'roeddwn i'n edrych ar y tŷ, hwnnw welwn i gyntaf. 'Roedd arnyn nhw ofn ei symud o, rhag ofn i un ohonyn nhw gael ei saethu."

Yr oedd y car wedi aros ar ochr y ffordd. Edrychai'r ddau drwy'r ffenest agored wrth ochr Robin ar y tŷ.

"'Wyddost ti na wyddwn i ddim fod car yna o gwbl?" sylwodd Rhian yn dawel. "'Ddaru mi ddim gweld golau dydd, ddim edrych drwy'r un ffenest o gwbl o'r funud y daethon nhw yna. Rŵan y cysidris i hynny. 'Welis i mo'r car."

Ailgychwynnodd Robin y car yn araf.

"'Roedd pob dim mor wahanol i ni, on'd oedd?"

Yr oedd y pentref yn fwrlwm o brysurdeb. Yma a thraw,

yng nghanol y bobl a'u ceir, yr oedd digon o blismyn ar ôl o hyd i gadw trefn. Trodd Robin y car i'r ffordd fach, i fynd am y tŷ. Yr oedd wedi gobeithio na fyddai yna neb yn eu hadnabod yn y car benthyg, ond yr oedd yn dod yn amlwg nad felly y byddai. Yr oedd tyrfa wedi ymgasglu o flaen y tŷ, a llawer ohonynt yn bentrefwyr. Dechreuasant wneud lle i'r car, ac adnabu rhai ohonynt hwy. Ar unwaith yr oedd pawb yn awchus am gael gweld.

"Dyma lanast."

Yr oedd Robin yn goch at ei glustiau. Trodd at Rhian. Yr oedd ofn yn ei llygaid.

"Tro'n d'ôl."

"Ymhle?"

"Tro'n d'ôl, Robin."

Ond daeth plismyn i'r adwy, a chlirio digon ar y bobl i Robin gael lle i barcio'r car ar ochr y ffordd. Gwelodd Arolygydd yn dod o'r tŷ tuag atynt.

"Wyt ti'n barod?"

"Tyrd 'ta." Yr oedd penderfyniad sydyn yn llais Rhian.

Daethant o'r car. Brysiodd yr Arolygydd atynt.

"Mae'n well i chi ddod i mewn yn syth," meddai.

Yr oedd yn anodd anwybyddu'r dorf, a oedd yn dechrau gweiddi cymeradwyaeth arnynt, ond ni wyddent sut i ymateb.

"Dowch."

Aethant heibio i'r darn ffens newydd sbon, a thrwy'r giat. Yr oedd ffenest y parlwr yn hyll dan fordiau, ac yr oedd olion teiars yn yr ardd. Yn sydyn, teimlai Robin ofn. Yr oedd y lle'n hollol ddieithr, yn llawn cyfrinachau nad oedd hawl ganddo ef i fynd i'w byd. Gafaelodd yn Rhian. Aethant i'r tŷ.

"Mi gewch chi fynd i ddewis carped newydd i'r grisiau a fa'ma pan fynnwch chi."

"Be ddigwyddodd i'r llall?" gofynnodd Robin yn syn.

"Wel—ym—'roedd 'na staeniau—wyddoch chi . . ."

Pan oeddynt wedi dweud wrtho, nid oedd sôn am ddim ond bod ei deulu wedi'u hachub, a bod y terfysgwyr wedi'u saethu. Yr oedd pawb yr un fath yn union, yn sôn am saethu, a'i gadael hi felly. Nid oedd wedi ystyried fod saethu'n golygu gwaed, ddigon ohono i ddifetha carpedi. Nid oedd neb yn sôn am beth felly. Yr oedd y peth mor lân, y ffordd yr oeddynt hwy'n sôn amdano. Wrth edrych ar y llawr moel, teimlai Robin ei fod yn dechrau dirnad.

"Mae'r gegin fyw a'r gegin fach yn iawn," meddai'r Arolygydd. "Ond mae arna i ofn fod golwg ar y parlwr braidd."

Aethant drwodd. Daliodd Rhian ei gwynt.

"Yn fan'na'r oeddan nhw wedi cadw'r pres." Ni fedrai feddwl am ddim arall i'w ddweud.

"Mi gewch ddewis carped newydd i'r parlwr 'ma, hefyd. A phapur wal."

Yr oedd Robin ar goll. Yr oedd y dieithryn yn sôn am ei dŷ ef ei hun.

"Mae dwy o'r llofftydd hefyd."

Aethant i fyny. Yr oedd ffenest y llofft gefn hefyd wedi'i bordio, ac ychydig o ôl llosgi ar y mur o'i hamgylch. Nid oedd dillad ar y gwely, na charped ar y llawr. Teimlai Rhian hefyd ei bod mewn lle dieithr. Yr oedd yr heddwas yn siarad, ond ni chlywai hi ond ei sŵn. Yr oedd yn clywed rhywun arall, yn ymbil, yn ansicr, yn daer, yn drist, a hithau'r un fath bob yn ail ag ef, hithau'n ymbil, a cheisio perswadio. Gwelai unwaith eto y rhyddhad tawel yn yr wyneb wedi iddo benderfynu eu rhyddhau. Gwelodd ef unwaith eto'n disgyn wrth ei thraed.

"Wyt ti'n iawn, pwt?"

Yr oedd Robin yn gafael ynddi eto. Pwysodd arno.

"Ydw. Mi fydd pob dim yn iawn,'bydd, Robin?"

"Bydd, pwt."

Yr oedd yr Arolygydd yn y llofft arall.

"Mae 'na fwy o lanast yn hon, mae arna i ofn."

Yr oedd y peth yn anghredadwy. Bu bron i Robin â chwerthin. Yr oedd mur newydd sbon rhwng yr ystafell a llofft y drws nesaf, yn friciau noeth, a'r sment rhyngddynt i'w weld yn wlyb o hyd.

"Mi godon ni'r wal heddiw er mwyn i'ch cymdoges chi gael dod yn ôl i'w thŷ fory. Mi fydd yn rhaid iddi hi wneud heb un o'i llofftydd am sbel, ond dyna fo."

"Oes arnat ti isio dod yn ôl yma, Rhian?"

Edrychodd Rhian ar ei gŵr, ac yna ar y mur newydd. Aeth o'r llofft, a daeth golau'r machlud arni drwy'r ffenest ben grisiau. Yr oedd y ffenestri'n glir unwaith eto.

"Oes, Robin."

Yr oedd eu siwrnai fer o'r tŷ yn athrist. Eisoes, yr oeddynt yn anghofio am gyflwr eu cartref wrth feddwl am yr hyn a oedd o'u blaenau. Pan oeddynt yn croesi dros y bont fechan ar waelod rhiw yr eglwys, gobeithiodd Robin am ennyd na fyddai'r Person gartref, ond gwyddai yr un munud na fyddai hynny'n datrys dim.

Cerddasant yn ofnus ar hyd y llwybr. Canodd y gloch yn hyll o uchel, a 'difarodd Robin na fyddai wedi curo'r drws yn hytrach. Yr oedd amherseinedd y gloch yn anweddus. Edrychodd dros y clawdd ar bennau'r cerrig beddi wrth wrando am sŵn y traed yn y tŷ. Daeth hunllef yn ôl iddo, a pheidiodd ag edrych arnynt. Daeth deigryn wrth iddo ddiolch yn ingol ddistaw yn y fan a'r lle. Nid oedd Rhian wedi troi i edrych ar y fynwent, ond yr oedd wedi deall, heb i neb ddweud dim.

O'r diwedd, daeth sŵn y traed. Ymbaratoasant hwythau. Agorodd y drws, yn betrus, ac yna'n lled y pen. Aethant i mewn yn dawel, a chaeodd yr hen Berson y drws ar eu holau a mynd o'u blaenau i'w stydi heb ddweud dim. Trodd atynt yng nghanol y stydi.

"Rhian. Rhian fach."

Dyna'r cwbl a ddywedwyd, am hir iawn. Eisteddai Robin a Rhian ar soffa o flaen pwt o dân, ac eisteddai'r hen Berson wrth ochr y tân. Yr oedd Rhian yn beichio wylo, ac nid oedd gysuro arni. Credai Robin fod Ambrose Morgan yn edrych yn waeth na Mathew Roberts.

Ni wylai'r hen Berson. Eisteddai'n syth yn ei gadair, gan edrych o hyd i'r un fan yn y tân, heb dynnu ei olygon oddi arno. Bob hyn a hyn, rhoddai ebychiad bychan, fel ochenaid, ac ysgydwai ei ben yn araf unwaith neu ddwy. Wedi distawrwydd maith, meddyliodd Robin am rywbeth i'w ddweud.

"Pryd cawsoch chi . . ." dechreuodd, ond yr oedd y crygni annisgwyl yn ei lais yn ei drechu, a distawodd. Cliriodd ei wddf, ond yr oedd wedi colli'i hyder. Nid oedd yr hen Berson i'w weld wedi ei glywed o gwbl.

Buont yn ddistaw wedyn, ar ôl i Rhian ddod ati'i hun, dim ond tri'n syllu i'r tân, ac yn rhannu gan mwyaf yr un meddyliau, ond bod y meddyliau hynny'n eu harwain bob un i'w lwybr ei hun. Ac nid oedd wahaniaeth nad oedd neb yn siarad. Dim ond un dull, o nifer, o gyfleu teimladau oedd siarad.

Ambrose Morgan a ddechreuodd siarad yn y diwedd, heb godi'i lygaid oddi ar y tân.

"'Doeddwn i ddim wedi'i weld o ers blynyddoedd," meddai, gan afael yn dynnach ym mreichiau ei gadair, i chwilio am nerth.

Ni ofynnai'r llais bloesg am ateb. Chwaraeodd y dwylo'n ddibwrpas â breichiau'r gadair am ychydig, cyn i'r hen Berson ddod o hyd i'w lais drachefn.

"'Doedd o ddim wedi cadw mewn cysylltiad," meddai'n araf wrth y tân, "na llythyr na dim. Dyna pam y daethom ni yma i ddechrau un, i drio anghofio. 'Does gan bobl ddiarth mo'r diddordeb i holi bob munud,—'roedd 'na fwy o lonydd i'w gael yma. Am wn i na wyddai o ein bod ni wedi symud yma o gwbl, nac am—am farwolaeth Elsie."

Yr oedd yn ôl yn yr angladd, a'r fynwent yn orlawn, a neb wrth ei ochr.

"Wn i ddim ar bwy'r oedd y bai."

Syllai'r tri yn syth i'r tân.

"Arna i, ella. Mi fethis i."

Trodd Rhian ei llygaid ato.

"Peidiwch â'ch beio'ch hun," meddai. "'Chlywis i mohono fo . . . 'ddaru Heilyn ddim beio neb, ddim wrtha i, beth bynnag."

Rhoes y gorau i geisio'i gysuro. Yna clywai lais Robin.

"Ydach chi wedi gwneud unrhyw drefniadau, Mr. Morgan?"

Daeth poen i'r llygaid.

"Trefniadau?" gofynnodd yn araf, a'i wyneb yn troi atynt.

Fe'i teimlai Robin ei hun yn mynd yn annifyr, am ei fod wedi busnesa.

"Ia," eglurodd, gan wrido, "ynglŷn â chladdu."

"O." Yr oedd yn amlwg ar yr hen Berson mai rhywbeth arall a oedd ganddo ef dan sylw. Petrusodd. Yna rhoes ochenaid ddofn. "'Roeddwn i'n meddwl mai'r trefniadau eraill oedd gen ti mewn golwg."

Cododd Robin ei ben. Ni ddeallai.

"Pa rai eraill?" gofynnodd.

Rhoes Ambrose Morgan ochenaid arall. Edrychai ar y mat ar yr aelwyd.

"'Rydw i . . . mae'r peth 'ma . . . 'rydw i wedi blino," meddai gan ysgwyd ei ben yn araf, araf, "wedi colli. 'Fedra i ddim aros yma rŵan. 'Fedra i ddim bod yn Berson yma mwyach, nac yn unlle arall chwaith. Mae'n bryd . . . mae'n hen bryd i mi . . .''

Distawodd. Yr oedd Rhian yn wylo eto. Nid oedd Robin na hithau wedi sylweddoli fod yr hen Berson eisoes wedi trefnu ei chwalfa.

''Ewch chi ddim i ffwrdd,'' ceisiodd Robin ei berswadio'i hun, '''rowch chi mo'r gorau iddi hi, a chitha . . .''

Ond yr oedd y Person wedi penderfynu.

'''Weli di nhw'n fy nerbyn i rŵan, Robin? 'Weli di nhw'n gwrando arna i eto? 'Fydda' i ddim yn dod ag o yma i'w gladdu,—'dderbyniai'r pentre mo hynny, byth. 'Dderbynian nhw mohono' inna eto, chwaith.''

''Gwnân', Mr. Morgan.''

Yr oedd Rhian yn ceisio'i ddarbwyllo, yn methu â chredu'r hyn yr oedd yr holl beth wedi'i olygu iddo, yn ceisio credu'n wyllt y byddai gair ganddi hi'n newid popeth. Ond ysgydwai'r hen ŵr ei ben.

Cyn hir, ymadawsant. Ni ddaeth y Person i'w danfon i'r drws, a gadawsant ef yn eistedd wrth ei dân digysur, yn crynu mewn galar. Cerddasant yn araf benisel ar hyd y llwybr, ac i'r car. Trodd Robin ef yn ôl yn llidiart y fynwent, a chychwynasant yn ôl heb edrych ar y tŷ trist yr oeddynt newydd ddod ohono.

Yn ymyl eu cartref, yr oedd aderyn to yn pigo yng nghanol y ffordd, yn pigo am y tamaid olaf i fynd ag ef i'r nyth cyn nos. Am y tro cyntaf yn ei bywyd, yr oedd ar Rhian ofn i'r car ei daro, ac ymbiliodd arno i symud cyn i'r car ddod ar ei warthaf. Ond yr oedd Robin hefyd fel pe bai wedi sylwi, ac arafodd y car, a hedfanodd yr aderyn i ddiogelwch ei nyth. Yr oedd Rhian yn falch drosto. Gwasgodd ei llaw ei diolchgarwch i law Robin.

Daethant at y tŷ, ac edrychasant arno wrth fynd heibio iddo. Trodd Rhian yn ôl, ac edrychodd ar Robin. Gwenodd arno. Byddai'r tŷ yn iawn unwaith y câi ffenest y parlwr ei thrwsio.